LA MORT À NU

Simon Beckett

LA MORT À NU

Roman

*Traduit de l'anglais
par Isabelle Maillet*

ÉDITIONS FRANCE LOISIRS

Titre original anglais : *The Chemistry of Death*

Première publication : Bantam Press, Londres, 2006

À Hilary

Édition du Club France Loisirs,
avec l'autorisation des Éditions Calmann-Lévy.

Éditions France Loisirs,
123, boulevard de Grenelle, Paris
www.franceloisirs.com

© Simon Beckett, 2006
© Calmann-Lévy, 2007, pour la traduction française.

ISBN 978-2-298-00728-2

1

Le corps humain commence à se décomposer environ vingt-quatre heures après la mort. Jusque-là enveloppe de vie, il entame ses ultimes métamorphoses. S'autodétruit, en quelque sorte. Les cellules se dissolvent de l'intérieur, les tissus se liquéfient puis forment des gaz. Désormais inanimé, il constitue un véritable festin pour d'autres organismes. D'abord les bactéries, ensuite les insectes. Les mouches. Les œufs pondus éclosent. Les larves se repaissent de ce bouillon nutritif avant de migrer. Elles abandonnent la dépouille de façon ordonnée, les unes à la suite des autres, formant un cortège qui se dirige toujours vers le sud. Parfois vers le sud-est ou le sud-ouest, mais jamais vers le nord. Personne ne sait pourquoi.

À ce stade, les protéines musculaires en pleine dégradation produisent une puissante solution chimique. Destructrice pour la végétation, elle anéantit l'herbe où progresse la file de vers pareille à une sorte de cordon ombilical macabre la reliant à sa source. Si les conditions sont favorables – un temps chaud et sec, par exemple –, celui-ci peut s'étendre sur plusieurs mètres telle une parade de gros asticots jaunes. C'est un spectacle insolite, et pour un esprit curieux, quoi de plus naturel que de rechercher la cause du phénomène ? Ce fut ainsi que les frères Yates découvrirent les restes de Sally Palmer.

Neil et Sam croisèrent les larves à la lisière de Farnham Wood, à l'endroit où le bois borde le marécage. C'était la deuxième semaine de juillet, et déjà, la canicule semblait durer depuis une éternité. Tout portait à croire que le soleil ne s'arrêterait jamais de briller, privant de couleurs les arbres, cuisant la terre jusqu'à lui donner la dureté de l'os. Les garçons se rendaient à Willow Hole, un étang envahi par les roseaux qui faisait office de pataugeoire pour les gamins du coin. En compagnie des copains qu'ils devaient retrouver, ils passeraient le dimanche après-midi à sauter d'un arbre surplombant l'eau verdâtre et tiède. Du moins le croyaient-ils.

Je les imagine apathiques, à moitié morts d'ennui, assommés par la chaleur et se tapant réciproquement sur les nerfs. À onze ans, soit trois de plus que son cadet Sam, Neil a sans doute pris la tête pour bien montrer son impatience. De son bâton, il fouette les tiges et les branches sur son chemin. Sam, à la traîne, renifle de temps à autre. Il n'a pas attrapé froid, il souffre juste d'un rhume des foins qui lui rougit les yeux. Un antihistaminique léger le soulagerait, ce qu'il ignore encore à ce moment-là. L'été, il a le nez bouché en permanence. Toujours collé aux basques de son grand frère, il avance tête baissée, raison pour laquelle c'est lui, et non son aîné, qui remarque les vers.

Il s'arrête pour les examiner avant d'appeler Neil. Celui-ci hésite, mais de toute évidence, Sam a trouvé quelque chose. Il s'efforce de prendre un air indifférent, même si l'étrange procession l'intrigue tout autant que son cadet. Tous deux s'accroupissent près des larves, repoussant les mèches brunes égarées sur leurs visages similaires, plissant le nez à cause de l'odeur d'ammoniac. Et si, après coup, aucun d'eux ne se rappellerait qui avait eu l'idée d'aller voir d'où provenaient les larves, je pencherais pour Neil. N'ayant pas remarqué lui-même l'étrange procession, il a certainement hâte de réaffirmer son autorité. Alors il se dirige le premier vers les touffes d'herbe jaunie d'où affluent les asticots, laissant Sam libre de le suivre.

Furent-ils sensibles à la puanteur en approchant ? Sûrement. Elle devait être assez forte pour s'infiltrer même dans les sinus encombrés de Sam. Et selon toute vraisemblance, les deux frères avaient déjà une idée assez précise de son origine ; ce n'étaient pas des gosses de la ville, ils connaissaient le cycle de la vie et de la mort. En outre, les mouches dont les bourdonnements paresseux emplissaient l'air chaud les avaient forcément mis sur la voie. Mais contre toute attente, le cadavre sur lequel ils tombèrent n'était pas celui d'un mouton ou d'un chevreuil, ni même d'un chien. Nue, méconnaissable sous le soleil, Sally Palmer n'était que mouvements, vagues de vermine ondoyant sous la peau, s'échappant de son nez et de sa bouche, ainsi que des autres ouvertures moins naturelles sur son corps. Les vers qui se déversaient de sa dépouille se massaient sur le sol avant de s'éloigner en un cortège qui se prolongeait bien au-delà des frères Yates.

Sans doute n'est-il pas important de savoir lequel s'enfuit le premier, mais là encore, je pencherais pour Neil. Comme d'habitude, Sam dut suivre l'exemple de son grand frère, essayant de ne pas se faire distancer dans cette course folle qui les mena d'abord chez eux, puis au poste de police.

Et enfin, jusqu'à moi.

Outre un léger sédatif, j'administrai également à Sam un antihistaminique pour soigner son allergie. À ce moment-là, pourtant, il n'était plus le seul à avoir les yeux rouges. Neil aussi restait secoué par leur découverte, même s'il commençait à recouvrer une insouciance typique de la jeunesse. Ce fut donc lui, et non son cadet, qui me relata leur mésaventure, remodelant déjà ses souvenirs bruts afin de leur donner une forme plus acceptable, d'en faire une histoire destinée à être racontée maintes et maintes fois. Et plus tard, des années après les événements tragiques de cet été exceptionnellement chaud, Neil en parlerait toujours, passant à jamais pour celui dont la macabre trouvaille avait tout déclenché.

Sauf qu'il n'en était rien. C'est juste que nous n'avions jamais soupçonné jusque-là l'existence de monstres parmi nous.

2

J'étais arrivé à Manham en fin d'après-midi, trois ans plus tôt, lors d'un mois de mars pluvieux. En débarquant à la gare – guère plus qu'une petite plate-forme au milieu de nulle part –, j'avais découvert un paysage noyé par la grisaille, apparemment aussi dénué de vie humaine que de reliefs. Immobile sur le quai, ma valise à la main, j'avais examiné la campagne alentour sans vraiment prêter attention à l'eau qui gouttait dans mon col. Marais et terrains marécageux s'étendaient jusqu'à l'horizon en une topographie linéaire seulement ponctuée par quelques bois dénudés ici et là.

Pour moi qui n'avais jamais mis les pieds dans les Broads, ni même dans le Norfolk, la vue présentait un aspect tout à fait insolite. Néanmoins, à force de regarder ces vastes espaces à ciel ouvert en inspirant l'air froid et humide, j'avais fini par sentir mes tensions se dénouer légèrement. Si inhospitalière que fût cette région, ce n'était pas Londres, et à mes yeux, rien d'autre ne comptait.

Personne n'était venu m'attendre. De fait, je n'avais pris aucune disposition pour le trajet depuis la gare ; j'aurais été bien incapable de me projeter aussi loin. J'avais vendu ma voiture en même temps que tout le reste de mes biens sans penser un seul instant à la façon dont je me rendrais au village. Il faut dire que je n'avais pas trop les idées en place, à l'époque. Si j'avais réfléchi à la question, j'aurais sans doute supposé, en citadin présomptueux, que je trouverais des taxis, une boutique, quelque chose. Or il n'y avait rien de tout cela, ni station de taxis ni même une cabine téléphonique. J'avais brièvement regretté de m'être également débarrassé de mon téléphone portable, avant d'empoigner ma valise pour me diriger vers la seule route visible. À partir de là, je n'avais que deux solutions : à gauche ou à droite. Sans hésitation, et sans la moindre raison, j'avais tourné à gauche. Quelques centaines de mètres plus loin, j'étais parvenu à un carrefour où se dressait un vieux panneau en bois. Il avait beau pencher d'un côté, comme pour indiquer un point sous la terre détrempée, il m'avait néanmoins confirmé que j'étais dans la bonne direction.

La lumière du jour déclinait quand j'avais enfin atteint Manham. Sur les deux ou trois voitures qui m'avaient croisé en chemin, aucune ne s'était arrêtée. Les seuls autres signes de vie se limitaient à une poignée de fermes isolées, situées bien à l'écart de la route. Et puis, loin devant moi dans la pénombre crépusculaire, j'avais aperçu le clocher d'une église qui semblait à moitié enterrée au milieu d'un champ. Un trottoir s'était matérialisé, désormais, étroit et rendu glissant par la pluie, mais tout de même plus agréable pour marcher que la bordure herbeuse que je longeais depuis la gare. Au détour du virage suivant, j'avais découvert le bourg lui-même, quasiment invisible tant qu'on n'avait pas le nez dessus.

Il n'avait rien d'une vision de carte postale. Il était trop habité, trop étendu pour correspondre à l'image du village anglais typique. La rangée de pavillons à l'entrée, qui datait d'avant-guerre, cédait bientôt la place à des cottages de pierre dont les murs s'ornaient d'éclats de silex. Plus j'approchais du cœur de Manham et plus les habitations paraissaient anciennes, me donnant l'impression de remonter le cours du temps à chaque pas. Luisantes d'humidité, elles se blottissaient les unes contre les autres, leurs carreaux sombres me renvoyant mon reflet comme autant de regards soupçonneux.

Un peu plus loin, la route était bordée de boutiques fermées derrière lesquelles d'autres maisons s'enfonçaient dans le crépuscule pluvieux. J'étais passé devant une école, un pub, puis un terrain communal illuminé de jonquilles dont les trompettes jaunes oscillant sous l'averse apportaient une touche de couleur éclatante dans cet univers sépia. Dominant le terrain communal, un marronnier séculaire de taille impressionnante déployait ses branches noires et nues. Au-delà, entourée d'un cimetière aux stèles inclinées, couvertes de mousse, se dressait l'église romane dont j'avais aperçu le clocher en arrivant. Tout comme les cottages les plus anciens, ses murs étaient incrustés de silex – des pierres dures, de la taille d'un poing, capables de défier les éléments. Le ciment plus tendre tout autour était en revanche abîmé et usé par le temps ; quant aux fenêtres et à la porte, elles s'étaient légèrement gauchies à mesure que le sol sur lequel reposait l'édifice se tassait au cours des siècles.

Je m'étais arrêté. Devant moi, je voyais la route disparaître parmi les maisons. De toute évidence, il n'y avait rien de plus à Manham. Des lumières brillaient derrière certaines fenêtres, mais je n'avais remarqué aucun autre signe de vie. J'étais resté un moment immobile sous la pluie, ne sachant trop quelle direction prendre. Soudain, j'avais entendu un bruit et découvert deux jardiniers au travail dans le cimetière. Indifférents à l'averse et à la pénombre grandissante, ils ratissaient l'herbe autour des vieilles pierres tombales. Aucun d'eux n'avait levé les yeux à mon approche.

« Excusez-moi, pourriez-vous me dire où se trouve le cabinet du médecin ? » leur avais-je demandé, le visage ruisselant de pluie.

Ils avaient interrompu leur travail pour me dévisager, tellement semblables malgré la différence d'âge qu'il s'agissait sans aucun doute du grand-père et de son petit-fils. Leurs yeux couleur bleuet reflétaient la même expression placide, dépourvue de curiosité. Enfin, le plus âgé m'avait indiqué de la main l'extrémité du terrain communal, d'où partait un sentier bordé d'arbres.

« C'est c'chemin-là, d'vant vous. »

L'accent – une bouillie de voyelles déroutante pour mes oreilles de citadin – m'avait apporté une preuve supplémentaire que je n'étais plus à Londres. Je les avais remerciés, mais les deux hommes étaient déjà retournés à leur tâche. Sur le chemin, le tambourinement des gouttes m'avait paru amplifié par les branches au-dessus de ma tête. Au bout d'un moment, j'étais parvenu devant une large grille barrant l'accès à une allée étroite. Sur l'écriteau fixé à l'un des piliers, on pouvait lire : *Bank House*, et sur la plaque de cuivre en dessous : *Dr H. Maitland*. Flanquée d'ifs, l'allée montait en pente douce à travers un jardin bien entretenu, puis redescendait vers la cour d'une imposante demeure géorgienne. Parvenu sur le perron, j'avais frotté mes chaussures boueuses sur le vieux racloir en fonte installé à côté de l'entrée, puis laissé retomber le lourd heurtoir sur le battant. J'allais recommencer quand la porte s'était ouverte.

Une femme grassouillette d'une cinquantaine d'années, aux cheveux gris acier impeccablement coiffés, avait levé les yeux vers moi.

« Oui ?

— Je viens voir le docteur Maitland. »

Elle avait froncé les sourcils.

« Le cabinet est fermé. Et j'ai bien peur que le docteur ne soit pas en état de faire des visites à domicile pour le moment.

— Non... Je veux dire, il m'attend. » Devant son absence de réaction, j'avais pris conscience de l'apparence débraillée que je devais offrir après une heure d'errance sous la pluie. « Je suis ici pour le poste. David Hunter ? »

Son visage s'était éclairé.

« Oh, désolée ! Je n'avais pas fait le rapprochement. Je croyais... Mais je vous en prie, entrez... » Elle s'était effacée pour me laisser passer. « Mon Dieu, vous êtes tout mouillé ! Vous avez beaucoup marché ?

— Depuis la gare.

— Ah bon ? Mais c'est à des kilomètres ! » Déjà, elle me débarrassait de mon manteau. « Pourquoi n'avez-vous pas téléphoné pour nous dire à quelle heure arrivait votre train ? Nous aurions pu envoyer quelqu'un vous chercher. »

Je n'avais pas répondu. En vérité, je n'y avais pas pensé.

« Allez donc vous installer au salon, il y a du feu dans la cheminée. Non, laissez votre valise », avait-elle ajouté après avoir suspendu mon manteau. Lorsqu'elle m'avait souri, j'avais remarqué pour la première fois ses traits tirés. Ce que j'avais pris un peu plus tôt pour de la sécheresse n'était en réalité que l'expression d'une grande fatigue. « Ici, personne ne vous la volera. »

Elle m'avait conduit jusqu'à une vaste pièce aux murs lambrissés, où un canapé Chesterfield au cuir usé faisait face à l'âtre dans lequel rougeoyaient des bûches. S'il n'était plus de première jeunesse, le tapis persan, posé sur un plancher ciré couleur terre de Sienne, n'en restait pas moins magnifique. À la bonne odeur du pin se mêlait celle, tout aussi agréable, du feu de bois.

« Asseyez-vous, je vous en prie. Je vais prévenir le docteur Maitland que vous êtes là. Aimeriez-vous une tasse de thé ? »

Nouvelle preuve, si besoin était, que je ne me trouvais plus à Londres : en ville, on m'aurait proposé du café. Au moment où elle se retirait, je l'avais remerciée avant de me perdre dans la contemplation des flammes. Après le froid du dehors, la chaleur me rendait somnolent. Derrière les portes-fenêtres, la nuit était tombée. La pluie martelait toujours les carreaux. Le canapé moelleux m'avait accueilli dans ses profondeurs confortables, et peu à peu, mes paupières s'étaient alourdies. Mais en sentant ma tête dodeliner, je m'étais redressé d'un bond, j'avais beau être épuisé, physiquement et mentalement vidé, la peur de m'endormir l'emportait.

Je me tenais toujours devant la cheminée quand mon hôtesse avait reparu.

« Vous venez ? Le docteur Maitland vous attend dans son bureau. »

Je l'avais suivie dans le couloir, faisant craquer les

lattes sous mes pas. Elle avait frappé discrètement à une porte tout au bout, qu'elle avait ouverte tout naturellement sans attendre de réponse. De nouveau, elle avait souri en s'écartant pour me céder le passage.

« Je vous sers votre thé dans une minute », avait-elle dit avant de refermer la porte.

À l'intérieur, un homme était installé à sa table de travail. Nous nous étions observés durant quelques secondes. Même en le voyant assis, j'avais été frappé par sa stature imposante – une impression renforcée par son visage à l'ossature puissante, creusé de rides profondes, et son épaisse crinière grise tirant sur le crème. Ses sourcils noirs démentaient cependant toute impression de faiblesse, de même que son regard vif et pénétrant. Ses yeux m'avaient survolé sans rien révéler de ce qu'il pensait de mon apparence. Pour la première fois, j'avais vaguement regretté de ne pas pouvoir me présenter sous mon meilleur jour.

« Bon sang, mon vieux, vous êtes trempé comme une soupe ! s'était-il exclamé d'un ton bourru, mais néanmoins cordial.

— Je suis venu à pied de la gare. Il n'y avait pas de taxis. »

Il avait émis un petit reniflement de mépris.

« Bienvenue dans notre belle cité de Manham ! Vous auriez dû me prévenir que vous arriveriez un jour plus tôt, j'aurais envoyé quelqu'un vous chercher.

— Comment ça, un jour plus tôt ?

— Eh bien, oui, je ne vous attendais que demain. »

Je m'expliquais mieux, soudain, pourquoi je n'avais vu que des boutiques fermées : nous étions dimanche. Jusque-là, je n'avais pas encore mesuré à quel point j'avais perdu la notion du temps. Le docteur Maitland avait cependant fait mine de ne pas voir combien j'étais troublé par ma bévue.

« Enfin, l'essentiel, c'est que vous soyez là, avait-il dit. Et puis, comme ça, vous aurez plus de temps pour prendre vos repères. Je me présente, Henry Maitland. Ravi de vous rencontrer. »

Il m'avait tendu la main sans se lever, et à ce moment-là seulement, j'avais remarqué les roues qui équipaient son fauteuil. Je m'étais penché vers lui, mais sensible à ma brève hésitation, il avait esquissé un sourire désabusé.

« Vous comprenez maintenant pourquoi j'ai passé cette annonce... »

Elle figurait parmi les offres d'emploi du *Times* – juste un petit entrefilet que rien ne distinguait du reste. Pour quelque obscure raison, cependant, elle avait immédiatement accroché mon regard. Un cabinet médical rural cherchait un médecin généraliste pour un remplacement de six mois, logement fourni. Avant tout, c'était la situation géographique qui m'intéressait ; non que j'eusse particulièrement envie d'exercer dans le Norfolk, mais au moins, cela me permettrait de quitter Londres. J'avais donc posé ma candidature sans grand espoir ni enthousiasme, me résignant déjà à un refus poli. Au lieu de quoi, en ouvrant le courrier une semaine plus tard, j'avais eu la surprise de découvrir une réponse positive. J'avais dû relire la lettre pour m'en assurer. En d'autres temps, j'aurais cherché le piège, cela dit, en d'autres temps, jamais je n'aurais sollicité un tel poste.

J'avais aussitôt écrit pour signifier mon accord.

À présent, je contemplais mon nouvel employeur en me demandant tardivement dans quelle galère je m'étais engagé. Comme s'il lisait dans mon esprit, il s'était frappé les cuisses.

« Un accident de voiture. » Aucune note d'embarras ou d'autoapitoiement ne transparaissait dans sa voix. « Un jour, je recouvrerai sans doute partiellement l'usage de mes jambes, mais pour le moment, je ne peux pas me débrouiller seul. Depuis environ un an, je fais appel à des remplaçants toutes les semaines, et j'en ai plus qu'assez. Une tête différente tous les huit jours, ce n'est bon pour personne. Vous ne tarderez pas à découvrir qu'on n'aime pas trop la nouveauté, dans le coin. » il avait récupéré la pipe et le tabac posés sur son bureau. « Vous ne voyez pas d'inconvénient à ce que je fume ?

— Non, si vous n'en voyez pas vous-même. »

Il avait éclaté de rire.

« Bonne réponse ! Mais attention, je ne suis pas un de vos patients, ne l'oubliez jamais. » Il s'était interrompu pour approcher une allumette du fourneau de sa pipe. « Alors, avait-il dit en tirant sur le tuyau, ça va rudement vous changer après votre expérience à l'université, non ? Sans compter que ce n'est pas Londres, ici... » Il m'avait dévisagé durant quelques instants, et je m'étais préparé à lui fournir des explications sur ma carrière passée, mais à ma grande surprise, il ne m'avait rien demandé de tel. « Si vous avez des doutes de dernière minute, c'est le moment de m'en faire part.

— Non », avais-je affirmé.

L'air satisfait, le docteur Maitland avait hoché la tête.

« Parfait. Dans un premier temps, vous vous installerez dans cette maison. Je vais demander à Janice de vous montrer votre chambre. Nous reparlerons de tout ça pendant le dîner, et si vous voulez, vous pourrez commencer demain matin. Les consultations débutent à neuf heures.

— Je peux vous poser une question ? » Il avait haussé les sourcils d'un air interrogateur. « Pourquoi m'avez-vous recruté ? »

Ce point me chiffonnait. Pas suffisamment pour m'inciter à décliner son offre, mais je me sentais néanmoins troublé.

« Vous aviez le profil idéal : compétent, muni d'excellentes références et prêt à venir exercer au milieu de nulle part pour le salaire de misère que je propose.

— Je m'attendais à passer d'abord un entretien. »

Il avait agité sa pipe comme pour balayer cette remarque, s'entourant du même coup d'un halo de fumée.

« Les entretiens prennent du temps. Je voulais quelqu'un qui soit capable de se mettre au travail tout de suite. Et je fais confiance à mon jugement. »

Sa force de conviction me paraissait rassurante. Plus tard seulement, une fois certain que je resterais, il me confierait dans un éclat de rire en savourant un whisky pur malt que j'avais été le seul postulant.

Mais sur le moment, une réponse aussi évidente ne m'était pas venue à l'esprit.

« Je vous ai dit que je n'avais pas beaucoup pratiqué la médecine générale. Comment pouvez-vous savoir que je serai à la hauteur ?

— Et vous, qu'en pensez-vous ? »

Je m'étais accordé quelques instants de réflexion, car au fond, c'était la première fois que j'envisageais sérieusement la question. Jusque-là, j'avais foncé tête baissée, pressé de fuir une ville et des personnes dont la seule vue me faisait souffrir. De nouveau, j'avais songé à l'impression que je devais donner : arrivé un jour plus tôt que prévu, trempé jusqu'aux os... *Même pas l'idée de s'abriter quand il pleut.*

«Oui, avais-je dit.

— Et voilà, vous avez la réponse.» Son regard toujours aussi pénétrant s'éclairait maintenant d'une lueur d'amusement. «De plus, ce n'est qu'un emploi temporaire. Et de toute façon, je vous aurai à l'œil.»

Il avait pressé un bouton sur son bureau, déclenchant une sonnerie quelque part dans la maison.

«En général, quand les patients nous en laissent la possibilité, le dîner est servi à huit heures. Profitez-en donc pour vous détendre. Vous avez apporté vos bagages ou vous les avez fait suivre ?

— Non, je les ai apportés. Votre épouse m'a demandé de les laisser dans le hall.»

Il avait eu l'air surpris, avant d'esquisser un petit sourire gêné.

«Janice est ma femme de ménage, avait-il précisé. Je suis veuf.»

Brusquement, la chaleur de la pièce m'avait paru étouffante. J'avais hoché la tête.

«Moi aussi.»

Voilà comment j'étais devenu le médecin de Manham. Et comment, trois ans plus tard, je fus l'un des premiers à apprendre ce que les frères Yates avaient découvert à Farnham Wood. Bien sûr, à ce moment-là, personne ne savait encore qui était la victime. Étant donné l'état du corps, les deux garçons n'avaient pu déterminer si c'était celui d'un homme ou d'une femme. Et une fois de retour dans l'univers rassurant de leur foyer, ils n'étaient même plus certains de l'avoir vu nu. À un certain stade de son récit, Sam laissa entendre que la dépouille avait des ailes, avant de se retrancher dans l'incertitude et le silence ; quant à Neil, il était encore sous le choc. Ce qu'ils avaient eu sous les yeux dépassait largement leur champ d'expérience, et à présent, leur mémoire répugnait à l'évoquer. Ils ne s'accordaient que sur un point : c'était humain et mort. Et si leur description d'une marée d'asticots semblait indiquer la présence de blessures, je n'ignorais pas non plus quel genre de tours peuvent jouer les cadavres. Il n'y avait aucune raison d'envisager le pire.

Du moins, à ce stade.

Aussi la conviction de leur mère me parut-elle d'autant plus étrange. Linda Yates avait passé un bras autour des épaules de son cadet qui, blotti contre elle, regardait d'un œil morne le téléviseur aux couleurs criardes dans le petit salon. Le père, ouvrier agricole, était toujours au travail. Linda m'avait appelé quand les garçons étaient rentrés, hors d'haleine et au bord de la crise de nerfs. Même le dimanche après-midi, un médecin n'était jamais de repos dans une bourgade aussi isolée que Manham.

Nous attendions toujours l'arrivée de la police. Les agents ne voyaient manifestement aucune raison de se presser, mais pour ma part, je me sentais obligé de rester. J'avais administré à Sam un sédatif si léger qu'il s'apparentait presque à un placebo, avant d'écouter à contrecœur l'histoire rapportée par son frère. J'avais cependant tout fait pour ne pas y prêter trop d'attention, car je ne savais que trop bien ce qu'ils avaient dû voir.

Et Dieu sait que je ne voulais pas y penser.

La fenêtre du salon avait beau être grande ouverte, aucun souffle d'air ne venait rafraîchir la pièce. Le monde extérieur blanchi par un soleil de plomb brillait d'un éclat aveuglant.

«C'est Sally Palmer», déclara brusquement Linda Yates.

Je lui jetai un coup d'œil surpris. Sally Palmer vivait seule dans une fermette à la sortie du village. La trentaine, jolie, elle s'était établie à Manham quelques années avant moi, quand elle avait hérité la propriété de son oncle. Elle y élevait quelques chèvres, et grâce à ses racines familiales, elle ne passait pas tout à fait pour une étrangère à la communauté, contrairement à moi. Sa profession d'écrivain la mettait néanmoins à part, amenant la plupart de ses voisins à la considérer avec un mélange d'admiration et de méfiance.

Quoi qu'il en soit, je n'avais pas entendu parler de sa disparition.

«Qu'est-ce qui vous fait dire ça?

— J'ai rêvé d'elle.»

Pris au dépourvu par cette réponse, je me concentrai de nouveau sur les garçons. Sam, désormais plus calme, ne semblait pas nous écouter. Mais à la façon dont Neil observait sa mère, je compris que tout ce qui se dirait entre ces quatre murs se répandrait dans le village dès l'instant où il quitterait la maison. Linda dut interpréter mon silence comme du scepticisme, car elle expliqua :

«Elle attendait à l'arrêt de bus, en larmes. Quand je lui ai demandé ce qui n'allait pas, elle est restée silencieuse. Ensuite, j'ai regardé en direction de la route, et lorsque je me suis retournée, elle avait disparu.»

Je ne savais pas comment réagir.

« On ne rêve pas sans raison, poursuivit-elle. Voilà pourquoi elle m'est apparue.

— Allons, Linda, on ne sait pas encore de qui il s'agit. Ça pourrait être n'importe qui. »

Elle me gratifia d'un regard éloquent laissant supposer que j'avais tort, sans pour autant essayer de me contredire. Je me sentis néanmoins soulagé quand un coup résonna à la porte, annonçant l'arrivée des policiers.

Ils étaient deux, chacun incarnant à la perfection le stéréotype du représentant de la loi en milieu rural. Le plus âgé arborait un teint rougeaud et ponctuait régulièrement ses phrases d'un clin d'œil jovial – un tic que je jugeai déplacé étant donné les circonstances.

« Alors vous croyez avoir trouvé un corps, c'est ça ? » lança-t-il gaiement en me coulant un regard complice, comme pour m'inclure dans une plaisanterie d'adultes censée passer au-dessus de la tête des deux frères.

Tandis que Sam se serrait plus étroitement contre sa mère, Neil, manifestement impressionné par l'uniforme, répondit du bout des lèvres aux questions qu'on lui posait.

L'interrogatoire ne dura pas longtemps. Quelques minutes plus tard, l'aîné des deux agents referma son calepin d'un coup sec.

« Bon, on ferait mieux d'aller voir sur place, dit-il. Lequel de vous deux veut bien nous conduire là-bas ? »

Sam enfouit son visage dans l'épaule maternelle. Neil garda lui aussi le silence, mais il avait blêmi. Raconter l'histoire, c'était une chose ; retourner là-bas, c'en était une autre. Leur mère me jeta un regard inquiet.

« Je ne crois pas que ce soit une bonne idée », risquai-je.

En vérité, je la trouvais franchement mauvaise. Mais pour avoir souvent eu affaire à la police, je savais la diplomatie généralement préférable à la confrontation directe.

« Alors, comment on va faire puisqu'on ne connaît pas le coin ? demanda-t-il.

— J'ai une carte dans la voiture, répondis-je. Je vais vous indiquer la direction. »

Le policier ne tenta pas de masquer sa contrariété. Dehors, éblouis par la brusque luminosité, nous plissâmes les yeux. La maison des Yates était la dernière d'une rangée de petits cottages en pierre. Nous avions tous garé nos véhicules dans l'allée. Après avoir récupéré mon plan, je l'étalais sur le capot de ma Land Rover. Le soleil se réfléchissant sur le métal le rendait presque impossible à toucher.

« C'est à environ cinq kilomètres d'ici. Vous devrez laisser votre voiture pour traverser le marécage jusqu'au bois. Si j'ai bien compris, le corps se trouve par là... »

J'indiquai une zone sur la carte.

« J'ai une meilleure idée, grommela le policier. Pourquoi vous nous emmèneriez pas là-bas vous-même ? » Il esquissa un sourire crispé. « Apparemment, la région n'a aucun secret pour vous. »

Comprenant à son expression que je n'avais pas le choix, je leur dis de me suivre. L'intérieur de ma vieille Land Rover empestait le plastique chaud. Je baissai les deux vitres au maximum. Sous mes doigts crispés, le volant était brûlant. En m'apercevant que mes jointures avaient blanchi, je m'obligeais à me détendre.

Les routes étaient étroites et sinueuses, mais le trajet ne prit pas longtemps. Je finis par m'arrêter sur un terre-plein cuit par le soleil, la portière côté passager effleurant une haie jaunie. La voiture de police freina brusquement derrière moi. Quand les deux agents en descendirent, le plus âgé remonta son pantalon par-dessus sa bedaine. Le plus jeune, au visage rougi par les coups de soleil et le feu du rasoir, se tenait un peu en retrait.

« Il y a un chemin qui traverse le marais, expliquai-je. Il vous conduira jusqu'au bois. À mon avis, vous n'aurez guère plus de quelques centaines de mètres à parcourir. »

L'aîné des deux policiers essuya la sueur sur son front. Des auréoles sombres sous ses aisselles tachaient sa chemise blanche et une odeur âcre émanait de lui. Les yeux plissés pour scruter les arbres au loin, il remua la tête.

« Si c'est pas malheureux de bosser par une chaleur pareille... Vous avez bien une petite idée de l'endroit où ça se trouve, non ? Vous voudriez pas nous montrer, par hasard ? »

Il s'était exprimé d'un ton mi-sérieux, mi-moqueur.

« Quand vous aurez atteint les bois, vous en saurez autant que moi, répliquai-je. Fiez-vous aux asticots. »

Le rire du cadet mourut devant le regard mauvais de son collègue.

« Vous ne devriez pas faire intervenir les techniciens de scène de crime ? demandai-je.

— Ils vont pas apprécier d'être dérangés pour un vulgaire cadavre de chevreuil. En général, c'est rien d'autre.

— Les gosses ne semblaient pas de cet avis.

— Ben, je préfère en juger par moi-même, si ça vous dérange pas trop. » Il fit signe à son jeune compagnon. « Allez, en route, qu'on en finisse. »

Je les suivis des yeux tandis qu'ils se faufilaient par un trou dans la haie pour se diriger vers la forêt. Ils ne m'avaient pas demandé de les attendre, aussi n'avais-je aucune raison de m'attarder. J'avais fait mon possible pour les aider ; désormais, tout dépendait d'eux.

Pourtant, je ne pus me résoudre à partir. Je retirais de sous mon siège une bouteille d'eau minérale. Elle était tiède, mais j'avais la bouche sèche. Je chaussais mes lunettes noires puis m'adossai à la carrosserie d'un vert poussiéreux pour observer le marécage et les arbres parmi lesquels les policiers avaient déjà disparu. L'air rendu brumeux par la chaleur résonnait du bourdonnement et du crissement des insectes. Deux libellules voltigèrent un instant près de moi. J'avalai encore une gorgée d'eau et jetai un coup d'œil à ma montre. Aucune consultation n'était prévue ce jour-là, mais j'avais certainement mieux à faire de mon temps que traînasser au bord d'une route en attendant des nouvelles de ces deux flics mal dégrossis... De toute façon, ils avaient probablement raison : les gosses avaient dû tomber sur le cadavre d'un animal ; l'imagination et la panique avaient fait le reste.

Je ne bougeai toujours pas.

Quelques minutes plus tard, les deux hommes réapparurent, leurs chemises blanches se découpant sur fond de hautes herbes desséchées. Je fus frappé par leur pâleur avant même qu'ils m'eussent rejoint. Le plus jeune ne semblait pas conscient de la tache de vomi souillant le devant de son uniforme. Sans un mot, je lui tendis la bouteille d'eau. Il l'accepta d'un air reconnaissant.

L'aîné refusa de croiser mon regard.

« Impossible de recevoir un signal dans ce putain de coin », marmonna-t-il.

De toute évidence, il essayait d'incarner de nouveau son personnage de flic bourru, mais le résultat n'était guère convaincant.

« Donc, il ne s'agissait pas d'un chevreuil », dis-je.

Il leva vers moi des yeux éteints.

« Je ne vois pas la nécessité de vous retenir plus longtemps. »

Il attendit, pour lancer un appel radio, que je fusse remonté dans ma Land Rover. Il parlait toujours dans son émetteur lorsque je démarrai. Quant à son jeune collègue, il contemplait fixement ses pieds, les bras ballants, la bouteille d'eau dans une main.

J'avais l'intention de retourner au cabinet. Des pensées tentaient de s'immiscer dans mon esprit, mais j'avais érigé un rempart pour les tenir à distance comme on installe une moustiquaire pour se protéger des mouches. Seule ma volonté me permettait de garder la tête vide, d'ignorer le message transmis par leur bourdonnement incessant. Quand la route menant au village fut en vue, ma main se porta vers le clignotant avant de s'immobiliser. Sans réfléchir, je pris une décision dont les répercussions se feraient sentir dans les semaines à venir, bouleversant à jamais ma vie et celle de plusieurs autres personnes.

Je continuai tout droit. Vers la ferme de Sally Palmer.

3

La ferme était bordée d'un côté par des arbres, de l'autre par un marais. La Land Rover souleva des nuages de poussière en cahotant sur le chemin d'accès creusé d'ornières. Après m'être garé sur les pavés irréguliers constituant les seuls vestiges de l'ancienne cour, je descendis de voiture. La grange en tôle ondulée semblait trembloter dans l'air chaud. La ferme elle-même était recouverte d'une peinture blanche ternie et tout écaillée qui n'en restait pas moins aveuglante sous le soleil. Des jardinières vert vif, installées de chaque côté de la porte, apportaient l'unique touche de couleur dans un univers aux tons délavés.

En général, quand Sally était chez elle, son border collie, Bess, se mettait à aboyer avant même que le visiteur se fût présenté sur le seuil. Ce jour-là, cependant, rien de tel ne se produisit. Les fenêtres ne révélaient aucun signe de vie à l'intérieur, mais cela ne voulait pas dire grand-chose. Je m'approchai de la porte pour frapper. À présent, mon initiative me paraissait complètement stupide. Tout en patientant, je laissai mon regard dériver vers l'horizon ; qu'allais-je dire à Sally si elle était là ? Je pouvais toujours opter pour la vérité, bien sûr, sauf que j'aurais l'air aussi irrationnel que Linda Yates. Sans compter que Sally risquait de se méprendre, de me prêter des motivations autres qu'une inquiétude troublante dont je ne m'expliquais pas moi-même la cause.

Sally et moi avions eu, sinon une véritable liaison, du moins un peu plus que des relations amicales. À une certaine époque, nous nous étions pas mal fréquentés. Après tout, en tant qu'étrangers venus tous les deux de Londres, nous avions en commun une expérience citadine. De plus, elle avait à peu près mon âge, possédait une nature sociable et un charme certain. J'avais pris plaisir à nos rendez-vous au pub pour boire un verre.

Pourtant, nous n'avions pas poussé les choses plus loin. Lorsque je l'avais soupçonnée de vouloir établir d'autres liens, j'avais battu en retraite. Au début, Sally avait été déconcertée par mon attitude, mais comme il ne s'était rien passé entre nous, mon revirement n'avait suscité ni rancœur ni embarras. Aujourd'hui, quand nos chemins se croisaient, nous nous contentions d'échanger quelques mots.

J'y veillais.

De nouveau, je frappai à la porte. Je me souviens d'avoir éprouvé un réel soulagement en constatant que personne ne venait ouvrir. De toute évidence, Sally était sortie ; je n'aurais donc pas à justifier ma présence. Cela dit, j'en aurais été bien incapable : je n'étais pas superstitieux, et contrairement à Linda Yates, je ne croyais pas aux prémonitions. Sauf qu'elle n'avait pas vraiment parlé de prémonition... Juste d'un rêve. Et j'étais bien placé pour savoir à quel point les rêves pouvaient être séduisants. Séduisants et trompeurs.

Enfin, je me détournai à la fois de la porte et de la direction prise par mes pensées. Une chance que Sally n'ait pas été chez elle, estimai-je, irrité. Pourquoi avais-je réagi ainsi, bon sang ? Même si un randonneur ou un ornithologue amateur avait trouvé la mort dans la région, ce n'était pas une raison pour laisser mon imagination s'emballer.

J'avais presque atteint la Land Rover lorsque je m'immobilisai. Un détail me chiffonnait, mais je n'aurais su dire lequel avant de me retourner. Et encore, il me fallut quelques secondes pour comprendre... Les jardinières. Les plantes y étaient brunies, desséchées.

Jamais Sally ne les aurait laissées dépérir.

Je revins sur mes pas. La terre dans les bacs était dure comme de la pierre. De toute évidence, on ne l'avait pas arrosée depuis plusieurs jours. Voire plus longtemps. Je frappai de nouveau à la porte en appelant Sally, cette fois. N'obtenant toujours pas de réponse, j'appuyai sur la poignée.

La serrure n'était pas verrouillée. Peut-être Sally avait-elle perdu l'habitude de fermer à clé depuis qu'elle vivait au village... Mais elle venait de la ville, tout comme moi, et les vieilles habitudes ont la vie dure. Le battant résista à ma poussée, bloqué de l'autre côté par une montagne d'enveloppes qui s'effondrèrent en une mini-avalanche lorsque je me faufilai à l'intérieur. Je les enjambai pour entrer dans la cuisine. La pièce était telle que dans mon souvenir : murs lumineux couleur jaune citron, solide mobilier rustique et présence de quelques touches de modernisme – presse-agrumes électrique, machine à expressos en Inox, grand porte-bouteilles bien garni – prouvant l'incapacité de l'occupante à effacer toute trace de la citadine en elle.

À part l'accumulation de courrier, je ne remarquai rien d'anormal au premier regard. Une odeur de renfermé imprégnait cependant l'atmosphère, à laquelle se mêlait la senteur douceâtre des fruits pourris. Cette dernière provenait d'un saladier en céramique posé sur la vieille commode en pin – une nature morte du genre *memento mori* composée de bananes noircies voisinant avec des pommes et des oranges recouvertes d'un duvet de moisissure blanchâtre. Dans un vase sur la table, des fleurs fanées désormais méconnaissables courbaient la tête. Près de l'évier, un tiroir était entrouvert, donnant l'impression que Sally avait été interrompue au moment où elle allait en retirer quelque chose. Machinalement, je tendis la main pour le refermer, avant de me raviser et de le laisser en l'état.

Elle avait peut-être pris des vacances, pensai-je. À moins qu'elle n'eût été trop occupée pour songer à jeter fruits abîmés et fleurs fanées ? Elle pouvait s'être absentée pour mille raisons, bien sûr. Pourtant, je crois qu'à ce stade, tout comme Linda Yates, j'avais compris.

J'envisageai un instant d'inspecter le reste de la maison, mais j'y renonçai presque aussitôt. À mes yeux, il s'agissait déjà d'une possible scène de crime et je ne voulais pas risquer de contaminer d'éventuels indices. Aussi décidai-je de ressortir. Sally enfermait ses chèvres dans un enclos derrière la bâtisse. Un seul coup d'œil suffit à me confirmer la gravité de la situation. Si quelques-unes des bêtes, amaigries et faibles, étaient encore debout, la plupart étaient couchées sur le flanc, inconscientes ou mortes. Elles avaient brouté jusqu'au dernier brin d'herbe de leur parc, et quand je m'approchai de l'abreuvoir, je le découvris vide. Un tuyau d'arrosage servant manifestement à le remplir était abandonné à proximité. J'en plaçai l'extrémité dans l'abreuvoir puis le remontai sur toute sa longueur jusqu'à un robinet. Dès que l'eau frappa les parois de métal, une ou deux chèvres s'avancèrent sur leurs pattes tremblantes pour venir boire.

Bon, je demanderais au vétérinaire de passer dès que j'aurais prévenu la police. Je sortis mon téléphone portable, pour m'apercevoir que je n'avais pas de réseau. La couverture autour de Manham était pour le moins aléatoire, rendant incertaine l'utilisation des mobiles. En m'éloignant de l'enclos, je vis peu à peu se matérialiser sur l'écran les barres de réception, et j'allais composer le numéro lorsque je remarquai une petite forme sombre à moitié dissimulée derrière une charrue rouillée. Tendu, étrangement certain de ce que j'allais trouver, je me dirigeai vers elle.

Le corps de Bess, le border collie, gisait dans l'herbe sèche. Il semblait minuscule sous ses poils emmêlés et poussiéreux. Je chassai les mouches qui le désertaient, déjà attirées par ma chair plus fraîche, puis me détournai. Non sans avoir eu le temps de voir que la chienne avait été pratiquement décapitée.

La chaleur me parut soudain plus étouffante. Mes jambes me ramenèrent d'elles-mêmes vers la Land Rover, et je dus résister à la tentation d'y grimper pour m'éloigner sur-le-champ. Au lieu de quoi, la plaçant entre moi et la maison, j'achevai de composer le numéro de la police. En attendant la mise en relation, je regardai au loin la masse vert sombre des bois.

Non ça ne va pas recommencer. Pas ici.

Je me rendis soudain compte qu'une voix à peine audible s'élevait dans le combiné. Je tournai résolument le dos aux arbres et à la ferme.

« Je voudrais signaler une disparition », annonçai-je.

L'inspecteur Mackenzie, un homme trapu au caractère pugnace, devait avoir un ou deux ans de plus que moi. La première chose que j'avais remarquée chez lui, c'était la largeur anormale de ses épaules. En comparaison, la partie inférieure de son corps – jambes courtes terminées par des pieds d'une petitesse incongrue – semblait disproportionnée. Ces caractéristiques auraient pu lui donner l'apparence d'un monsieur Muscles de dessin animé sans le relâchement de son ventre, et surtout, sans l'aura d'impatience à peine maîtrisée qui émanait de lui. Non, cet homme-là ne prêtait pas à rire.

J'avais attendu près de ma voiture pendant qu'accompagné d'un sergent en civil, il allait examiner le chien. Les deux policiers s'étaient dirigés vers la dépouille d'un pas nonchalant, presque comme s'ils n'y accordaient aucune importance. Pourtant, le simple fait que l'inspecteur-chef de la Division des crimes majeurs se fût déplacé au lieu de confier cette mission à des agents en uniforme prouvait que l'affaire était prise au sérieux.

Enfin, Mackenzie revint vers moi tandis que le sergent se chargeait de fouiller l'intérieur de la maison.

«Bon, expliquez-moi encore une fois ce qui vous a amené ici.»

Il sentait l'after-shave, la sueur et plus faiblement la menthe. Son cuir chevelu brûlé par le soleil apparaissait sous ses cheveux roux clairsemés, mais s'il était incommodé par la chaleur, il n'en montrait rien.

«Comme j'étais dans le coin, je me suis dit que je pourrais lui rendre une petite visite, déclarai-je.

— Une simple visite de courtoisie, c'est ça ?

— Je voulais juste avoir de ses nouvelles.»

À moins d'y être obligé, je préférais éviter de mentionner Linda Yates. En tant que médecin, j'étais tenu au secret professionnel, et de toute façon, je n'imaginais pas un policier accordant le moindre crédit à un rêve. J'aurais sans doute dû m'en méfier moi aussi. Cela dit, que l'on abordât ou non la situation sous un angle rationnel, Sally n'était pas là.

« Quand avez-vous vu Mlle Palmer pour la dernière fois ? » demanda l'inspecteur.

Je fouillai ma mémoire.

« Ça doit remonter à deux bonnes semaines.

— Vous ne pouvez pas être plus précis ?

— Je me rappelle l'avoir aperçue au pub, le soir du barbecue, il y a une quinzaine de jours.

— Elle était venue avec vous ?

— Non, mais on a bavardé. »

Ou plutôt, échangé deux ou trois banalités. *Salut, ça va ? Très bien. À plus tard.* Si c'étaient bien ses dernières paroles, il n'y avait pas grand-chose à en tirer. Mais pour le moment, rien ne prouvait que ce fût le cas, me sermonnai-je.

« Qu'est-ce qui vous a soudain décidé à passer la voir aujourd'hui, après tout ce temps ?

— Je venais d'apprendre qu'un corps avait été découvert. Je voulais m'assurer qu'elle allait bien.

— Comment savez-vous que le corps est celui d'une femme ?

— Je n'en sais rien. Et je ne voyais aucun mal à prendre des nouvelles de Sally.

— Quel genre de relations entretenez-vous ?

— Nous sommes amis, je dirais.

— Proches ?

— Pas vraiment.

— Vous couchez avec elle ?

— Non.

— Vous avez couché avec elle ?»

Je faillis lui répondre de se mêler de ce qui le regardait, mais c'était exactement ce qu'il faisait. L'intimité ne compte guère dans ce genre de situation, mon expérience me l'avait suffisamment prouvé.

«Non.»

Durant quelques secondes, il me dévisagea sans mot dire et je soutins son regard. Au bout d'un moment, il sortit de sa poche un paquet de bonbons à la menthe. Lorsqu'il en fourra un dans sa bouche, je remarquai la forme étrange du grain de beauté dans son cou.

Il rangea les bonbons sans m'en proposer un.

«Donc, vous n'aviez pas de liaison avec elle ? Vous étiez juste bons amis ? récapitula-t-il.

— Nous nous connaissions un peu, c'est tout.

— N'empêche, vous vous êtes senti obligé de passer voir si elle allait bien. Elle, et personne d'autre.

— Elle vit toute seule ici. C'est assez isolé, même pour la région.

— Pourquoi ne pas lui avoir téléphoné ?»

La question me prit au dépourvu.

«Je n'y ai pas pensé, admis-je.

— Elle a un mobile ?» Je lui répondis par l'affirmative. «Vous avez son numéro ?»

Il était enregistré dans le répertoire de mon portable. Je fis défiler les différents noms en mémoire, devinant déjà ce que Mackenzie allait me demander et regrettant de ne pas y avoir songé moi-même.

«Je l'appelle ? proposai-je pour devancer la question.

— Allez-y.»

L'inspecteur m'observa pendant que j'attendais la mise en communication. Qu'allais-je dire si Sally décrochait ? En même temps, je ne croyais pas à cette possibilité.

Une fenêtre s'ouvrit dans la maison. Le sergent se pencha.

« Chef ? Il y a un téléphone qui sonne dans un sac à main. »

De la cour, nous entendions le son étouffé d'une mélodie électronique guillerette. Lorsque je coupai la communication, les notes se turent. Mackenzie adressa un signe de tête à son subalterne.

« Ne vous en occupez pas, c'est nous. Continuez. »

Le sergent disparut tandis que Mackenzie se frottait le menton.

« Ça ne prouve rien », murmura-t-il.

Je gardai le silence.

Enfin, il poussa un profond soupir.

« Bon sang, quelle fournaise ! » C'était la première fois qu'il s'avouait incommodé par la chaleur. « Suivez-moi, on va se mettre à l'abri du soleil. »

Nous allâmes nous réfugier dans l'ombre de la ferme.

« Vous savez si elle a des proches ici ? reprit-il. Quelqu'un qui pourrait nous dire où se trouve Mlle Palmer ?

— Non. Elle a hérité de la ferme, mais je ne pense pas qu'elle ait encore de la famille dans la région.

— Et elle a des amis, à part vous ? »

Peut-être s'agissait-il d'une pique ; en tout cas, je n'aurais pu l'affirmer.

« Elle fréquentait les gens du village, bien sûr, répondis-je. Je ne vois cependant pas qui en particulier.

— Des petits copains ? insista-t-il, guettant ma réaction.

— Je l'ignore. Désolé. »

Il grommela en consultant sa montre.

« Qu'est-ce qui va se passer, maintenant ? demandai-je. Vous allez vérifier si l'ADN du corps correspond aux échantillons prélevés dans la maison ? »

Mackenzie me dévisagea.

« Vous vous y connaissez, on dirait. »

Je sentis mes joues s'empourprer.

« Non, pas vraiment. »

À mon grand soulagement, il changea de sujet.

« De toute façon, on n'est même pas sûrs qu'il s'agisse d'une scène de crime. Pour le moment, on soupçonne une disparition, c'est tout. Rien ne nous permet d'établir un lien entre Mlle Palmer et le corps retrouvé dans les marécages.

— Et le chien ?

— Il a peut-être été tué par un autre animal, suggéra-t-il.

— D'après ce que j'ai pu constater, la blessure à la gorge ressemble à une coupure, pas à une déchirure. Elle a été faite par un instrument tranchant. »

Quand il me gratifia une nouvelle fois d'un regard appréciateur, je m'en voulus d'avoir trop parlé. Aujourd'hui, j'étais médecin généraliste. Point à la ligne.

« Je vais attendre les résultats du labo, répliqua-t-il. Après tout, même si vous avez vu juste, il est possible que sa propriétaire l'ait tué elle-même.

— Mais vous n'y croyez pas. »

Il parut sur le point de protester, mais en fin de compte, il y renonça.

« Non, dit-il. Non, je n'y crois pas. En attendant, je ne veux pas non plus tirer de conclusions hâtives. »

La porte de la maison s'ouvrit, livrant passage au sergent qui sortit en remuant la tête.

« Rien à signaler, sinon que les lumières sont restées allumées dans le couloir et le salon. »

Mackenzie n'eut pas l'air surpris. Il s'adressa à moi.

« Bon, on ne va pas vous retarder plus longtemps, docteur Hunter. Quelqu'un viendra prendre votre déposition. Oh, et je vous demanderai de bien vouloir garder le silence sur tout ceci.

— Bien sûr. »

Je fis de mon mieux pour réprimer l'exaspération suscitée par cette dernière requête. Déjà, Mackenzie avait reporté son attention sur le sergent. Je m'éloignai de quelques pas, avant de m'immobiliser.

« Juste une chose, inspecteur, dis-je, m'attirant de sa part un coup d'œil agacé. Ce grain de beauté, dans votre cou... Ce n'est peut-être rien, mais vous devriez le faire examiner. »

Je sentis le regard des deux hommes peser sur moi tandis que j'allais récupérer ma voiture.

Je regagnai le village dans une sorte d'état second. La route longeait Manham Water, le lac peu profond qui chaque année perdait du terrain au profit des roseaux de plus en plus envahissants. Seuls les ébats des oies qui s'y étaient posées troublaient sa surface lisse comme un miroir. Pas plus que le lac lui-même, les marais foisonnants de cours d'eaux et de canaux bouchés par la végétation n'étaient navigables, et en l'absence de rivière proche, la région ne profitait pas du trafic fluvial et touristique dont bénéficiait le reste des Broads durant l'été. Quelques kilomètres à peine séparaient le village de ses voisins, et pourtant, il semblait appartenir à une partie différente du Norfolk, plus ancienne et moins hospitalière. Cerné par les bois, les marais et les terres mal drainées, c'était un « bras mort » au propre comme au figuré. À part un passionné d'oiseaux de temps à autre, le village ne voyait jamais de nouvelles têtes et se retranchait dans son isolement tel un vieillard asocial.

Ce soir-là pourtant, par une étrange ironie du sort, il paraissait presque gai sous le soleil. Les massifs autour de l'église et dans le terrain communal ressemblaient à des explosions de couleurs tellement éclatantes qu'elles en faisaient mal aux yeux. Scrupuleusement entretenus par le vieux George Mason et son petit-fils Tom, les deux jardiniers que j'avais rencontrés le jour de mon arrivée, ils constituaient l'une des rares sources de fierté dont pouvait s'enorgueillir Manham. Même la Pierre du Martyre, en bordure du terrain, avait été enguirlandée de fleurs par les écoliers. Chaque année, il était d'usage de décorer la vieille meule près de laquelle, au seizième siècle, une femme aurait été lapidée par ses voisins. D'après la légende, elle avait été accusée de sorcellerie après avoir guéri un nouveau-né atteint de paralysie. Il n'y avait qu'à Manham que l'on martyrisait les âmes charitables, ironisait parfois Henry avant d'ajouter que nous serions bien avisés tous les deux d'en tirer la leçon.

N'ayant aucune envie de rentrer chez moi, je me rendis au cabinet. J'y allais souvent, même quand ce n'était pas nécessaire. Certains jours, mon cottage me paraissait trop solitaire, alors que cette grande maison m'apportait au moins l'illusion de l'activité. Je me faufilai à l'intérieur par la porte de derrière, qui donnait directement sur le centre médical. Un vieux jardin d'hiver à l'atmosphère humide, rempli de plantes que Janice soignait amoureusement, faisait office à la fois de secrétariat et de salle d'attente. Une partie du rez-de-chaussée avait été réaménagée en appartements privés pour Henry, mais elle se trouvait à l'autre bout de cette bâtisse par ailleurs assez vaste pour tous nous accueillir. J'avais repris son ancien cabinet de consultation, et lorsque j'en refermai la porte derrière moi, je me sentis aussitôt rasséréné par les senteurs familières du bois et de la cire d'abeille. J'avais beau m'installer dans cette pièce presque tous les jours depuis mon arrivée, elle portait toujours l'empreinte de la personnalité de Henry plus que de la mienne avec sa vieille scène de chasse, son bureau à cylindre et son fauteuil de capitaine en cuir. La bibliothèque croulait sous les textes de toutes sortes – des manuels et des revues de médecine, mais aussi des ouvrages plus inattendus chez un médecin de campagne : des œuvres de Kant et de Nietzsche, et une étagère entière consacrée à la psychologie, l'un des hobbies de mon confrère. Ma seule contribution au décor était l'ordinateur qui bourdonnait discrètement sur la table, une innovation à laquelle Henry s'était résigné de mauvaise grâce après des mois de négociations.

Il ne s'était jamais suffisamment remis pour envisager de nouveau une activité à plein temps. Tout comme son fauteuil roulant, mon contrat temporaire avait acquis un caractère plus durable : il avait d'abord été prolongé, puis transformé en association quand il était devenu évident que Henry ne pourrait plus diriger seul le centre. Même la Land Rover Defender que je conduisais aujourd'hui lui avait appartenu autrefois. C'était un ancien modèle à boîte automatique, acheté après l'accident de voiture qui avait fait de lui un paraplégique et tué sa femme, Diana. Ce geste s'apparentait pour lui à une déclaration d'intention quand il espérait encore pouvoir reconduire et remarcher un jour. Mais il n'y était jamais parvenu. Et n'y parviendrait peut-être jamais, lui avaient laissé entendre les médecins.

«Quelle bande d'imbéciles! avait-il fulminé. Filez-leur une blouse blanche et ces types-là se prennent pour Dieu le Père!»

Avec le temps, cependant, même lui avait dû se résoudre à l'évidence. Aussi, outre la Land Rover, avais-je hérité progressivement de la majeure partie de la clientèle. Au début, nous avions réparti la charge de travail de façon équitable, mais peu à peu, Henry m'avait délégué ses responsabilités. Il n'en demeurait pas moins le «vrai docteur» aux yeux de la plupart des patients, ce dont je ne me souciais plus depuis bien longtemps. J'étais encore «le nouveau» à Manham et je le resterais sans doute toujours.

En cette fin d'après-midi caniculaire, je tentai bien de visiter quelques sites médicaux, mais je n'avais pas le cœur à l'ouvrage. Je finis par me lever pour m'approcher des portes-fenêtres. Le ventilateur sur mon bureau brassait bruyamment l'air étouffant sans pour autant le rafraîchir. De toute façon, même si j'avais ouvert les fenêtres en grand, la différence n'aurait été que purement psychologique. Je me perdis dans la contemplation du jardin paysager. Comme partout, arbustes et herbe étaient desséchés, flétris par la chaleur. Au bout, le lac venait lécher la digue trop basse pour protéger le terrain des inévitables inondations hivernales. De mon poste d'observation, j'apercevais le dinghy de Henry amarré à un petit ponton. En réalité, ce n'était guère plus qu'une barque améliorée, adaptée aux eaux peu profondes. De fait, certaines parties de Manham Water, qui n'était en rien comparable au Solent, étaient carrément inabordables ou obstruées par les roseaux, ce qui ne nous empêchait pas, Henry et moi, d'apprécier une sortie en bateau de temps en temps.

Pourtant, il n'aurait servi à rien de hisser les voiles ce jour-là. Le lac présentait toujours une surface parfaitement étale que seule la ligne irrégulière des roseaux à l'horizon séparait du ciel. Tout n'était qu'immensité et eau à perte de vue – un vide qui, selon l'humeur du moment, pouvait paraître reposant ou déprimant.

En l'occurrence, je ne le trouvai pas reposant.

« Je pensais bien vous avoir entendu arriver... »

Je me retournai au moment où Henry faisait rouler son fauteuil dans la pièce.

« J'avais deux ou trois détails à régler, dis-je en m'efforçant de rassembler mes pensées.

— On se croirait dans un putain de four, ici », marmonna-t-il en s'arrêtant devant le ventilateur. Malgré ses jambes inertes, il offrait l'image même d'un homme resplendissant de santé avec ses cheveux d'un blanc crémeux surmontant un visage bronzé où deux yeux sombres pétillaient de vivacité. « Alors, c'est quoi cette histoire de corps découvert par les frères Yates ? Janice m'en a rebattu les oreilles quand elle m'a apporté mon déjeuner. »

Presque tous les dimanches, elle lui livrait à domicile une assiette couverte contenant une portion du plat qu'elle s'était préparé. Henry avait beau affirmer qu'il était tout à fait capable de cuisiner, j'avais néanmoins remarqué qu'il protestait juste pour la forme. Janice était un vrai cordon-bleu, et de plus, je la soupçonnais d'éprouver envers lui des sentiments plus profonds que ceux d'une employée envers son employeur. Elle-même célibataire, elle affichait pour la défunte épouse de Henry une hostilité que j'avais mise sur le compte de la jalousie malgré ses fréquentes allusions à un ancien scandale. Je lui avais cependant indiqué claire-ment que je ne voulais rien savoir. Même si le mariage de Henry n'avait pas été l'union idyllique dont il évoquait maintenant le souvenir, je ne tenais pas à ressusciter de vieux ragots.

En attendant, je ne fus pas surpris que Janice eût entendu parler de l'affaire. La nouvelle avait déjà dû se répandre comme une traînée de poudre.

« Oui, près de Farnham Wood, précisai-je.

— Un passionné d'oiseaux, sans doute. Assez fou pour crapahuter dehors avec son sac à dos par cette chaleur infernale.

— Mmm, sûrement... »

Mon intonation dut l'intriguer, car il haussa les sourcils.

« Non ! Ce serait un meurtre ? Au moins, ça mettrait un peu d'animation ! » Son sourire s'évanouit devant mon manque d'enthousiasme. « Oh, oh... Quelque chose me dit que je ferais mieux de ne pas plaisanter avec ça. »

Je lui racontai ma visite chez Sally Palmer en espé-rant qu'à la lumière de mon récit la situation me paraîtrait un peu moins dramatique. Ce ne fut hélas pas le cas.

« Bon sang ! s'exclama-t-il lorsque j'eus terminé. Et les policiers croient que c'est elle ?

— Ils n'ont rien dit de tel. De toute façon, ils ne peuvent pas se prononcer pour le moment.

— N'empêche, c'est terrible.

— Rien ne prouve que ce soit elle.

— Non, évidemment », convint-il. Sa voix manquait cependant de conviction. « Eh bien, je ne sais pas pour vous, mais moi, je prendrais volontiers un verre.

— Merci, je préfère passer mon tour.

— Vous vous réservez pour le Lamb, c'est ça ? »

Le Black Lamb était l'unique pub du village et j'y allais souvent. Ce soir-là, cependant, je l'éviterais, n'ayant aucune envie de me joindre à des conversations dont je devinais sans peine quel serait l'unique sujet.

« Non, je vais plutôt rester chez moi », répondis-je.

J'habitais un vieux cottage de pierre à la périphérie du village. Je l'avais acheté quand il était devenu évident que je resterais plus de six mois dans la région. À l'époque, Henry avait proposé de m'héberger, et Dieu sait qu'il y avait de la place à *Bank House*, dont la seule cave à vin aurait pu sans problème abriter ma maison tout entière. Mais j'avais envie de me retrouver chez moi, de donner à mon installation un caractère plus définitif. Et autant j'appréciais mon nouveau travail, autant je tenais à le séparer de ma vie privée. Certains jours, j'étais bien content de pouvoir claquer la porte derrière moi en espérant ne plus entendre le téléphone pendant au moins quelques heures.

C'était exactement ce que je ressentais ce soir-là. Sur le trajet du retour, je vis une poignée de villageois se diriger vers l'église où les attendait le révérend Scarsdale. J'aurais menti en prétendant que cet homme âgé à l'air austère m'inspirait de la sympathie. Mais il officiait depuis des années et pouvait compter sur le soutien de fidèles dont la loyauté était inversement proportionnelle au nombre. Au passage, je levai la main pour saluer la veuve Sutton, qui vivait avec son fils adulte Rupert, un obèse toujours sur les talons de sa dominatrice de mère. Elle parlait à Lee et Marjory Goodchild, un couple d'hypocondriaques fréquentant assidûment le cabinet. À leurs yeux, j'étais d'astreinte vingt-quatre heures sur vingt-quatre, et durant un instant, je redoutai qu'ils ne me sollicitent pour une consultation impromptue.

Par chance, personne ne m'arrêta. Je me garai sur le terre-plein le long de mon cottage, puis pénétrai dans la maison. À l'intérieur régnait une chaleur étouffante. J'ouvris les fenêtres en grand et allai me chercher une bière dans le réfrigérateur. Je n'avais peut-être pas envie d'aller au Lamb, mais j'avais tout de même besoin d'un remontant. De fait, en me rendant compte à quel point j'en avais besoin, je rangeai la bière et me servis un gin tonic.

Après y avoir ajouté des glaçons et une tranche de citron, je l'emportai jusqu'à la petite table en bois dans le jardin. Celui-ci donnait sur un champ bordé de bois – une vue peut-être moins spectaculaire que celle qu'offrait le cabinet, mais aussi moins perturbante. Je pris mon temps pour siroter mon gin, puis me préparai une omelette que j'allai manger dehors. La chaleur se dissipait enfin. Je restai à table encore un moment tandis que la nuit tombait et que les premières étoiles faisaient leur apparition. Je songeai à ce qui devait se passer en ce moment même à quelques kilomètres, à l'activité troublant la paix de ce coin de campagne où les frères Yates avaient découvert le corps. J'essayai ensuite d'imaginer Sally Palmer indemne, en train de s'amuser quelque part, comme si la seule force de ma volonté pouvait changer les choses. Étrangement, pourtant, son image s'obstinait à me fuir.

Différant le moment où j'irais me coucher, je m'attardai dehors sous un ciel de velours indigo piqueté d'étoiles scintillantes – vestiges de lumières mortes depuis une éternité, éparpillés de façon aléatoire.

Je me réveillais en sursaut, trempé de sueur, le souffle court. Je regardai autour de moi sans avoir la moindre idée de l'endroit où je me trouvais. Puis, peu à peu, je repris conscience de mon environnement. J'étais nu devant la fenêtre ouverte de ma chambre, les cuisses appuyées contre le rebord, le haut du corps penché dans le vide. Je reculais d'un pas mal assuré et allai m'asseoir sur le lit. À la lueur de la lune, les draps blancs entortillés semblaient presque luminescents. Les larmes séchèrent lentement sur mon visage tandis que les battements de mon cœur se calmaient peu à peu.

J'avais encore fait le même rêve.

Et encore une fois, il m'avait ébranlé jusqu'au plus profond de moi-même. Comme d'habitude, il m'avait paru si réel que mon réveil ressemblait à une illusion et mon rêve à la réalité. C'était le plus cruel. Parce que en songe, Kara et Alice, ma femme et ma fille de six ans, étaient toujours en vie. Je les voyais, je leur parlais, je les touchais. En songe, je pouvais encore croire que nous avions un avenir ensemble, pas seulement un passé.

Je les redoutais, ces rêves. Mais pas au sens où l'on peut craindre un cauchemar, parce qu'ils n'avaient absolument rien d'effrayant. Non, c'était même tout le contraire.

Je les redoutais parce que je finissais toujours par me réveiller.

Alors, la douleur et le chagrin me submergeaient de nouveau, aussi intenses qu'au moment du drame. Souvent, mon corps somnambule se mouvait de lui-même, et je me réveillais ailleurs que dans mon lit – debout près de la fenêtre ouverte, comme quelques instants plus tôt, ou au sommet de l'escalier dangereusement raide –, sans aucun souvenir de la façon dont j'étais arrivé là ni aucune idée de la force à laquelle j'avais obéi.

Je frissonnai malgré la touffeur nocturne. De dehors me parvint le glapissement solitaire d'un renard. Enfin, je me recouchai et contemplai le plafond jusqu'au moment où l'obscurité reflua, où les ombres s'évanouirent.

4

Des écharpes de brume flottaient encore au-dessus des marais quand Lyn referma la porte derrière elle, prête pour son jogging matinal. Elle courait avec l'aisance d'une sportive accomplie. L'élongation de son mollet se remettait bien, mais elle prit néanmoins garde de ne pas forcer l'allure au début, adoptant une petite foulée souple pour s'engager sur le sentier étroit près de leur maison. À mi-parcours, elle bifurqua vers le chemin envahi par la végétation qui traversait le marécage jusqu'au lac.

De longues herbes, froides et humides de rosée, lui fouettaient les jambes. Lyn prit une profonde inspiration pour mieux savourer sa sensation de bien-être. En ce lundi matin, elle ne pouvait envisager meilleure façon de commencer la semaine. C'était le moment de la journée qu'elle préférait – quand elle n'avait pas encore à se soucier d'équilibrer les comptes des fermiers et des petites entreprises qui n'appréciaient pas ses conseils, quand la matinée n'avait pas encore pris une tournure moins optimiste, quand rien ni personne n'avait encore assombri sa bonne humeur. L'air était frais et vif, rythmé par le bruit de sa respiration régulière et le martèlement de ses pieds sur la piste.

À trente et un ans, Lyn s'enorgueillissait de son excellente condition physique, de la discipline qui lui permettait de se maintenir en forme et d'arborer sans complexe short moulant et haut court. Jamais elle ne s'en serait vantée, évidemment. De plus, elle adorait l'exercice, ce qui lui facilitait la tâche. Elle aimait se dépasser, voir jusqu'où elle pouvait aller et tenter de repousser ses limites. Pour elle, il n'y avait rien de plus agréable au petit matin que d'enfiler une paire de chaussures de sport et d'avaler des kilomètres pendant que le monde s'éveillait lentement.

Rien à part le sexe, bien sûr. Sauf que depuis quelque temps, elle n'en retirait plus la même satisfaction. Oh, le désir n'avait pas disparu : la seule vue de Marcus nu sous la douche, éliminant la poussière de plâtre accumulée dans la journée, ruisselant de gouttelettes qui aplatissaient les poils noirs sur son corps, suffisait toujours à lui donner de délicieux frissons. Mais la conscience d'attendre autre chose que le seul plaisir avait tendance à gâcher leurs moments d'intimité. D'autant que cela n'avait donné aucun résultat.

Du moins, jusque-là.

Lyn sauta par-dessus une profonde ornière en prenant soin de ne pas perdre le rythme. *Tu parles que j'aimerais le perdre*, songea-t-elle. Question rythme, son corps était aussi régulier qu'une horloge. Tous les mois, presque jour pour jour, le flux tant redouté survenait, annonçant la fin d'un cycle et le début d'une nouvelle déception. Les médecins leur avaient pourtant affirmé qu'ils n'avaient aucun problème ; *c'est plus long pour certains que pour d'autres*, avaient-ils ajouté, *et personne ne sait pourquoi. Ne relâchez pas vos efforts*, avaient-ils dit encore. Alors au début, Marcus et elle s'étaient exécutés avec enthousiasme, ravis de cette recommandation médicale de poursuivre une activité qu'ils appréciaient tous les deux. C'était « l'amour sur ordonnance », avait plaisanté Marcus. Peu à peu, cependant, l'humour avait cédé la place à un sentiment qui, sans être tout à fait du désespoir – pas encore, du moins –, en contenait les germes. Et qui déteignait sur tout le reste, ternissant chaque aspect de leur relation.

Ils ne l'auraient admis pour rien au monde, même si c'était évident. Or, Lyn soupçonnait Marcus d'avoir du mal à accepter de gagner moins comme entrepreneur qu'elle à la tête de son petit cabinet d'expertise comptable, et elle craignait le moment où il formulerait ses récriminations car elle se savait capable de rendre coup pour coup. Officiellement, leur discours était rassurant : ils n'avaient aucune raison de s'inquiéter, rien ne pressait de toute façon. Mais ils s'acharnaient depuis longtemps maintenant, et dans quatre ans, elle aurait trente-cinq ans, l'âge limite qu'elle s'était fixé. Elle fit un rapide calcul. *Ça représente encore quarante-huit cycles.* Une échéance terriblement proche. Encore quarante-huit déceptions potentielles. Sauf que ce mois-ci, c'était différent. Ce mois-ci, la déception aurait déjà dû arriver depuis trois jours.

Lyn étouffa promptement une lueur d'espoir. Il était encore trop tôt pour crier victoire. D'ailleurs, elle n'avait même pas encore dit à Marcus qu'elle attendait toujours ses règles. Inutile de lui donner de fausses joies. Bon, elle patienterait encore quelques jours, puis elle achèterait un test. Cette seule perspective lui arracha un frémissement de nervosité. *Cours, ne pense pas,* s'ordonna-t-elle.

Le jour se levait, à présent, illuminant le ciel juste

au-dessus de sa tête. Le chemin suivait la rive du lac, coupant à travers les roselières en direction de la masse sombre des bois. La brume tournoyait lentement au-dessus de la surface comme si l'eau se consumait. Lorsqu'un poisson sauta, le bruit claqua telle une gifle dans l'air immobile. Lyn se sentait bien. Elle adorait l'été, la nature. Née à Manham, elle avait eu l'occasion de partir à l'université et de voyager à l'étranger. Mais elle était toujours revenue. «Au pays chéri par Dieu», répétait toujours son père. Si Lyn ne croyait pas en Dieu, pas vraiment, elle comprenait néanmoins ce qu'il voulait dire.

Elle abordait maintenant la partie du circuit la plus agréable à ses yeux – là où le chemin s'enfonçait dans la forêt. Elle ralentit l'allure en pénétrant sous le couvert ombreux, car il n'était que trop facile de trébucher sur un obstacle dans la faible luminosité. C'était une racine qui avait provoqué son élongation, l'empêchant de courir pendant presque deux mois.

Le soleil encore bas à l'horizon commençait à percer les frondaisons, transformant le dais de feuillage en ouvrage de dentelle scintillant. À cet endroit, la forêt centenaire prenait des allures de jungle avec son entrelacs de troncs étranglés par les plantes parasites et son sol spongieux, traître en diable. Elle était en outre sillonnée par un véritable dédale de sentiers sinueux à même d'égarer le promeneur imprudent. Lorsqu'ils avaient emménagé, Lyn avait fait l'erreur de vouloir l'explorer durant l'un de ses joggings matinaux et il lui avait fallu des heures pour déboucher enfin, par pur hasard, sur un terrain plus familier. En rentrant, elle avait dû calmer Marcus, paniqué et furieux. Depuis, elle suivait toujours le même trajet.

À mi-parcours, soit à environ sept kilomètres de son point de départ, se trouvait une minuscule clairière au milieu de laquelle se dressait un menhir. Peut-être faisait-il partie d'un cercle autrefois ou peut-être marquait-il l'entrée d'un édifice. À vrai dire, personne ne s'en souvenait. Aujourd'hui envahi par le lichen et les mauvaises herbes, ce n'était plus qu'une vieille pierre dont on avait oublié depuis longtemps les secrets et l'histoire. Mais il faisait office de repère pour Lyn, qui avait pris l'habitude d'en tapoter la surface rugueuse avant d'entamer la seconde moitié de son itinéraire. À présent, la clairière était proche. Tout en s'efforçant de maîtriser son souffle, Lyn songea au petit-déjeuner à venir pour se motiver.

Elle n'aurait su dire à quel moment au juste elle commença à se sentir mal à l'aise. Ce fut d'abord une vague impression qui, peu à peu, déboucha sur une véritable prise de conscience. Soudain, le silence de la forêt lui parut presque irréel. Oppressant, même. Du coup, le martèlement de ses pieds sur le chemin résonnait trop fort. Elle tenta en vain de refouler son trouble, non seulement il persistait, mais il devenait de plus en plus difficile à ignorer. Prenant sur elle, Lyn résista à la tentation de scruter les alentours. Que lui arrivait-il, bon sang ? Elle empruntait cet itinéraire tous les matins depuis maintenant deux ans et jamais elle n'avait ressenti la moindre inquiétude.

Jusque-là, du moins. Un picotement lui parcourut la nuque, comme si son corps réagissait à la présence d'un observateur en embuscade. *N'importe quoi*, se dit-elle. Pourtant, le désir de se retourner était presque irrépressible, à présent, et elle dut s'obliger à ne pas détacher les yeux du chemin devant elle. La seule autre créature vivante qu'elle avait jamais aperçue dans les parages était un cerf. Or, il ne lui semblait pas que c'en était un. *Parce que ce n'est rien du tout. Juste une lubie. Tes règles ont trois jours de retard et tu te montes la tête*.

Cette pensée réussit à la distraire un court instant. Elle risqua un rapide coup d'œil par-dessus son épaule et n'eut le temps que d'entrevoir des branches sombres et les méandres du sentier derrière elle. Déjà, son pied heurtait quelque chose ; elle trébucha, moulina des bras et rétablit son équilibre de justesse, le cœur battant à tout rompre. *Espèce d'imbécile !* La clairière se profilait devant elle telle une oasis de lumière au milieu du sous-bois dense. Lyn accéléra l'allure, frappa la surface rugueuse de la pierre levée et se retourna vivement.

Rien. Rien que la silhouette menaçante des arbres encore dans l'obscurité.

Tu t'attendais à quoi, hein ? À des petits lutins ? Pourtant, elle ne bougea pas d'un pouce. Elle n'entendait ni chants d'oiseaux ni bourdonnements d'insectes. Le silence était tel que les bois semblaient retenir leur souffle. Lyn eut soudain peur de le rompre, peur de quitter le sanctuaire de la clairière et de sentir les arbres se refermer sur elle. *Ah oui ? Et qu'est-ce que tu vas faire ? Rester ici toute la journée ?*

Sans s'accorder le loisir de réfléchir plus avant, elle s'écarta de la pierre. Dans cinq minutes à peine, elle serait de nouveau à découvert. Il n'y aurait plus que les champs, l'eau et le ciel à perte de vue. Quand elle imagina le paysage, son malaise, sans pour autant disparaître, se fit cependant moins aigu. D'autant que le sous-bois s'éclairait petit à petit, illuminé par les premiers rayons du soleil. Lyn commençait à se détendre quand elle aperçut une forme sur le sol devant elle.

Elle s'immobilisa à quelques pas. En plein milieu du chemin, telle une offrande, gisait un lapin mort. Non, pas un lapin. Un lièvre aux poils maculés de sang.

Il n'était pas là avant.

Lyn balaya du regard les alentours, mais les sous-bois ne lui fournirent aucune indication sur la provenance de l'animal. Elle contourna la dépouille puis s'élança de nouveau. Un renard, se dit-elle en reprenant son rythme de croisière. Elle l'avait sans doute dérangé. Sauf qu'un renard, même effrayé par une présence inopportune, n'aurait pas ainsi lâché sa proie... Et puis, le lièvre ne donnait pas l'impression d'avoir été abandonné dans la précipitation. Au contraire, il semblait avoir été placé délibérément en travers du chemin.

Non, c'était idiot. Lyn s'efforça de chasser cette pensée en se concentrant sur ses foulées. Enfin, elle émergea du couvert juste en face du lac. L'angoisse éprouvée quelques minutes plus tôt reflua peu à peu, diminuant à chaque pas. En plein soleil, ses peurs lui paraissaient absurdes. Embarrassantes, même.

Plus tard, son mari Marcus se rappellerait que la radio diffusait un bulletin d'informations régionales quand Lyn était rentrée. En même temps qu'il plaçait des toasts dans le grille-pain et découpait une banane, il lui raconta qu'un corps avait été découvert à quelques kilomètres seulement de chez eux. Elle dut inconsciemment établir un lien, car elle lui parla aussitôt du lièvre mort, transformant l'incident en anecdote amusante, allant même jusqu'à rire de sa peur. Quand le grille-pain éjecta les toasts, son récit n'était déjà plus qu'un lointain souvenir.

Et lorsque Lyn eut pris sa douche, ni elle ni son mari n'y firent plus allusion.

5

J'étais en plein milieu de mes consultations de la matinée lorsque Mackenzie se présenta. Janice m'annonça son arrivée en apportant le dossier du patient suivant. Ses yeux brillaient de curiosité.

«Un policier demande à vous voir, docteur. L'inspecteur-chef Mackenzie.»

Au fond, cette visite ne m'étonnait guère. Je survolai du regard le dossier devant moi. Ann Benchley, quatre-vingts ans, atteinte d'arthrite chronique. Une habituée.

«Combien de rendez-vous reste-t-il? demandai-je pour gagner du temps.

— Encore trois après celui-là.

— Bon, dites à l'inspecteur Mackenzie que je n'en aurai pas pour longtemps. Et faites entrer Mme Benchley.»

Si elle parut surprise, Janice garda cependant le silence. À cette heure, personne au village ne devait plus ignorer qu'un corps avait été découvert la veille. Jusque-là, pourtant, aucun des habitants ne semblait avoir fait le lien avec Sally Palmer. Mais pour combien de temps encore?

Je feignis d'étudier les notes sur mon bureau jusqu'au départ de Janice. Je savais que Mackenzie ne se serait pas déplacé pour des broutilles et je me doutais bien que les maux à traiter ce matin-là ne présente-raient pas de caractère d'urgence. Je n'avais donc aucune raison valable de l'obliger ainsi à attendre, sinon une profonde réticence à entendre ce qu'il avait à me dire.

J'essayai de ne pas y penser en recevant Mme Benchley. Je pris un air compatissant lorsqu'elle me montra ses mains noueuses, j'émis les petits sons apaisants – mais totalement superflus – de rigueur tout en lui rédigeant une nouvelle ordonnance, puis lui souris lorsqu'elle boitilla jusqu'à la porte, l'air satisfait. Ensuite de quoi, il me fut impossible de retarder plus longtemps l'entrevue.

« Envoyez-le-moi, dis-je à Janice.

— Il n'a pas l'air très content », me prévint-elle.

Non, Mackenzie n'avait pas l'air très content. La colère avait empourpré ses joues et sa mâchoire saillait d'une manière agressive.

« C'est gentil à vous de daigner enfin me recevoir, docteur Hunter », lança-t-il d'un ton sarcastique.

Il était chargé d'un porte-documents en cuir qu'il posa sur ses genoux après s'être assis en face de moi sans y être invité.

« Que puis-je faire pour vous, inspecteur ?

— J'aimerais juste clarifier un certain nombre de points.

— Vous avez identifié le cadavre ?

— Pas encore, non. »

Il prit le temps de sortir de sa poche un paquet de bonbons à la menthe, puis d'en fourrer un dans sa bouche. Je patientai. Au cours de ma carrière, j'avais rencontré suffisamment de policiers pour ne pas me laisser perturber par leurs manœuvres de diversion.

58

«Je ne pensais pas que les endroits de ce genre existaient encore, dit-il en regardant autour de lui. Les petits cabinets, les médecins de famille, les visites à domicile, tout ça...» Ses yeux s'arrêtèrent sur les rayonnages de livres. «Vous avez pas mal de trucs sur la psychologie. C'est un de vos centres d'intérêt ?

— Non. Ces ouvrages appartiennent à mon associé.

— Ah, d'accord. Et à vous deux, vous totalisez combien de patients ?

— Peut-être cinq ou six cents, répondis-je en me demandant où il voulait en venir.

— Autant que ça ?

— Le village n'est pas grand, mais la région est vaste.»

Il hocha la tête comme si nous poursuivions une conversation tout à fait normale.

«Par rapport à un cabinet de ville, c'est un sacré changement, non ?

— Mmm.

— Londres vous manque ?»

Je m'expliquais parfaitement le but de sa visite, à présent. Et au fond, je n'étais pas surpris, j'avais juste l'impression qu'un poids énorme s'abattait sur mes épaules.

«Vous feriez mieux de me dire franchement ce que vous voulez, inspecteur.

— Eh bien, j'ai effectué quelques recherches après notre rencontre, hier. Hé, un flic est un flic, pas vrai ?» Il me gratifia d'un regard froid. «Votre CV est impressionnant, docteur Hunter. Pas franchement typique d'un médecin de campagne.»

Il ouvrit son porte-documents et feuilleta ostensiblement les papiers à l'intérieur.

« Après vos études de médecine, vous vous êtes lancé dans un doctorat en sciences anthropologiques – avec succès, si j'en crois mes informations. Ensuite, vous avez séjourné aux États-Unis, à l'université du Tennessee, avant de revenir en Grande-Bretagne en tant que spécialiste de l'anthropologie médico-légale. »

Il inclina la tête.

« Pour tout vous dire, reprit-il, je n'étais même pas sûr de savoir ce qu'était l'anthropologie médico-légale, alors que je suis dans la police depuis presque vingt ans. La partie "médico-légale" ne me posait pas trop de problèmes, évidemment. Le rapport avec l'anthropologie, en revanche... Pour moi, c'était l'étude des vieux ossements. Un peu comme l'archéologie en somme. Comme quoi, il y a bien des choses qu'on ignore.

— Je ne voudrais pas vous bousculer, inspecteur, mais j'ai des patients à voir.

— Oh, ne vous en faites pas, je n'abuserai pas de votre temps. Bref, pendant que j'étais sur Internet, j'en ai profité pour lire quelques articles dont vous étiez l'auteur. Les titres ne manquent pas d'intérêt... » Il sortit une feuille. « "Le rôle de l'entomologie dans l'estimation du délai post mortem", "Processus de décomposition du corps humain"... »

Il abaissa son papier.

« Plutôt pointu, hein ? Du coup, j'ai téléphoné à un de mes copains, à Londres. Il est inspecteur au Met[1]. Eh bien, il vous connaît, figurez-vous. Et ô surprise, il semblerait que vous ayez exercé comme consultant

---

1. Metropolitan Police Service, police de Londres. (*Toutes les notes sont de la traductrice.*)

pour divers services de police dans un certain nombre d'enquêtes criminelles en Angleterre, en Écosse et même en Irlande du Nord. D'après mon contact, vous êtes un des rares anthropologues médico-légaux du pays à avoir le statut d'expert. Vous avez travaillé sur des charniers en Irak, en Bosnie, au Congo et j'en passe. Pour lui, vous faites figure de spécialiste pour tout ce qui touche aux cadavres humains. Pas seulement pour les identifier, mais aussi pour déterminer depuis combien de temps ils sont morts et quelle est la cause du décès. En gros, a-t-il ajouté, vous prenez le relais des médecins légistes.

— Venons-en au fait, d'accord ?

— Comme vous voudrez. Voilà, je ne peux pas m'empêcher de me demander pourquoi vous ne m'avez rien dit de tout ça hier. Vous saviez pourtant qu'on avait découvert un corps, que vos propres déductions nous orientaient vers une femme de la région et qu'on aurait besoin de l'identifier au plus vite. » S'il s'exprimait d'une voix égale, son visage avait cependant viré au cramoisi. « Mon copain du Met a trouvé ça amusant : moi, l'officier responsable d'une enquête pour meurtre, je me retrouvais par hasard en face d'un des plus éminents spécialistes de la médecine légale se faisant passer pour un simple généraliste ! »

Je ne me laissai pas distraire par la mention du mot « meurtre ».

« Je suis généraliste.

— Oh, vous êtes bien plus que ça. Alors, pourquoi tant de mystères ?

— Ce que je faisais autrefois ne compte plus. Aujourd'hui, je suis juste médecin. »

61

Mackenzie m'étudiait comme s'il essayait de déterminer si je plaisantais.

« J'ai donné d'autres coups de fil après celui-ci, ajouta-t-il. J'ai appris que vous n'exerciez comme généraliste que depuis trois ans. Vous avez renoncé à l'anthropologie médico-légale pour venir vous installer ici après l'accident de voiture qui a coûté la vie à votre femme et à votre petite fille. Le chauffard ivre dans l'autre véhicule, lui, s'en est tiré sans une égratignure. »

Devant mon absence de réaction, Mackenzie eut la bonne grâce de paraître embarrassé.

« Je ne tiens pas spécialement à rouvrir de vieilles blessures, docteur Hunter. Mais peut-être que si vous aviez joué franc jeu avec moi dès le début, je n'aurais pas fouillé votre passé. Quoi qu'il en soit, on a besoin de votre aide. »

Sans doute étais-je censé lui demander comment, mais je m'y refusai. Sans se laisser démonter, il continua sur sa lancée :

« L'état du corps ne nous facilite pas les choses. On sait qu'il s'agit d'une femme, c'est tout. Et sans son nom, on est coincés. Tant qu'on n'a pas établi avec certitude l'identité de la victime, on ne peut pas ouvrir une enquête pour homicide. »

Je repris la parole presque malgré moi :

« Vous avez dit : "avec certitude". Mais vous en êtes déjà presque sûr, n'est-ce pas ?

— On n'a toujours aucune nouvelle de Sally Palmer. »

J'avais beau m'y attendre, je me sentis ébranlé par cette déclaration brutale qui confirmait mes pires craintes.

« Plusieurs témoins se souviennent de l'avoir aperçue au barbecue du pub, expliqua Mackenzie, mais apparemment, personne ne l'a revue depuis. Ça va bientôt faire quinze jours. Et il va falloir compter encore une bonne semaine avant d'avoir les résultats des prélèvements d'ADN sur le corps et dans la maison.

— Et les empreintes digitales ?

— Inexploitables. Pour le moment, on ignore encore si c'est dû à la décomposition ou si elles ont été délibérément effacées.

— Les empreintes dentaires, alors. »

Il secoua la tête.

« Il ne reste plus assez de dents pour pouvoir obtenir une correspondance.

— Elles ont été brisées ?

— Tout juste. Ou elles l'ont été à dessein, pour empêcher l'identification, ou c'est une conséquence des blessures. À ce stade, rien ne nous permet d'être plus précis. »

Je me frottai les yeux.

« Donc, il s'agit bien d'un meurtre ?

— Oh, elle a été assassinée, aucun doute là-dessus, répondit-il d'un ton lugubre. La décomposition est trop avancée pour déterminer si la victime a également été violée, mais on a toutes les raisons de le supposer. Ensuite, on l'a tuée.

— Comment ? »

Sans répondre, il sortit de son porte-documents une grande enveloppe qu'il posa sur mon bureau. La bordure brillante de plusieurs photographies en émergeait. Ma main se porta vers elle avant même que j'eusse pris conscience de mon geste.

Je la repoussai.

« Non, merci.

— Je pensais que vous aimeriez en juger par vous-même.

— Je vous ai déjà dit que je ne pouvais pas vous aider.

— Vous ne pouvez pas ou vous ne voulez pas ? »

Je secouai la tête.

« Désolé. »

Il me considéra encore un moment avant de se lever brusquement.

« Merci de m'avoir accordé un peu de votre temps si précieux, docteur Hunter, déclara-t-il, glacial.

— N'oubliez pas ça. »

Je lui tendis l'enveloppe.

« Gardez-la. Vous aurez peut-être envie d'y jeter un coup d'œil plus tard. »

Lorsqu'il sortit, je serrais toujours l'enveloppe. Il me suffisait de faire glisser les clichés sur mon bureau... Au lieu de quoi, je la rangeai dans un tiroir. Après l'avoir refermé, je dis à Janice de m'envoyer le patient suivant.

La pensée de ces photos ne me quitta cependant pas de toute la matinée. Aucune conversation ni aucun examen ne réussirent à m'en détourner. Après le départ du dernier malade, je tentai de me distraire en griffonnant quelques notes dans son dossier. Puis j'allai me poster devant les portes-fenêtres. Encore deux visites à domicile et je disposerais de mon après-midi. J'aurais volontiers fait une sortie sur le lac à bord du dinghy, mais en l'absence de vent, je me retrouverais tout aussi paralysé sur l'eau que maintenant, sur la terre ferme.

Bizarrement, je n'avais rien ressenti de particulier lorsque Mackenzie avait déterré mon passé ; il aurait pu tout aussi bien parler de quelqu'un d'autre. Et d'une certaine façon, c'était le cas : c'était un David Hunter différent qui avait exploré les arcanes de la mort, qui avait eu sous les yeux le résultat final de l'association entre la nature et d'innombrables épisodes de violence ou d'accidents. Je considérais alors comme une évidence ce qu'il y avait à l'intérieur du crâne, en me targuant d'un savoir dont bien peu soupçonnaient l'existence. Les changements du corps une fois privé de vie n'avaient presque plus de secrets pour moi ; je possédais une connaissance intime de la décomposition sous toutes ses formes, j'étais capable d'en identifier les différents stades en fonction du climat, du sol, de l'époque de l'année. Une tâche macabre, peut-être, mais nécessaire. Et j'éprouvais la satisfaction d'un magicien lorsque je réussissais à déterminer quand, comment, qui. Oh, j'avais affaire à des êtres humains, je ne l'oubliais pas. En même temps, ils n'avaient pour moi qu'une dimension abstraite : après tout, je ne les avais jamais fréquentés de leur vivant.

Par la suite, les deux personnes que je chérissais le plus au monde m'avaient été enlevées. Ma femme et ma fille, tuées sur le coup par un ivrogne sorti indemne de la collision. Kara et Alice, toutes deux vivantes et pleines d'entrain, transformées en matière organique morte. Or je savais – oh oui, je ne le savais que trop bien ! – quel genre de métamorphoses physiques elles allaient subir, presque heure par heure. Hélas, toute cette science ne me permettait pas de répondre aux questions qui, avec le temps, s'étaient muées en véritable obsession pour moi : où étaient-elles ? Qu'était-il arrivé à la vie en elles ? Comment cette force, cette énergie pouvait-elle cesser d'exister ?

Je n'en avais pas la moindre idée, et peu à peu, cette

ignorance m'était devenue insupportable. Mes collègues et mes amis se montraient compréhensifs, et pourtant, je le remarquais à peine. Je me serais volontiers noyé dans le travail si celui-ci ne m'avait rappelé constamment mon deuil et toutes les interrogations qui me hantaient.

Alors j'avais choisi la fuite, tourné le dos à mon univers, rafraîchi mes connaissances médicales et trouvé refuge ici, au beau milieu de nulle part. Je m'étais offert sinon une nouvelle vie, du moins une nouvelle carrière – un métier centré sur les vivants plutôt que sur les morts, qui me donnait la possibilité de retarder l'échéance finale même si je ne la comprenais toujours pas mieux. Et le stratagème avait fonctionné.

Jusqu'à aujourd'hui.

En fin de compte, j'allai me rasseoir à mon bureau, puis j'ouvris le tiroir d'où je sortis les photographies que je plaçai à l'envers. Je les regarderais, et ensuite, je les rendrais à Mackenzie. Cela ne m'engageait à rien, pensai-je en les retournant.

Si je m'attendais à éprouver quelque chose, à aucun moment en revanche je n'avais anticipé le sentiment de familiarité qu'elles m'inspireraient. Pas vraiment à cause de ce qu'elles montraient – et Dieu sait pourtant qu'elles étaient choquantes. Mais le simple fait de les regarder me ramenait à une époque antérieure. Sans même m'en rendre compte, j'avais déjà commencé à les étudier pour y chercher des indices révélateurs.

Elles étaient six au total, prises selon des perspectives et des angles différents. Je les passai rapidement en revue, avant de les examiner une par une. Le corps était nu, étendu à plat ventre, les bras levés comme pour plonger parmi les hautes graminées. Il était impossible de se prononcer sur son sexe à partir des seuls clichés. La peau assombrie flottait sur la dépouille tel un vêtement de cuir mal ajusté, mais ce n'était pas ce détail qui attirait l'œil. Sam ne s'était pas trompé en mentionnant des ailes : deux profondes entailles avaient été découpées de part et d'autre de la colonne, et de chacune d'elles émergeaient des ailes de cygne donnant à la victime l'apparence d'un ange déchu.

Sur fond de chair putréfiée, l'effet était particulièrement obscène. J'observai encore un moment ces deux anomalies avant de reporter mon attention sur le cadavre lui-même. Semblables à des grains de riz, les larves se déversaient de toutes les blessures – les plaies béantes sur les omoplates ainsi que les nombreuses lacérations plus superficielles sur le dos, les bras et les jambes. Manifestement, la décomposition était bien avancée. La chaleur et l'humidité avaient sans doute accéléré le processus, de même que les charognards et les insectes. De toute façon, chaque facteur aurait sa propre histoire à raconter, chacun contribuerait à estimer le temps écoulé depuis qu'on avait abandonné le corps à cet endroit.

Les trois dernières photos montraient le cadavre retourné. Celui-ci présentait les mêmes petites coupures partout sur le torse et les membres ; quant au visage, ce n'était plus qu'une masse informe d'os brisés. En dessous, la gorge largement ouverte laissait voir le cartilage, plus lent à se décomposer que les tissus mous dont il était recouvert. Je songeai à Bess, la chienne de Sally. Elle aussi avait eu la gorge tranchée... J'étudiai encore une fois les clichés, mais en me rendant compte que je cherchais des signes reconnaissables sur la dépouille, je les reposais aussitôt. J'étais toujours assis à mon bureau quand un coup résonna à la porte.

C'était Henry.

« Janice m'a dit que la police était venue. Pourquoi ? Un de nos chers concitoyens a encore fait des siennes avec les vaches du coin ?

— Non, c'était à propos d'hier.

— Ah. » Il recouvra aussitôt son sérieux. « Un problème ?

— Pas vraiment. »

Réponse vague s'il en était. J'avais beau éprouver des scrupules à lui cacher certaines choses, je ne lui avais cependant pas dévoilé tous les détails de mon expérience. Il savait que j'avais pratiqué l'anthropologie, bien sûr, mais ce domaine était suffisamment vaste pour englober diverses activités. J'avais passé sous silence l'aspect médico-légal de mon travail et ma participation à des enquêtes criminelles. À l'époque, je n'avais pas envie d'en parler.

Pas plus qu'aujourd'hui, d'ailleurs.

Son regard se porta vers les photos toujours posées sur ma table. Il était trop loin pour en distinguer les détails, et pourtant, je n'en avais pas moins l'impression d'avoir été pris la main dans le sac. Il haussa les sourcils en me voyant les ranger dans l'enveloppe.

« On peut en discuter à un autre moment ? demandai-je.

— Sans problème. Je n'avais pas l'intention de me montrer indiscret.

— Pas du tout, c'est juste que... j'ai besoin de temps pour réfléchir.

— Ça va, David ? Vous m'avez l'air un peu soucieux.

— Non, ce n'est rien. »

Henry hocha la tête sans toutefois se départir de son expression inquiète.

« Que diriez-vous de sortir le dinghy, un de ces quatre ? suggéra-t-il. Un peu d'exercice nous ferait sûrement le plus grand bien à tous les deux. »

S'il avait besoin d'aide pour embarquer et débarquer, une fois à bord, Henry n'avait en revanche aucune difficulté malgré son handicap pour ramer ou hisser la voile.

« Entendu, répondis-je. Accordez-moi juste quelques jours. »

Il aurait aimé satisfaire sa curiosité, c'était évident, mais il se contenta de diriger son fauteuil vers la porte.

« À vous de décider. Vous savez où me trouver. »

Après son départ, je me carrai dans mon siège en fermant les yeux. *Je n'avais jamais voulu ça.* Personne ne l'avait voulu, d'ailleurs, surtout pas la victime. Néanmoins, en songeant aux photos que je venais de voir, je compris que tout comme elle, j'avais été piégé.

Mackenzie m'avait donné sa carte en plus des clichés. Je ne pus cependant le joindre ni sur son téléphone fixe ni sur son portable. Je laissai des messages sur les deux répondeurs en lui demandant de me rappeler, puis je raccrochais. Je ne me sentais pas vraiment mieux maintenant que j'avais pris une décision ; malgré tout, mon fardeau semblait s'être un peu allégé.

Il ne me restait plus désormais que les visites à domicile. Je n'en avais que deux sur mon planning et aucune ne présentait le moindre caractère de gravité : un enfant ayant attrapé les oreillons et un vieillard grabataire qui refusait de s'alimenter. Quand j'eus terminé, il était l'heure de déjeuner. Sur le trajet du retour, j'hésitais entre manger chez moi ou au pub lorsque mon téléphone sonna.

Je pris aussitôt la communication, mais c'était juste Janice qui voulait m'informer d'un coup de fil de l'école au sujet de Sam Yates. Il leur causait du souci ; pouvais-je passer l'examiner ? Bien sûr, répondis-je, soulagé d'avoir quelque chose à faire en attendant des nouvelles de Mackenzie.

Quand j'arrivai à Manham, la vue des policiers dans les rues me ramena à la réalité du drame. Leur uniforme sombre contrastait avec la gaieté des fleurs illuminant le cimetière et le terrain communal, et dans tout le village, on percevait une sorte d'excitation fébrile, quoique contenue. À l'école, en revanche, tout semblait normal. Si les élèves plus âgés devaient parcourir une dizaine de kilomètres pour se rendre au lycée, Manham avait toutefois conservé sa modeste école primaire – anciennement une chapelle – dont la cour de récréation résonnait ce jour-là d'un joyeux brouhaha sous le soleil. C'était la dernière semaine du trimestre avant les vacances d'été, et la perspective de ce long congé ajoutait encore à la frénésie habituelle de la mi-journée. Une fillette se précipita dans mes jambes en voulant échapper à sa poursuivante. Toutes deux s'éloignèrent en gloussant, tellement absorbées par leurs activités qu'elles avaient à peine remarqué ma présence.

Au moment d'entrer dans le bureau du directeur, j'éprouvai une vieille appréhension familière. Betty, la secrétaire, m'offrit son plus beau sourire lorsque je frappais à la porte.

«Bonjour ! Vous êtes venu voir Sam ?»

C'était une femme minuscule au visage chaleureux

qui avait toujours habité le village. Célibataire, elle vivait avec son frère et traitait les écoliers comme des membres de sa famille.

« Comment va-t-il ? » demandai-je.

En guise de réponse, elle plissa le nez.

« Il est encore secoué. On l'a envoyé à l'infirmerie. C'est tout droit. »

« Infirmerie » me parut un bien grand mot pour désigner une petite pièce dotée d'un évier, d'un canapé et d'une armoire à pharmacie. Sam était assis sur le canapé, la tête basse, les jambes dans le vide. Il semblait épuisé et au bord des larmes.

La jeune femme installée à son côté parlait d'un ton apaisant en lui montrant un livre. À mon arrivée, elle s'interrompit, l'air soulagé.

« Bonjour, je suis le docteur Hunter, dis-je, avant de sourire au garçonnet. Comment te sens-tu, Sam ?

— Il est un peu fatigué, répondit la jeune femme à sa place. Apparemment, il a eu des cauchemars toute la nuit. Pas vrai, Sam ? »

Elle s'était exprimée d'une voix neutre, calme, sans la moindre trace de condescendance. Sans doute était-ce l'institutrice de Sam, pensai-je. En tout cas, je ne l'avais encore jamais vue et son léger accent me laissa supposer qu'elle n'était pas de la région. Comme l'enfant avait laissé retomber sa tête sur sa poitrine, je m'accroupis pour chercher son regard.

« C'est vrai, Sam ? Quel genre de cauchemars ? » Après avoir vu les photos du corps, j'en avais une assez bonne idée. Il ne bougea pas, ne desserra pas non plus les lèvres. « Bon, je vais t'ausculter, OK ? »

Je ne m'attendais pas à découvrir un problème d'ordre physique, et de fait, je ne décelais rien d'anormal

71

hormis une température un peu élevée. Je lui ébourif-
fais les cheveux avant de me redresser.

« Fort comme un bœuf, commentais-je. Tu permets
que je dise un mot à ta maîtresse ?

— Non ! » s'écria-t-il, paniqué.

Elle lui adressa un sourire rassurant.

« Ne t'inquiète pas, nous serons dans le couloir. Je
vais laisser la porte ouverte, et ensuite, je reviendrai.
D'accord ? »

Quand elle lui tendit le livre, il ne l'accepta qu'au
bout d'un instant – et encore, à contrecœur. Je suivis
ensuite l'institutrice hors de l'infirmerie dont elle laissa
la porte entrebâillée, comme promis, en prenant cependant soin de s'écarter suffisamment pour empêcher
Sam d'entendre nos propos.

« Désolée de vous avoir dérangé, chuchota-t-elle,
mais je ne savais pas quoi faire d'autre. Il a piqué une
véritable crise de nerfs en fin de matinée. Ça ne lui
ressemble pas du tout. »

De nouveau, je songeai aux clichés.

« Vous avez entendu parler de ce qui s'est passé hier,
je suppose ? »

Elle grimaça.

« Tout le monde est au courant, c'est bien le problème, répondit-elle. Les autres gosses n'arrêtaient pas
de lui réclamer des détails. Alors il a fini par craquer.

— Vous avez prévenu ses parents ?

— J'ai essayé, mais je n'arrive pas à les joindre. »
Elle haussa les épaules comme pour s'excuser. « C'est
pour ça que je vous ai appelé. Je m'inquiétais pour lui,
vous comprenez... »

Sa sincérité ne faisait aucun doute. Je lui donnais
entre vingt-huit et trente ans, guère plus. La blondeur

de ses cheveux courts paraissait naturelle, même si elle était nettement plus claire que celle de ses sourcils qui, en cet instant, se plissaient d'inquiétude. Son visage était parsemé de taches de rousseur mises en valeur par un léger hâle.

« Il a reçu un choc terrible, dis-je. Il lui faudra un bon moment pour s'en remettre.

— Le pauvre ! Juste avant les vacances, en plus... » Elle jeta un coup d'œil vers la porte entrouverte. « Vous croyez qu'il aura besoin d'un soutien psychologique ? »

Je m'étais déjà posé la question. S'il n'allait pas mieux dans un jour ou deux, je l'adresserais à un spécialiste. Mais pour avoir moi-même suivi cette voie, je savais que parfois, à trop vouloir sonder une blessure, on ne réussit qu'à la faire saigner de plus belle. Et même si mon point de vue allait à l'encontre des théories en vogue, je préférais donner à Sam une chance de se remettre tout seul.

« On va voir comment il évolue, répondis-je. Si ça se trouve, à la fin de la semaine, il sera de nouveau en pleine forme.

— Je l'espère, en tout cas.

— À mon avis, la meilleure solution dans l'immédiat, c'est de le ramener chez lui. Avez-vous essayé de téléphoner à l'école de son frère ? Quelqu'un là-bas sait peut-être comment joindre leurs parents.

— Euh, non. Personne n'y a pensé, avoua-t-elle, manifestement contrariée.

— Vous pouvez rester avec lui jusqu'à leur arrivée ?

— Oui, bien sûr. Un de mes collègues me remplacera en classe. » Soudain, elle écarquilla les yeux. « Oh, désolée, j'aurais dû vous le dire ! Je suis sa maîtresse. »

Je souris.

« J'avais deviné.

— En fait, je ne me suis pas présentée du tout, hein ? » Elle s'empourpra, ce qui rendit ses taches de rousseur encore plus visibles. « Jenny. Jenny Hammond. »

Elle me tendit timidement la main. Sa paume était chaude et sèche, constatai-je en la serrant. Je me rappelai avoir entendu dire qu'une nouvelle institutrice avait pris ses fonctions au cours de l'année, mais c'était la première fois que je la rencontrais. Du moins le croyais-je.

« Je vous ai aperçu une ou deux fois au Lamb, dit-elle.

— C'est bien possible. La vie nocturne est un peu limitée, par ici.

— J'ai remarqué, répliqua-t-elle en souriant à son tour. Mais bon, c'est aussi pour cette raison qu'on vient s'installer dans des endroits pareils, pas vrai ? Pour échapper à toute cette agitation... » Mon expression dut l'alerter, car elle ajouta aussitôt : « Désolée, comme vous n'avez pas l'accent de la région, j'ai pensé que...

— Vous avez raison, je ne suis pas d'ici. »

Ma réponse parut la soulager.

« Bon, eh bien, je ferais mieux de retourner auprès de Sam », déclara-t-elle.

Je rentrai avec elle pour dire au revoir à l'enfant et m'assurer qu'il n'avait pas besoin d'un sédatif. Je passerais le voir chez lui dans la soirée et j'en profiterais pour recommander à sa mère de le garder à la maison encore quelques jours, le temps que se forme autour de ses souvenirs traumatisants une croûte suffisamment solide pour résister aux assauts de ses petits camarades trop curieux.

Lorsque mon téléphone sonna de nouveau, je me trouvais près de la Land Rover. Cette fois, c'était Mackenzie.

«Vous m'avez laissé un message», lâcha-t-il tout de go.

Je parlai vite, pressé d'en finir. «Je veux bien vous aider à identifier le corps, mais c'est tout. Je n'irai pas plus loin. On est d'accord?

— Comme vous voudrez.» Son intonation n'avait rien d'aimable, mais mon offre ne l'était pas non plus. «Alors, comment vous comptez procéder?

— J'ai besoin de voir l'endroit où le corps a été découvert.

— On l'a déjà transporté à la morgue, mais je peux vous y rejoindre dans une heure...

— Non, je ne veux pas voir le corps, juste l'endroit où vous l'avez trouvé.»

Je sentis son exaspération monter d'un cran.

«Pourquoi, bon sang? marmonna-t-il. À quoi ça va nous avancer?»

J'avais la bouche sèche lorsque je répondis :

«Je dois examiner les feuilles mortes.»

6

Fendant l'air chaud, le héron survolait paresseusement le marécage. Il paraissait pourtant beaucoup trop
gros pour pouvoir se maintenir en altitude – un véritable géant comparé au petit gibier d'eau que son
ombre effleurait. Soudain, il vira vers le lac, puis battit des ailes à deux reprises au moment de se poser.
Tout en secouant fièrement la tête, il longea la rive
avant de s'immobiliser telle une statue sur ses pattes
fines comme des roseaux.

Je me détournai de lui à contrecœur lorsque j'entendis Mackenzie approcher.

« Tenez, me dit-il en me tendant un sac en plastique
scellé. Mettez ça. »

Après avoir sorti du sac la combinaison blanche, je
l'enfilai en prenant soin de ne pas déchirer le fin tissu
en le faisant passer par-dessus mes chaussures et mon
pantalon. À peine avais-je tiré la fermeture à glissière
que je sentis mon corps se couvrir de sueur – une
désagréable sensation de moiteur hélas trop familière.

Il me semblait remonter le cours du temps.

À vrai dire, je ne pouvais me défaire d'une pénible
impression de *déjà-vu*[1] depuis que j'avais retrouvé
Mackenzie sur cette même portion de route où j'avais

1. En français dans le texte.

76

amené les deux policiers la veille. La voie était à présent bordée de voitures de patrouille et de grandes fourgonnettes servant de poste de commandement. Une fois revêtu de la combinaison et des protège-chaussures en non-tissé, je m'engageai en silence à la suite de Mackenzie sur le chemin à travers le marécage, guidé par les rubans de police tendus tout du long. Je savais l'inspecteur impatient de me demander ce que je comptais faire, je le savais également convaincu que manifester sa curiosité serait interprété comme un signe de faiblesse de sa part. Pourtant, mon mutisme n'était pas motivé par un désir déplacé de jouer à un petit jeu de pouvoir; non, j'essayais juste de ne pas penser au moment où il me faudrait affronter la raison de ma présence en ces lieux.

Un périmètre de sécurité avait été établi à l'endroit où l'on avait découvert le corps. De l'autre côté du ruban s'activaient des techniciens de scène de crime, tous anonymes et identiques dans leur combinaison blanche. Cette vision ramena à ma mémoire d'autres souvenirs dérangeants.

« Où est ce putain de Vicks? » lança Mackenzie sans s'adresser à personne en particulier.

Une femme lui remit un pot de baume parfumé. Il en étala un peu sous son nez avant de me le tendre.

« Ça ne sent pas la rose, me prévint-il, même si le cadavre n'est plus là... »

Autrefois, j'étais tellement habitué aux odeurs indissociables de mon travail que je ne m'en préoccupais plus. Mais cette époque-là appartenait au passé. J'imprégnai donc ma lèvre supérieure de pommade mentholée puis enfilai une paire de gants chirurgicaux en latex.

« Il y a aussi des masques, si vous voulez », ajouta Mackenzie. Machinalement, je fis non de la tête. Je n'avais jamais porté de masque, sauf en cas d'absolue nécessité. « Bon, venez. »

Il se baissa pour passer sous le ruban et je l'imitai. Les techniciens de scène de crime ratissaient le sol à l'intérieur du périmètre de sécurité. Quelques marqueurs plantés en terre ici et là signalaient la présence d'indices. Je savais bien qu'une bonne partie d'entre eux – emballages de friandises, mégots de cigarettes et fragments d'ossements d'origine animale – n'auraient aucun lien avec l'affaire en cours. Mais à ce stade, les policiers n'avaient encore aucune idée de ce qui était important ou pas. Par conséquent, toutes leurs trouvailles seraient répertoriées et envoyées au labo pour analyse.

Notre arrivée nous valut quelques regards intrigués auxquels je ne prêtai pas spécialement attention, car je me concentrais déjà sur une zone bien précise, où l'herbe noircie et desséchée semblait avoir brûlé. Sauf que ce n'était pas le cas. Au même moment, je remarquai un autre détail révélateur : la présence d'une odeur reconnaissable entre toutes malgré le filtre du menthol.

Mackenzie s'offrit un bonbon à la menthe avant de ranger le paquet sans même m'en avoir proposé un.

« Je vous présente le docteur Hunter, annonça-t-il à la cantonade en croquant la pastille. Il est anthropologue médico-légal et il va nous aider à identifier le corps.

— Ah ouais ? Ben ça va être coton, vu qu'il est plus là ! » ironisa l'un des agents.

Des rires fusèrent. Ces hommes faisaient leur boulot,

et manifestement, ils n'appréciaient pas l'intervention d'un tiers – surtout un civil. Je m'étais déjà heurté à ce genre d'attitude auparavant.

« Le docteur Hunter est ici à la demande du commissaire Ryan lui-même. Je compte sur vous pour lui fournir toute l'assistance dont il aura besoin. »

L'inspecteur-chef s'était exprimé d'un ton cassant qui, à en juger par les visages fermés autour de lui, n'avait pas été bien accueilli. Pour ma part, je m'en fichais. Un instant plus tard, j'étais accroupi près de l'étendue d'herbe ratatinée.

On y distinguait vaguement la forme d'un corps, les contours d'une silhouette en décomposition. Des larves se tortillaient encore parmi les tiges noires aplaties, sur lesquelles étaient disséminées, tels des flocons de neige, quelques plumes blanches.

J'en ramassai une pour l'examiner.

« C'étaient des ailes de cygne ?

— Possible, répondit l'un des techniciens de scène de crime. On les a envoyées à un ornithologue pour confirmation.

— Vous avez prélevé des échantillons du sol ?

— Ils sont déjà au labo. »

Le taux de fer dans la terre permettrait de déterminer quelle quantité de sang elle avait absorbé. S'il était élevé, on pourrait en déduire que la victime avait eu la gorge tranchée ici même ; s'il ne l'était pas, alors soit la blessure avait été infligée post mortem, soit la victime avait été tuée ailleurs puis abandonnée près du marécage.

« Et pour les insectes ? demandai-je.

— On connaît la chanson, vous savez.

— Je sais, oui. J'essaie juste de déterminer jusqu'où vous êtes allés dans vos investigations. »

Mon interlocuteur poussa un soupir exagéré.

« On a recueilli des spécimens.

— De ?

— Ben, je crois qu'on appelle ça des asticots. »

Sa réponse fut saluée par deux ou trois ricanements. Je soutins son regard.

« Rien de particulier au sujet des pupes ? insistai-je.

— Comment ça ?

— De quelle couleur étaient-elles ? Claires ? Sombres ? Avez-vous remarqué des enveloppes vides ? »

Sans me quitter des yeux, il cilla d'un air maussade. Les rires s'étaient tus, à présent.

« Vous avez aussi vu des coléoptères ? insistai-je. Étaient-ils nombreux sur le corps ? »

Cette fois, il me dévisagea comme si j'étais devenu fou.

« On est en pleine enquête criminelle, je vous signale, pas en cours de biologie ! » riposta-t-il.

Bon, j'avais de toute évidence affaire à un gars de la vieille école. La nouvelle génération d'enquêteurs scientifiques ne demandait qu'à apprendre des techniques susceptibles de l'aider dans son travail. Mais parmi les anciens, quelques-uns s'opposaient encore à tout ce qui n'entrait pas dans leur champ d'expérience. J'en avais croisé plusieurs au cours de ma carrière, et apparemment, certains étaient toujours en activité.

Cette fois, je m'adressai directement à Mackenzie :

« Toutes les espèces d'insectes n'ont pas le même cycle de vie. Ici, on a surtout des larves de mouches à viande, ou mouches bleues. Les plaies ouvertes sur le corps ont dû attirer immédiatement les diptères. S'il faisait jour, ils ont dû commencer à pondre leurs œufs dans l'heure. »

Je remuai un peu la terre et ramassai une larve immobile que je plaçai dans ma paume.

« Celle-là est sur le point d'entrer en phase de pupe. Avec le temps, les chrysalides s'assombrissent. À première vue, je dirais que cette larve n'a pas plus de sept ou huit jours. Je n'ai remarqué aucun débris de cocon aux alentours ; autrement dit, les pupes n'ont pas encore éclos. Dans la mesure où le cycle de vie complet d'une mouche à viande dure quatorze jours, j'en déduis que le corps n'a pas séjourné ici tout ce temps. »

Je lâchai l'asticot dans l'herbe. À présent, tous les policiers avaient interrompu leurs fouilles pour m'écouter.

« Bon, poursuivis-je, à en juger par l'activité des insectes, je me prononcerais pour un délai post mortem d'environ deux semaines. Vous savez ce que c'est, je suppose ? ajoutai-je en indiquant des traces d'une substance d'un blanc jaunâtre collée à certains brins d'herbe.

— Une des conséquences de la décomposition, répondit l'un des techniciens d'un ton guindé.

— Tout juste, approuvai-je. Il s'agit d'adipocire – la "cire des tombes", comme on l'appelait autrefois –, produite par la saponification des graisses lorsque les muscles se dégradent. Elle rend le sol hautement alcalin, raison pour laquelle l'herbe meurt. Et si vous regardez cette matière de plus près, vous vous apercevrez qu'elle est cassante et friable, un détail qui suggère une décomposition assez rapide, car plus le processus est lent, plus l'adipocire est molle. Bref, cette observation concorde avec l'hypothèse d'un corps laissé à l'air libre par forte chaleur, qui plus est couvert de multiples plaies ouvertes, susceptibles d'attirer les bactéries. Cela dit, elles ne sont pas encore nombreuses, ce qui va dans le sens d'un délai post mortem inférieur à deux semaines. »

Un silence total suivit ces explications.

« Inférieur de combien ? demanda enfin Mackenzie.

— Impossible de se prononcer en l'absence d'éléments supplémentaires. » Après avoir jeté un coup d'œil à la végétation desséchée, je haussai les épaules. « À mon avis, en considérant la rapidité du processus de décomposition, il a dû s'écouler entre neuf et dix jours depuis que la victime a été abandonnée là. Si son corps était resté plus longtemps dehors dans une telle fournaise, il serait maintenant complètement momifié. »

Tout en parlant, je scrutai l'herbe noircie à la recherche de ce que j'espérais y trouver.

« Dans quelle direction était orienté le cadavre ? demandai-je au technicien de scène de crime.

— Pardon ?

— Où était la tête ? »

La mine renfrognée, il me montra l'endroit. Je songeai aux photos remises par Mackenzie, en particulier aux bras levés au-dessus de la tête, puis allai examiner le sol dans cette zone. Comme je n'obtenais aucun résultat, j'étendis mes fouilles hors du périmètre, écartant doucement les plantes pour en examiner le pied.

Je commençais à me dire que les charognards avaient dû nous précéder quand j'aperçus enfin l'objet de ma quête.

« Je pourrais avoir un sachet de mise sous scellés ? »

Quand on me l'apporta, je soulevais délicatement un fragment bruni tout racorni que je glissais à l'intérieur.

« C'est quoi ? s'enquit Mackenzie en tendant le cou pour mieux voir.

— Quelques jours après le décès, la peau commence à se décoller. Voilà pourquoi elle paraît si fripée sur les cadavres, comme si elle n'était pas à la bonne taille. Au bout d'un certain temps, elle finit par se détacher complètement. On passe souvent à côté des lambeaux, car la plupart des gens, ne sachant pas de quoi il s'agit, les confondent avec des feuilles mortes. »

Je levai le sachet transparent contenant l'échantillon de tissu parcheminé.

« Vous vouliez des empreintes, non ? »

Mackenzie redressa brusquement la tête.

« C'est une blague ?

— Pas du tout, répondis-je. Je ne sais pas si ce morceau provient de la main droite ou de la gauche, mais l'autre ne devrait pas être loin, à moins qu'un animal ne s'en soit emparé. Je vous laisse le chercher. »

Le technicien de scène de crime émit un petit reniflement méprisant.

« Ah ouais ? Et comment on pourrait relever des empreintes, hein ? Regardez-moi ça ! On dirait une espèce de chips !

— Oh, rien de plus facile, répondis-je, prenant presque plaisir à cet échange. Suivez le mode d'emploi et contentez-vous d'ajouter de l'eau... » Il m'opposa un regard vide. « Faites-le tremper durant la nuit pour le réhydrater, expliquai-je, et ensuite, vous n'aurez plus qu'à l'enfiler sur votre main comme un simple gant. Vous devriez obtenir des empreintes suffisamment nettes pour pouvoir établir une correspondance. »

Je lui tendis le sachet.

« Si j'étais vous, ajoutai-je, je choisirais une personne avec des petites mains. Et je lui demanderais de mettre des gants en latex. »

Je l'abandonnai en contemplation devant la pochette en plastique et me baissai de nouveau pour passer sous le ruban. Je commençais à ressentir le contrecoup de cette épreuve, et ce fut avec un immense soulagement que je me débarrassai de ma combinaison puis de mes protège-chaussures.

Mackenzie me rejoignit au moment où je les roulais en boule. Il remuait la tête.

« Eh bien, on en apprend tous les jours ! lança-t-il. Où avez-vous été formé ?

— Aux États-Unis. J'ai passé deux ans dans le Tennessee, au sein d'un laboratoire scientifique très particulier. "La ferme des corps", comme on l'appelle officieusement. C'est le seul endroit au monde qui étudie la décomposition des cadavres humains : durée du processus en fonction des conditions climatiques, détermination des facteurs qui peuvent l'influencer... Le FBI s'en sert pour entraîner ses hommes à la recherche des disparus. » De la tête, j'indiquai le technicien de scène de crime en train d'aboyer ses instructions au reste de l'équipe. « Un établissement de ce genre pourrait avoir son utilité chez nous aussi.

— Ne rêvez pas ! » L'inspecteur batailla pour se défaire de sa combinaison. « Bon sang, ce que je peux détester ces foutus trucs, maugréa-t-il en époussetant ses vêtements. Donc, vous estimez que le décès remonte à environ dix jours ? »

Lorsque j'ôtai mes gants, l'odeur du latex et de ma peau humide réveilla d'autres souvenirs inopportuns.

« Neuf ou dix, oui. Ce qui ne veut pas dire que le

corps a séjourné ici tout le temps. On l'a peut-être déplacé. Mais ça, je suis certain que vos gars seront en mesure de le déterminer.

— Vous pourriez leur donner un coup de main...

— Désolé, j'ai juste accepté de vous aider à identifier le corps. Demain, à cette heure-là, vous devriez savoir qui est la victime. »

Ou qui elle n'est pas, ajoutai-je en mon for intérieur. Mackenzie n'eut cependant aucun mal à lire dans mes pensées.

« On a tout mis en œuvre pour essayer de retrouver Sally Palmer, me confia-t-il. Jusque-là, aucun des habitants interrogés ne se rappelle l'avoir revue depuis le barbecue. Le lendemain, elle n'est pas allée chez l'épicier chercher la commande qu'elle devait récupérer. Et en général, elle achetait le journal tous les matins. D'après le marchand, c'était une lectrice assidue du *Guardian*. Mais elle ne s'est pas manifestée après cette fameuse soirée. »

Ces mots ravivèrent le funeste pressentiment qui s'était emparé de moi la veille.

« Et personne n'a pensé à le signaler ? m'étonnai-je.

— Non. Apparemment, son absence n'a pas été jugée inquiétante. Tout le monde la croyait partie quelque part ou occupée à écrire. Le marchand de journaux a déclaré, je cite : "Après tout, elle était pas du coin." C'est quand même sympa de vivre dans une petite communauté unie, pas vrai ? »

Je gardai le silence durant quelques instants. Je n'avais pas remarqué non plus l'absence de Sally.

« N'empêche, rien ne prouve que ce soit elle, soulignais-je. Ce barbecue remonte à presque deux semaines. Or la victime découverte près du marécage n'est pas morte depuis aussi longtemps. Et puis, il y a le téléphone portable de Sally...

— Comment ça ?

— Eh bien, il fonctionnait toujours quand j'ai appelé. Si elle avait disparu depuis tout ce temps, la batterie se serait déchargée.

— Pas forcément, objecta Mackenzie. C'est un nouveau modèle, avec en principe une durée de veille de quatre cents heures, soit environ seize jours. Bon, c'est probablement exagéré, mais en admettant qu'il soit resté au fond de son sac sans être utilisé, ce n'est pas impossible.

— Il pourrait s'agir de quelqu'un d'autre, m'obstinais-je, même si je n'y croyais pas une seconde.

— Peut-être. » Son intonation me laissa supposer qu'il détenait des informations dont il ne souhaitait pas me faire part. « De toute façon, quelle que soit l'identité de la morte, on doit retrouver au plus vite celui ou celle qui l'a tuée. »

Je ne pouvais qu'en convenir.

« Vous pensez à quelqu'un d'ici ? demandai-je. Du village ?

— Pour le moment, je ne pense rien. Après tout, la victime était peut-être une auto-stoppeuse dont l'assassin s'est débarrassé en traversant la région... À ce stade, il est encore trop tôt pour échafauder des hypothèses. » Il prit une profonde inspiration. « Écoutez...

— La réponse est toujours non.

— Vous ne savez même pas ce que j'allais vous demander.

— Oh si ! Un dernier coup de main. Et après, il y en aura un autre, et encore un autre... » Je secouais la tête. « Je n'exerce plus cette profession, inspecteur.

Adressez-vous à un de mes confrères encore en activité.

— Ils ne sont pas nombreux dans ce pays. Et vous êtes le meilleur.

— Plus maintenant. J'ai fait tout ce que j'ai pu. »

Il me gratifia d'un regard glacial.

«Vous en êtes bien sûr, docteur Hunter ?»

Sur ces mots, il s'éloigna, me laissant regagner seul la Land Rover. Je démarrais, pour ralentir dès que je fus hors de vue. Mes mains étaient agitées de tremblements incontrôlables lorsque je me garai sur le bas-côté. Brusquement, j'eus l'impression d'étouffer. J'appuyai mon front sur le volant en m'efforçant de ne pas avaler de grandes goulées d'air, sachant qu'une crise d'hyperventilation aggraverait encore mon malaise.

Enfin, la panique reflua. Ma chemise trempée de sueur me collait à la peau, mais je ne bougeai pas jusqu'au moment où j'entendis un coup de klaxon derrière moi. Un tracteur se dirigeait lentement vers ma voiture qui bloquait une partie de la route, et le chauffeur, à grand renfort de gesticulations furieuses, m'intimait l'ordre de dégager le passage. Je levai une main en signe d'excuse avant de redémarrer.

Lorsque j'atteignis le village, je me sentais déjà plus calme. Jugeant préférable d'avaler quelque chose malgré mon manque d'appétit, je m'arrêtai près du seul magasin de Manham plus ou moins comparable à un supermarché. Je comptais acheter un sandwich et le grignoter chez moi, où je m'accorderais une heure ou deux pour essayer de remettre de l'ordre dans mes idées avant d'entamer les consultations de l'après-midi. Au moment où je passais devant la pharmacie, une jeune femme en sortit brusquement, manquant me heurter. Je reconnus l'une des patientes de Henry, une de ces fidèles qui préféraient attendre pour obtenir un rendez-vous avec lui. Je l'avais soignée une fois, à l'époque où il n'avait pas encore repris le travail, mais son nom ne me revint pas tout de suite.

Lyn, pensai-je soudain. Lyn Metcalf.

« Oh, pardon, dit-elle en serrant un sachet contre sa poitrine.

— Il n'y a pas de mal. Alors, comment allez-vous ? »

Un grand sourire illumina son visage.

« Très bien, merci. »

Je me rappelle avoir pensé, en la voyant s'éloigner dans la rue, combien c'était agréable de rencontrer une personne aussi radieuse. Puis j'oubliai tout de cette rencontre.

7

Lyn Metcalf atteignit tard le chemin sinuant à travers les roselières, mais la matinée était encore plus brumeuse que la veille. Une nappe blanche et ondoyante recouvrait le paysage. Elle s'évaporerait plus tard, et à l'heure du déjeuner, la journée serait sûrement l'une des plus chaudes de l'année. En attendant, l'air frais et humide rendait presque improbable toute perspective de soleil et de chaleur.

La jeune femme se sentait courbaturée et mal en point. La veille, Marcus et elle avaient regardé un film jusque tard dans la nuit, et ce matin, son corps protestait contre le manque de sommeil. Contrairement à son habitude, elle avait eu toutes les peines du monde à s'extirper de son lit, se contentant de marmonner quelques mots à l'intention de Marcus qui s'était borné à grommeler en s'enfermant dans la cabine de douche. Maintenant qu'elle était dehors, ses muscles raidis rechignaient à lui obéir. *Accélère. Tu te sentiras mieux après*. Elle grimaça. *Mouais, c'est ça*.

Pour ne plus penser à l'effort exigé par sa course, Lyn se concentra sur le paquet qu'elle avait dissimulé dans sa commode, sous les soutiens-gorge et les culottes, où elle était presque sûre que Marcus n'irait jamais le chercher. La lingerie de sa femme ne l'intéressait que si elle la portait.

Elle n'avait pas eu l'intention d'acheter le test de grossesse quand elle était entrée chez le pharmacien. Mais en voyant les boîtes en rayon, elle en avait machinalement fourré une dans son panier en plus des tampons dont elle espérait ne pas avoir besoin. À ce moment-là, elle aurait encore pu se raviser. Ce n'était pas facile de garder un secret dans le village, et un tel achat risquait bien de lui valoir des regards entendus avant la fin de la journée.

Mais il n'y avait personne dans l'officine à l'exception de la jeune fille à moitié morte d'ennui qui tenait la caisse. C'était une nouvelle, manifestement indifférente à toute personne de plus de dix-huit ans – pas du tout le genre à prêter attention aux achats de ses clients, et encore moins à colporter des rumeurs. Les joues en feu, Lyn s'était avancée en feignant de fouiller son sac pour y récupérer son porte-monnaie pendant que l'adolescente enregistrait le test sans se presser.

En sortant, elle souriait comme une gamine quand elle avait failli heurter l'un des deux médecins. Pas le docteur Henry, non. Le plus jeune, le docteur Hunter. Un homme discret, assez séduisant, dont l'arrivée au village avait provoqué un certain émoi parmi la gent féminine sans qu'il parût le remarquer. Bon sang, elle s'était sentie tellement embarrassée ! Pour un peu, elle aurait éclaté de rire. Il avait dû la prendre pour une folle ! Ou s'imaginer qu'il lui plaisait... Cette seule idée suffit à amener de nouveau un sourire sur ses lèvres.

L'exercice lui faisait du bien. Le sang qui circulait plus vite dans ses veines amenait ses tensions à se dénouer, ses douleurs à s'atténuer. Les bois se profilaient devant elle, à présent, et tout en les regardant, elle éprouva une brusque appréhension. Au début, encore distraite par le souvenir de l'incident devant la pharmacie, elle n'en comprit pas la raison. Puis la mémoire lui revint. Elle avait complètement oublié le lièvre mort découvert sur le chemin la veille. Et aussi cette impression d'être observée lorsqu'elle avait pénétré sous le couvert.

Soudain, la perspective de s'y enfoncer de nouveau – surtout avec ce brouillard – lui parut étrangement rebutante. *Espèce d'idiote !* songea-t-elle en s'efforçant de refouler son malaise. Pourtant, elle ralentit l'allure à l'approche des arbres. Lorsqu'elle s'en rendit compte, elle fit claquer sa langue avec exaspération et allongea aussitôt sa foulée. Ce fut seulement en atteignant la lisière de la forêt qu'elle se rappela le cadavre de femme découvert deux jours plus tôt. Mais bon, ce n'était pas dans le même coin, se dit-elle. Et puis, il aurait fallu que le tueur fût complètement masochiste pour sortir de si bonne heure... À peine eut-elle formulé cette pensée que les premiers arbres se refermèrent sur elle.

Mais à son grand soulagement, elle ne ressentit pas l'angoisse de la veille. La forêt était redevenue une simple forêt. Le sentier était désert, le lièvre mort avait trouvé sa place dans la chaîne alimentaire. La nature avait fait son œuvre. En jetant un coup d'œil au chronomètre à son poignet, elle constata qu'elle avait quelques minutes de retard sur son temps habituel et elle accéléra encore en direction de la clairière. La pierre levée était maintenant en vue, silhouette sombre émergeant de la brume devant elle. Lyn l'avait presque atteinte quand elle remarqua un détail insolite. Puis le contraste entre l'ombre et la lumière disparut, et toute préoccupation d'ordre sportif fut balayée de son esprit.

Un oiseau mort avait été attaché à la pierre – un colvert dont le cou et les pattes avaient été entourés de fil de fer. Le premier moment de stupeur passé, Lyn fouilla du regard les alentours. Sans rien remarquer de particulier. Juste des arbres et ce colvert mort. Elle essuya la sueur qui lui coulait dans les yeux avant de se concentrer sur le canard. Du sang lui assombrissait les plumes à l'endroit où le métal lui entaillait la chair. Ne sachant pas si elle devait le détacher, la jeune femme se pencha pour étudier le lien de plus près.

Au même instant, l'oiseau ouvrit les yeux.

Avec un cri, Lyn recula en titubant tandis que le colvert se débattait pour essayer de se libérer. Il ne faisait que se blesser davantage, et pourtant, elle ne put se résoudre à s'approcher de ses ailes qui battaient frénétiquement. Son cerveau fonctionnait de nouveau, établissant un lien entre cette découverte et celle du lièvre mort placé sur le sentier – à son intention, selon toute probabilité. Puis une autre certitude s'imposa à elle.

Puisque l'oiseau était encore en vie, il ne devait pas être là depuis longtemps. Quelqu'un avait dû préparer toute cette mise en scène au lever du jour.

Quelqu'un qui savait qu'elle la découvrirait.

Une partie d'elle avait beau lui souffler que c'était du délire, elle fit demi-tour et fonça sur le chemin. Des branches la cinglaient au passage, mais elle ne songeait plus à contrôler son allure, une seule pensée la hantait : *tire-toi, tire-toi, tire-toi*. Elle se fichait complètement de réagir comme une idiote, elle n'aspirait plus qu'à sortir du couvert. Bientôt, elle apercevrait les vastes étendues au-delà des bois. Elle respirait par saccades, à présent, les yeux survolant les arbres de chaque côté du sentier, s'attendant à tout instant à voir une silhouette bondir sur elle. Il n'en fut cependant rien. À l'approche du dernier virage, elle laissa échapper un hoquet, moitié gémissement moitié sanglot. *J'y suis presque*, songea-t-elle, et au moment même où le soulagement l'envahissait, elle sentit quelque chose lui accrocher le pied.

Elle n'eut pas le temps de parer la chute. La force de l'impact la précipita au sol, lui coupant le souffle. Elle ne pouvait plus ni respirer ni bouger. Étourdie, elle parvint néanmoins à avaler une première goulée d'air, puis une seconde, aspirant au fond de sa gorge l'odeur de l'humus. Toujours sous le choc, elle chercha du regard l'obstacle qui l'avait fait trébucher. Au début, ce qu'elle vit la dérouta. Un de ses pieds formait un angle bizarre par rapport à sa jambe. Une sorte de fil de pêche, fin et brillant, s'était enroulé autour de sa cheville. Non, comprit-elle aussitôt, pas du fil de pêche.

Du fil de fer.

La révélation survint trop tard. Alors que Lyn essayait de se redresser, une ombre s'abattit sur elle et on lui pressa un chiffon sur le visage comme pour l'étouffer. Elle tenta d'échapper à la puanteur chimique écœurante, de faire appel à toute la force de ses bras et de ses jambes pour résister. Ce ne fut cependant pas suffisant. Peu à peu, ses mouvements faiblirent, la lumière du matin céda la place à la pénombre. *Non !* Elle voulut encore se débattre, mais elle s'enfonçait de plus en plus dans l'obscurité tel un caillou jeté au fond d'un puits.

Eut-elle un dernier sursaut d'incrédulité avant de perdre connaissance ? Possible, auquel cas il fut bref.

Très bref.

Pour le reste du village, la journée débuta comme toutes les autres. Peut-être l'atmosphère paraissait-elle juste un peu plus animée que d'ordinaire – électrisée, en quelque sorte, par la présence des policiers et les spéculations sur l'identité de la victime. C'était un feuilleton télévisé devenu réalité, un mélodrame *made in* Manham. Une femme avait péri, d'accord, mais pour la plupart des gens, c'était une tragédie lointaine, qui ne les touchait pas – et par conséquent, même pas une véritable tragédie. Tous partaient de l'hypothèse implicite qu'elle concernait des étrangers à la communauté ; dans le cas contraire, la disparition de la victime aurait été signalée, forcément, et l'auteur déjà identifié. Non, selon toute probabilité, il s'agissait d'une inconnue, une paumée de la ville montée dans la mauvaise voiture avant de s'échouer dans la région. Les événements récents s'apparentaient donc à une sorte de divertissement, une distraction rare à laquelle on pouvait s'intéresser sans craindre la souffrance ou le chagrin.

Même les questions posées par la police sur Sally Palmer n'y changeaient rien. Tout le monde savait qu'elle était écrivain et se rendait souvent à Londres. Son visage restait trop présent à l'esprit des uns et des autres pour être associé à la femme découverte dans le marécage. Aussi les habitants de Manham ne prenaient-ils pas vraiment l'affaire au sérieux, se bornant à jouer le rôle de simples spectateurs.

Une situation appelée à changer avant la fin de la journée.

Pour moi, elle changea à onze heures ce matin-là, quand je reçus l'appel de Mackenzie. J'avais mal dormi et décidé de me rendre tôt au cabinet pour tenter de chasser les fantômes d'une autre nuit agitée. Lorsque le téléphone sonna sur mon bureau et que Janice m'annonça l'inspecteur Mackenzie, je sentis une tension nouvelle me nouer l'estomac.

« Passez-le-moi. »

Le transfert de ligne me parut interminable, et en même temps, trop court.

« On a une concordance d'empreintes, déclara Mackenzie sans préambule. Il s'agit bien de Sally Palmer.

— Vous en êtes sûr ? »

Question idiote, pensai-je aussitôt.

« Certain. Les empreintes correspondent à celles qu'on a relevées chez elle. De plus, elles figuraient déjà dans nos archives. Sally Palmer avait été arrêtée au cours d'une manifestation quand elle était étudiante. »

Je ne l'aurais pas crue du genre militant, mais à vrai dire, je ne la connaissais pas beaucoup. Et désormais, je n'aurais plus jamais l'occasion de mieux la connaître.

« Puisqu'on a identifié la victime, on va pouvoir avancer, reprit Mackenzie. En tout cas, on n'a toujours pas trouvé de témoins qui l'aient revue après le barbecue du pub. »

Il patienta comme pour me donner le temps d'en tirer une conclusion significative. Il me fallut quelques instants pour rassembler mes idées.

« Autrement dit, ça ne colle pas ?

— Pas si la mort ne remonte qu'à neuf ou dix jours, puisque selon toute vraisemblance, elle a disparu il y a presque deux semaines, répondit-il. Ce qui nous fait un écart inexplicable de plusieurs jours.

— Ce n'était qu'une estimation, soulignai-je. J'ai pu me tromper. Qu'en pense le légiste ?

— Il n'a pas terminé, répondit-il d'un ton sec. Mais pour le moment, il ne conteste pas vos conclusions. »

Je n'en fus pas surpris. C'est vrai, j'avais examiné un jour la victime d'un meurtre que son assassin avait entreposée durant plusieurs semaines dans un congélateur avant de s'en débarrasser, mais en général, le processus de décomposition des corps suit une chronologie bien déterminée. Celle-ci peut varier en fonction de l'environnement, être ralentie ou accélérée par la température et l'humidité de l'air. Néanmoins, une fois ces facteurs pris en compte, les différentes étapes sont prévisibles. Et ce que j'avais vu dans le marécage la veille – je ne parvenais toujours pas à établir un lien entre le cadavre et la femme que j'avais connue – était pour moi aussi parlant que les aiguilles d'un chronomètre. Restait bien sûr à interpréter les données.

Rares sont les légistes qui se sentent à l'aise sur ce terrain. S'il existe un certain degré de chevauchement entre leur spécialité et l'anthropologie médico-légale, la plupart d'entre eux baissent néanmoins les bras en cas de décomposition avancée. Leur domaine d'expertise concerne la cause du décès, et celle-ci devient de plus en plus difficile à déterminer à mesure que la biologie corporelle se dégrade. C'était là que j'intervenais.

Dans mon autre vie, du moins.

« Docteur Hunter ? Vous êtes toujours là ? demanda Mackenzie.

— Oui.

— Tant mieux, parce qu'on va droit dans le mur. D'une façon ou d'une autre, il faut trouver une explication à cet écart.

— Elle a très bien pu s'enfermer pour écrire. Ou alors, elle a reçu un appel d'urgence et elle est partie sans avoir eu le temps de prévenir quelqu'un.

— Et elle aurait été tuée dès son retour ?

— Possible, m'obstinai-je. Elle a peut-être surpris un cambrioleur.

— Peut-être, admit Mackenzie. Auquel cas, on doit en savoir plus.

— Je ne vois pas en quoi je pourrais vous aider.

— Et le chien, alors ?

— Le chien ? répétai-je, devinant déjà où il voulait en venir.

— On a toutes les raisons de supposer que l'assassin de Sally Palmer s'est également débarrassé du chien. Donc, la question est : depuis combien de temps est-il mort ? »

Je me sentais à la fois impressionné par la vivacité d'esprit de Mackenzie et agacé par ma propre négligence. Pourquoi n'y avais-je pas songé moi-même ? Évidemment, j'avais fait de mon mieux pour ne pas penser au drame. N'empêche, à une certaine époque, je n'aurais pas eu besoin qu'on me mette sur la voie.

« Si le chien a été tué à peu près au même moment, poursuivit Mackenzie, ça renforce votre hypothèse du cambrioleur : Sally Palmer était chez elle, occupée à écrire, ou alors elle rentrait de voyage quand son chien a dérangé un intrus qui les a tués tous les deux avant de jeter le corps de la fille dans les marais. Un truc comme ça, quoi. Mais si cette bestiole a été tuée avant, il va falloir considérer l'affaire sous un autre angle. Car dans ce cas-là, le meurtrier n'aurait pas frappé tout de suite. Il aurait gardé sa victime prisonnière pendant quelques jours avant de se lasser d'elle et de la taillader à coups de couteau. »

Mackenzie s'interrompit comme pour me laisser le temps de digérer ses paroles.

« Quoi qu'il en soit, il me paraît nécessaire d'éclaircir ce point dans l'intérêt de l'enquête. N'est-ce pas, docteur Hunter ? »

La maison de Sally Palmer avait beaucoup changé depuis ma dernière visite. À l'époque, je l'avais trouvée vide et silencieuse, et aujourd'hui, elle grouillait d'inconnus au visage grave. Des voitures de police avaient envahi la cour et partout des enquêteurs en uniforme ou en combinaison blanche vaquaient à leurs tâches. Pourtant, cette activité ne faisait que renforcer l'impression générale d'abandon, transformant ce qui avait été un jour un foyer accueillant en une sorte de capsule temporelle, de témoignage pathétique d'un passé récent à décortiquer et à scruter à la loupe.

Rien ne subsistait de la présence de Sally, me sembla-t-il, lorsque je traversai la cour en compagnie de Mackenzie.

« Le véto est passé voir les chèvres, m'apprit-il. Une bonne moitié d'entre elles était déjà morte et il a dû en achever deux ou trois autres, mais d'après lui, c'est un vrai miracle qu'il y ait des survivantes. Elles n'auraient pas tenu vingt-quatre heures de plus dans ces conditions. Même si ces bestioles sont des dures à cuire, elles ont dû rester au moins quinze jours sans eau ni nourriture pour être dans un tel état. »

La zone à l'arrière de la maison, où j'avais trouvé le chien, avait été sécurisée, mais hormis ce détail elle était telle que je l'avais découverte. Personne n'avait déplacé l'animal, peut-être parce que l'équipe de scène de crime en avait fini avec lui, ou parce qu'elle avait d'autres indices à examiner en priorité. Mackenzie, en retrait, grignota un bonbon à la menthe lorsque je m'accroupis auprès de la dépouille. Celle-ci me paraissait beaucoup plus petite que dans mon souvenir – sans que mon imagination fût forcément en cause, car à ce stade la décomposition menait une guerre d'usure presque visible sur les restes de Bess.

Le pelage était trompeur, masquant le fait que le corps se réduisait maintenant à un squelette. Tendons et cartilages subsistaient, de même que l'ouverture béante au niveau de la gorge. Mais il ne restait pratiquement plus de tissus mous. Je tâtai la terre alentour à l'aide d'un bâton, remarquai les orbites vides, puis me relevai.

« Alors ? s'enquit Mackenzie.

— Difficile à dire. La masse corporelle est moins importante. De plus, les poils ont une influence sur la décomposition, mais je ne sais pas exactement laquelle. La seule étude comparative que j'ai menée dans le domaine animal concernait des cochons, et ils n'ont pas de poils. Ceux-ci doivent empêcher les insectes de pondre leurs œufs ailleurs que dans les plaies ouvertes, ce qui ralentit certainement le processus. »

Je m'adressais plus à moi-même qu'à l'inspecteur, écartant les toiles d'araignée de ma mémoire à la recherche de connaissances empoussiérées.

« Les tissus mous exposés ont été arrachés par d'autres animaux, continuai-je. Vous voyez cette zone, là, autour des orbites ? L'os a été rongé. Les marques me semblent trop petites pour avoir été laissées par des renards : à mon avis, c'est l'œuvre des rongeurs et des oiseaux. En principe, ils interviennent tôt, car si le corps est trop abîmé, ils n'y touchent pas. Mais moins il reste de tissus mous, moins il y a d'insectes. Et le sol par ici est beaucoup plus sec qu'à l'endroit où vous avez retrouvé la victime. » Je ne pouvais me résoudre à prononcer le nom de Sally Palmer. « Voilà pourquoi le corps a l'air complètement déshydraté. En pleine chaleur, sans la moindre humidité, il se momifie. La décomposition ne s'opère pas de la même façon.

— Donc, vous ne savez pas depuis combien de temps il est mort ?

— Je ne sais rien du tout. Je me contente de vous indiquer différentes variables à prendre en compte. Je peux vous donner mon opinion, bien sûr, mais n'oubliez pas qu'il s'agit seulement d'une estimation préliminaire. Inutile d'espérer une réponse ferme et définitive après un examen aussi bref.

— Mais... ?

— Eh bien, je n'ai remarqué aucune enveloppe de pupe, mais certaines semblent prêtes à éclore. Elles sont plus sombres, donc plus âgées, que celles qui ont été repérées près de la victime. » De la main, j'indiquai la blessure béante dans la gorge de l'animal. Quelques carapaces d'un noir brillant étaient visibles dans l'herbe tout autour. « On constate aussi la présence de coléoptères. Pas beaucoup, mais de toute façon, ils ont tendance à arriver plus tard. Les mouches bleues constituent la première vague, si vous préférez. Ensuite, à mesure que la décomposition progresse, le rapport change : moins de mouches, plus de coléoptères. »

Mackenzie fronçait les sourcils.

« On en a découvert aussi à l'endroit où gisait Sally Palmer ?

— Personnellement, je n'en ai pas vu, répondis-je.

De toute façon, ce sont des indicateurs moins fiables que les larves. Et comme je vous l'ai dit, il y a aussi d'autres variables à considérer.

— Écoutez, je ne vous demande pas de déclarations sous serment. Je voudrais juste savoir en gros depuis combien de temps ce foutu clébard est mort.

— Eh bien, je dirais... » Une nouvelle fois, je regardai la masse de poils et d'os. « Entre douze et quatorze jours. »

Les sourcils toujours froncés, l'inspecteur se mordilla la lèvre.

« Donc, il aurait été tué avant sa propriétaire ?

— C'est l'impression que j'ai, en tout cas. Comparée à la dépouille que j'ai vue hier, la décomposition de celle-ci est plus avancée, peut-être de trois ou quatre jours. Enlevez une journée et une nuit depuis la découverte de Sally Palmer, et on parle encore de trois bons jours. Mais je vous le répète, à ce stade, il ne s'agit que d'estimations grossières. »

Il me dévisagea d'un air songeur.

« La marge d'erreur est importante, d'après vous ? »

J'hésitai. Mais il avait besoin de conseils, pas de fausse modestie.

« Non.

— Et merde », lâcha-t-il, avant de soupirer.

Lorsque son téléphone portable sonna, il le décrocha de sa ceinture et s'écarta pour répondre. Je demeurai près du chien, cherchant un détail, n'importe lequel, susceptible de m'amener à réviser mon jugement. Je n'en trouvai aucun. Alors je me penchai pour étudier sa gorge. En principe, le cartilage résistait plus longtemps que les tissus mous, mais là encore, les charognards avaient œuvré, rongeant les bords de la plaie. Il était néanmoins évident qu'il s'agissait d'une coupure et non d'une morsure. Je sortis de ma poche une lampe-stylo en prenant mentalement note de la désinfecter avant d'examiner les amygdales d'un patient, puis je la braquai sur la blessure. Celle-ci allait jusqu'aux vertèbres cervicales, révélant une fine ligne plus claire sur l'os. Aucun animal n'aurait pu laisser une telle trace. La lame s'était enfoncée si profondément qu'elle avait entaillé la colonne vertébrale.

Par conséquent, c'était un gros couteau. Tranchant, qui plus est.

« Alors, vous avez vu quelque chose ? » lança Mackenzie.

Absorbé par ma tâche, je ne l'avais pas entendu revenir. Je lui communiquai mes observations.

« Au cas où les marques sur l'os seraient suffisamment nettes, vous devriez pouvoir déterminer si la lame était crantée, expliquai-je. Quoi qu'il en soit, il faut une sacrée force pour infliger une blessure pareille. Votre homme est un costaud, c'est évident. »

L'inspecteur hocha distraitement la tête.

« Écoutez, docteur, je dois y aller. Restez ici aussi longtemps que vous le souhaitez. Je demanderai aux techniciens de ne pas vous déranger.

— Inutile. J'ai terminé.

— Vous ne changerez pas d'avis ?

— Je vous ai dit tout ce que j'avais à dire.

— Rien ne vous empêche de nous en dire plus. »

Ses tentatives de manipulation commençaient à sérieusement m'exaspérer.

« On a déjà parlé de tout ça, inspecteur. J'ai fait ce que vous vouliez. »

Durant quelques instants, il resta perdu dans ses pensées. Puis, ébloui par le soleil, il plissa les yeux.

« La situation a changé, déclara-t-il soudain, comme s'il avait enfin pris une décision. Une autre femme a disparu. Une certaine Lyn Metcalf. Vous la connaissez ? »

La nouvelle me frappa de plein fouet. Je me souvins de ma rencontre avec Lyn devant la pharmacie la veille au soir, de son expression radieuse...

« Elle est partie courir ce matin et elle n'est pas rentrée, poursuivit Mackenzie, impitoyable. C'est peut-être une fausse alerte, mais pour l'instant, ça n'en a pas l'air. Si elle a vraiment disparu et si c'est le même type qui a fait le coup, on n'est pas dans la merde. Parce que soit Lyn Metcalf est déjà morte, soit elle est retenue prisonnière quelque part. Et vu ce qui est arrivé à Sally Palmer, je ne souhaite ça à personne. »

Je ne lui demandai même pas pourquoi il me racontait tout cela, car au fond, je le savais déjà. D'un côté, il accentuait la pression sur moi afin de m'amener à coopérer ; de l'autre, il faisait simplement son boulot de flic. Dans la mesure où j'avais moi-même averti la police de la disparition de Sally Palmer, je ne figurais qu'au bas de la liste des suspects potentiels, mais s'il devait y avoir une seconde victime, tout serait remis en cause. Les soupçons porteraient sur chacun de nous.

Y compris moi.

Mackenzie m'observait, guettant ma réaction. Son expression était indéchiffrable.

« Je vous tiendrai au courant, docteur Hunter. Dans l'intervalle, je compte sur vous pour ne rien dire de cette conversation. Je sais à quel point vous êtes doué pour garder un secret. »

Sur ces mots, il se détourna et s'éloigna, son ombre

s'attachant à ses pas tel un chien noir sur les talons de son maître.

J'ignorais si Mackenzie était sérieux lorsqu'il m'avait demandé de ne pas ébruiter la disparition de Lyn Metcalf, mais il n'aurait pas dû prendre cette peine. Dans une petite communauté comme Manham, un tel événement ne peut demeurer secret bien longtemps ; de fait, en rentrant de la ferme, je découvris que la nouvelle s'était déjà répandue en même temps que les habitants apprenaient l'identité de la femme assassinée – un double choc particulièrement difficile à encaisser. En peu de temps, l'atmosphère du village avait radicalement changé, passant de l'excitation fébrile à la stupeur totale. La plupart des gens se raccrochaient néanmoins à l'espoir que les deux événements n'avaient aucun lien et que la seconde « victime » allait reparaître saine et sauve.

Un espoir qui s'amenuisa cependant au fil des heures.

Constatant que Lyn ne rentrait pas de son jogging, son mari était parti la chercher. Au début, il ne s'était pas trop inquiété, admettrait-il plus tard. Le nom de Sally Palmer n'ayant pas encore été prononcé, Marcus pensait juste que sa femme avait décidé de suivre un itinéraire différent et s'était perdue. Après tout, le cas s'était déjà produit, et tout en appelant Lyn sur le chemin du lac, il pestait ; elle savait bien qu'il avait une journée chargée, et à cause de cette stupide manie de courir le matin, il prenait du retard.

Il ne se faisait toujours pas trop de souci quand il avait traversé les roselières pour entrer dans le bois. En découvrant le cadavre du colvert attaché à la pierre levée, il avait commencé par éprouver de la colère contre cet acte de cruauté gratuite. Né et élevé à la campagne, il n'était pas du genre à s'apitoyer sur le sort des animaux, pour autant, il ne supportait pas le sadisme. À peine le terme lui avait-il traversé l'esprit que Marcus avait été saisi d'un frisson d'appréhension. Il s'était dit que l'oiseau mort n'avait certainement aucun rapport avec l'absence de Lyn. Mais déjà, la peur était ancrée en lui.

Elle n'avait cessé de grandir, nourrie par l'écho de ses cris résonnant dans le vide parmi les arbres. Et quand il avait rebroussé chemin, il devait lutter pour garder son sang-froid. Lyn l'attendait sûrement à la maison, se répétait-il en se hâtant vers le lac. Jusqu'au moment où il avait vu quelque chose qui avait fait voler en éclats ses derniers espoirs.

Le chronomètre de Lyn gisait sur le sol, à moitié dissimulé par une racine.

Quand il l'avait ramassé, il avait noté aussitôt le bracelet cassé et le cadran fendillé. Sa peur avait alors cédé la place à la panique, et il avait fouillé les alentours d'un regard éperdu, cherchant un autre signe de sa femme. Or il n'y avait rien d'anormal. Ou du moins, rien qu'il pût identifier comme tel. S'il avait remarqué le gros bout de bois planté dans le sol, Marcus ne s'était cependant pas interrogé sur sa présence. Il s'écoulerait plusieurs heures avant que les techniciens de la police scientifique ne confirment l'existence d'un piège, et plusieurs autres avant qu'ils n'identifient les taches de sang sur le sentier – le sang de Lyn.

Mais de Lyn elle-même, ils ne trouvèrent aucune trace.

8

Tous les villageois, semblait-il, s'étaient mis en tête de participer aux recherches. En d'autres temps, ou dans des circonstances différentes, on aurait pu penser que Lyn Metcalf était peut-être partie de son plein gré. Après tout, même si de l'avis général Marcus et elle avaient l'air heureux en ménage, on ne sait jamais ce qui se passe dans l'intimité des foyers... Mais sa disparition, juste après le meurtre d'une autre femme, prit d'emblée une dimension sinistre. Aussi, lorsque la police concentra ses efforts sur les bois et la campagne où elle était allée courir, presque toutes les personnes valides proposèrent-elles leur aide.

En cette magnifique soirée d'été, alors que les hirondelles tournoyaient dans le ciel crépusculaire, l'atmosphère aurait presque pu paraître festive tant elle témoignait d'un rare sentiment d'unité et de détermination. Pourtant, aucun des membres de l'assistance n'oubliait la raison de sa présence. Ni un autre fait pour le moins troublant.

Le coupable était forcément un résident de Manham.

Il n'était plus possible d'accuser un étranger. Plus maintenant. Il ne pouvait s'agir d'un accident, et encore moins d'une coïncidence, si les deux victimes vivaient dans le même village ; personne n'imaginait un étranger restant sur place après avoir tué Sally

Palmer ou revenant après son premier crime pour en commettre un second. Autrement dit, celui qui avait poignardé une femme et tendu un fil de fer en travers du chemin pour en piéger une autre était un habitant de la région. Et même en admettant qu'il fût originaire d'un village voisin, cela n'expliquait pas pourquoi il avait choisi Manham comme théâtre de ses attaques. Par conséquent, l'hypothèse la plus plausible était aussi la plus effrayante : non seulement nous connaissions les deux femmes, mais nous connaissions aussi le monstre responsable de leur triste sort.

Cette idée germait lentement dans les esprits quand les volontaires se lancèrent sur les traces de Lyn Metcalf. Et si elle ne s'était pas encore complètement épanouie, elle n'en développait pas moins ses premiers bourgeons sous la forme d'une certaine réserve dans les rapports entre les uns et les autres. Tout le monde avait déjà entendu parler de meurtres commis par un assassin qui participait ensuite aux recherches. Qui exprimait publiquement son horreur et sa compassion, voire versait des larmes de crocodile alors que le sang sur ses mains n'avait même pas encore séché, que les hurlements et supplications de la victime résonnaient encore dans sa tête. Résultat, au moment même où les habitants de Manham manifestaient leur esprit de solidarité, écartant les hautes herbes ou scrutant les fourrés, la suspicion avait déjà entamé son travail de sape.

Je m'étais moi-même joint à la battue après mes dernières consultations de la journée. Tout partait de la fourgonnette servant de poste de commandement garée près des bois où Marcus Metcalf avait retrouvé le chronomètre de sa femme. Aux abords du site, des voitures étaient arrêtées le long des haies sur environ cinq cents mètres. Bien que certains volontaires se fussent déjà mis en route de leur propre chef, la plupart étaient venus directement ici, attirés par l'activité. Seuls quelques journalistes de la presse locale étaient présents. À ce stade, les médias nationaux n'avaient pas encore relayé la nouvelle, peut-être parce qu'ils n'estimaient pas un assassinat et un enlèvement dignes d'intérêt. La situation ne tarderait pas à changer, mais pour le moment, Manham jouissait encore d'un relatif anonymat.

La police avait également installé une table pour coordonner les recherches. À vrai dire, il s'agissait surtout d'un exercice de relations publiques, consistant à donner à la communauté le sentiment qu'elle se rendait utile et à s'assurer que les volontaires ne gênaient pas le travail des spécialistes. De toute façon, la campagne autour de Manham était si vaste et sauvage qu'il serait impossible de l'explorer entièrement. Elle risquait d'absorber comme une éponge les équipes de chercheurs sans pour autant livrer ses secrets.

J'aperçus Marcus Metcalf près d'un groupe d'hommes auxquels il ne se mêlait cependant pas. Il possédait la stature musclée d'un travailleur manuel et un visage avenant qui, d'ordinaire, paraissait toujours joyeux sous sa tignasse brune. En l'occurrence, il avait l'air hagard et son teint hâlé avait pris une teinte cireuse. Le révérend Scarsdale se tenait à côté de lui ; il avait enfin trouvé une situation adaptée à la sévérité de ses traits. J'envisageai d'aller dire quelques mots au mari de Lyn pour exprimer... quoi, au juste ? Ma sympathie ? Mes condoléances ? Mais la vacuité de tout ce que je pourrais dire, associée au souvenir des platitudes maladroites que m'avaient débitées des quasi-inconnus après l'accident, m'en empêcha. Finalement, l'abandonnant aux bons soins du ministre du culte, je me dirigeai vers la table pour recevoir mes instructions.

Une décision que je regretterais plus tard.

Je passai plusieurs heures à sillonner en vain des champs marécageux au milieu d'un groupe qui incluait Rupert Sutton, apparemment ravi d'avoir échappé un moment à l'autorité de sa mère. Compte tenu de son embonpoint, il avait du mal à suivre le rythme, mais il persévérait, soufflant et ahanant alors que nous progressions lentement sur le terrain inégal et tâchions d'éviter les zones les plus détrempées. Soudain, il glissa et tomba à genoux. Quand je l'aidai à se redresser, je fus assailli par l'odeur de fauve émanant de son corps en sueur.

« Et merde », haleta-t-il, le visage empourpré par l'embarras tandis qu'il contemplait la boue recouvrant ses mains comme des gants noirs. Il avait une voix étonnamment haut perchée, presque féminine. « Merde », répéta-t-il encore et encore, en clignant des yeux.

À part lui, pratiquement personne ne parlait. Lorsque le crépuscule rendit nos efforts inutiles, nous rebroussâmes chemin. L'humeur générale était aussi sombre que le paysage alentour. Je savais que bon nombre de volontaires s'arrêteraient au Black Lamb, moins pour l'alcool que pour la compagnie. Et comme je n'avais pas plus envie que les autres de passer seul cette soirée, je me garais devant le pub, où je pénétrai à mon tour.

Après l'église, le Lamb était le plus vieux bâtiment du village et l'un des rares à avoir conservé un toit de chaume traditionnel. Partout ailleurs dans les Broads, un tel établissement aurait sans doute été embelli pour entretenir une impression de charme désuet; mais ici, où il n'y avait que la clientèle locale à satisfaire, rien n'avait été tenté pour prévenir sa lente dégradation. Les tiges de roseaux sur le toit moisissaient peu à peu, tandis que fissures et taches se partageaient le plâtre nu sur les murs.

Ce soir-là, si les affaires marchaient bien, l'atmosphère n'avait cependant rien de joyeux. Les hochements de tête qui saluèrent mon arrivée étaient empreints de gravité, les propos feutrés et discrets. Le propriétaire se borna à m'interroger du regard quand j'approchai du bar. Avec son œil aveugle, recouvert d'une pellicule laiteuse, il me faisait toujours penser à un labrador vieillissant.

« Une pinte, s'il vous plaît, Jack.

— Z'avez participé aux recherches ? » demanda-t-il en posant le verre devant moi. Lorsque j'acquiesçai d'un signe, il repoussa mon argent. « C'est la maison qui offre. »

J'avais à peine avalé une gorgée de bière qu'une main se posa sur mon épaule.

« Je pensais bien te voir ici ce soir. »

Je levai les yeux vers le géant qui venait de se matérialiser près de moi.

« Salut, Ben. »

Ben Anders était bâti comme une armoire à glace : un bon mètre quatre-vingt-dix de haut pour presque la moitié de large. Gardien à la réserve naturelle de Hickling Broad, il avait toujours vécu au village. J'avais beaucoup de sympathie pour lui, même si nous n'avions guère l'occasion de nous fréquenter. C'était un compagnon agréable avec qui je pouvais aussi bien garder le silence que faire la conversation. Un sourire affable, presque rêveur, adoucissait le plus souvent son visage rude dont les traits semblaient avoir été chiffonnés puis partiellement lissés. Sur fond de peau tannée, ses yeux verts brillaient d'ordinaire d'un vif éclat.

Ils paraissaient néanmoins éteints quand Ben s'accouda au comptoir.

« Sale affaire, marmonna-t-il.

— C'est sûr.

— J'ai vu Lyn y a deux jours. Un vrai rayon de soleil. Pareil pour Sally Palmer. J'ai l'impression d'avoir été frappé deux fois par la foudre.

— Je sais.

— J'espère vraiment qu'elle s'est tirée quelque part. Mais c'est mal barré, hein ?

— Plutôt, oui.

— Bon sang, quand je pense à ce pauvre Marcus... J'ose même pas imaginer ce qu'il traverse. » Il baissa d'un ton pour empêcher sa voix de porter. « À ce qu'on dit, Sally Palmer a été saignée comme une bête. Si c'est le même type qui a enlevé Lyn... Putain, ça donne envie de lui régler son compte, pas vrai ? »

Je contemplai mon verre. De toute évidence, personne ne savait que j'avais prêté main-forte à la police. J'avais toutes les raisons de m'en réjouir, et pourtant, je me sentais embarrassé, comme si mon silence faisait de moi un menteur.

Ben remua son énorme tête.

« Tu crois que Lyn a une chance de s'en sortir ?

— Aucune idée. »

C'était la réponse la plus sincère que je pouvais lui donner. Ma conversation avec Mackenzie me revint à l'esprit. Si j'avais vu juste, Sally Palmer n'avait été tuée que trois jours après sa disparition. Je n'étais pas

111

profileur, mais je savais que les tueurs en série ont tendance à reproduire un schéma similaire à chaque meurtre. Autrement dit, s'il s'agissait du même homme, il y avait bel et bien une chance pour que Lyn Metcalf fût encore en vie.

Encore en vie. Était-ce possible ? Auquel cas, combien de temps le resterait-elle ? J'avais beau me répéter que j'avais fait de mon mieux, rendu à la police le service qu'elle attendait de moi, j'étais conscient de la faiblesse de mon raisonnement.

Soudain, je m'aperçus que Ben me dévisageait.

« Pardon ?

— Ça va, David ? T'as l'air vanné.

— La journée a été longue, c'est tout.

— M'en parle pas. » Sa mine s'assombrit lorsqu'il jeta un coup d'œil vers la porte. « Et juste quand tu te dis que ça peut pas être pis... »

Je tournai la tête au moment où la silhouette du révérend Scarsdale s'encadrait sur le seuil, bouchant la lumière de la rue. Les conversations se turent lorsqu'il avança vers le bar, l'air plus austère que jamais.

« Ça m'étonnerait qu'il soit venu payer une tournée générale », grommela Ben.

Scarsdale s'éclaircit la gorge.

« Messieurs... » Il gratifia d'un regard désapprobateur les quelques femmes présentes, sans pour autant les saluer. « Je tenais à vous informer que je célébrerai un office demain soir pour Lyn Metcalf et Sally Palmer. »

Sa voix de baryton emplissait la salle.

« Je compte sur votre présence à tous, reprit-il en balayant l'assistance du regard, et je dis bien *tous*, demain soir pour rendre hommage aux morts et soutenir les vivants.» Il marqua une pause avant d'incliner la tête avec raideur. «Merci.»

En retournant vers la porte, il s'arrêta devant moi. Même en plein été, il émanait de lui une vague odeur de moisi. Je distinguai un léger semis de pellicules sur sa veste en laine noire quand il me souffla au visage son haleine rance.

«J'espère vous compter aussi parmi nous, docteur Hunter.

— Si mes patients m'en laissent le temps.

— Croyez-moi, personne ne sera assez égoïste pour vous empêcher de faire votre devoir.» Je n'étais pas certain de comprendre ce qu'il entendait par là. Il me gratifia d'un sourire pincé. «De plus, vous retrouverez la plupart d'entre eux à l'église. De telles tragédies resserrent toujours les liens entre les membres d'une petite communauté comme la nôtre. Pour vous qui venez de la ville, cela peut paraître étrange, mais nous, nous savons parfaitement où sont nos priorités.»

Sur un dernier hochement de tête guindé, il s'éloigna.

«Ça au moins, c'est un vrai chrétien», observa Ben. Il leva son verre vide, ridiculement petit dans sa grosse paluche. «Allez, on s'en reprend un?»

Je déclinai l'offre. L'arrivée de Scarsdale n'avait pas amélioré mon humeur. J'allais terminer ma bière et rentrer quand une voix s'éleva derrière moi :

«Docteur Hunter?»

C'était la jeune institutrice rencontrée à l'école la veille. Son sourire vacilla devant mon expression.

«Oh, pardon, je ne voulais pas vous déranger...

— Non, ce n'est rien. Vous ne me dérangez pas du tout.

— Je suis l'institutrice de Sam. Nous nous sommes vus hier», précisa-t-elle d'un ton hésitant.

Si d'habitude j'ai du mal à me souvenir des noms, le sien me revint immédiatement. Jenny. Jenny Hammond.

«Oui, je me rappelle. Comment va-t-il ?

— Bien, je suppose. Je veux dire, il n'était pas en classe aujourd'hui. En tout cas, il paraissait aller mieux quand sa mère est venue le chercher hier après-midi. »

Je le savais, j'aurais dû passer chez les Yates, mais d'autres préoccupations s'en étaient mêlées.

«Je suis sûr qu'il se remettra vite, la rassurai-je. Son absence ne pose pas de problème ?

— Oh non, aucun. Je voulais juste... enfin, vous dire bonjour, c'est tout. »

Elle avait l'air embarrassée. Sur le moment, j'avais cru qu'elle souhaitait me poser une question au sujet de Sam. Je comprenais maintenant qu'elle essayait juste de se montrer amicale.

«Vous êtes avec d'autres professeurs ? demandai-je.

— Non, je suis toute seule. J'ai participé aux recherches et... eh bien, ma colocataire est sortie et je n'avais pas envie de passer la soirée en tête à tête avec moi-même, si vous voyez ce que je veux dire. »

Je voyais très bien. Le silence entre nous se prolongea quelques instants.

«Je peux vous offrir un verre ?» demandai-je enfin, à l'instant précis où elle déclarait : «Bon, eh bien, à plus tard. » Nous éclatâmes de rire, un peu gênés tous les deux. «Qu'est-ce qui vous ferait plaisir ?

— Non, ce n'est pas la peine, je vous assure.

— J'allais reprendre une bière, de toute façon. »

Au même moment, je m'aperçus que ma pinte était

encore à moitié pleine. Mais bon, peut-être Jenny n'avait-elle rien remarqué.

« Une Becks, alors, murmura-t-elle. Merci. »

Ben venait d'être resservi quand je me penchai vers le bar.

« T'as changé d'avis, finalement ? Attends, c'est pour moi, déclara-t-il en mettant déjà la main à la poche.

— Non, c'est bon. J'invite quelqu'un. »

Il jeta un coup d'œil derrière moi et se fendit d'un sourire entendu.

« Pigé. À plus. »

Je hochai la tête, conscient d'avoir les joues en feu. Le temps d'être servi, j'avais fini ma première bière et j'en commandai une autre avant de me tourner vers Jenny.

« Santé. » Elle leva sa bouteille comme pour porter un toast puis l'approcha de ses lèvres.

« Le propriétaire n'aime pas trop qu'on boive au goulot, je sais, mais c'est moins bon dans un verre.

— Sans compter que ça fait moins de vaisselle. Vous lui rendez service, finalement.

— Je m'en souviendrai la prochaine fois qu'il rouspétera. » Soudain, elle recouvra son sérieux. « Je suis encore sous le choc. C'est terrible, n'est-ce pas ? Je veux dire, ces pauvres femmes, toutes les deux du village... Moi qui croyais qu'on ne risquait rien dans les endroits de ce genre...

— C'est pour ça que vous êtes venue vous installer ici ? »

Ma question me parut plus indiscrète que je ne l'aurais voulu. Jenny contempla la bière dans sa main.

« Disons que j'en avais assez de la ville, répondit-elle.

— Quelle ville, au juste ?

— Norwich. »

Elle grattait machinalement l'étiquette sur la bouteille. Soudain, comme si elle se rendait compte de son geste, elle s'arrêta et un sourire éclaira son visage.

« Enfin, bref. Et vous ? Si j'ai bien compris, vous n'êtes pas du coin non plus.

— Non, je suis originaire de Londres.

— Alors, pourquoi avoir choisi Manham ? Pour ses lumières scintillantes et sa vie nocturne trépidante ?

— Quelque chose comme ça. » À en juger par son expression, elle attendait une réponse plus étoffée. « Bah, pour la même raison que vous, j'imagine. J'avais besoin de changement.

— Je vois, oui. » Elle sourit de nouveau. « N'empêche, je me plais bien ici, au milieu de nulle part. Vous savez, on s'habitue vite au calme, à tout ça. Fini les embouteillages, la cohue...

— Et le cinéma...

— Et les bars.

— Et les magasins... »

Nous échangeâmes un regard complice.

« Alors, depuis combien de temps vivez-vous à Manham ? demanda-t-elle.

— Trois ans.

— Et combien de temps vous a-t-il fallu pour vous faire accepter ?

— J'y travaille encore. Dans une bonne dizaine d'années, et j'espère être considéré comme un visiteur permanent. Par les esprits les plus ouverts, j'entends.

— Ne me dites pas ça ! Je suis arrivée il y a seulement six mois.

— Oh ! Alors vous êtes toujours une touriste... »

116

Elle éclata de rire mais ne put rien ajouter, car au même moment, il y eut une bousculade à la porte.

«Où est le docteur? cria quelqu'un. Il est là?»

En m'avançant, je vis un homme entrer dans le pub, moitié soutenu moitié porté par ses compagnons. Ses traits convulsés par la souffrance ne m'empêchèrent pas de reconnaître Scott Brenner, membre d'une famille nombreuse qui vivait dans une bicoque délabrée à la sortie de Manham. Une de ses bottes et le bas de sa jambe de pantalon étaient trempés de sang.

«Aidez-le à s'asseoir, conseillai-je. Doucement. Que s'est-il passé?

— Il a marché dans un piège. On allait vous voir au cabinet quand on a aperçu la Land Rover dehors.»

C'était son frère Carl qui m'avait répondu. Les Brenner, officiellement ouvriers agricoles mais officieusement portés sur le braconnage, formaient une sorte de clan. Carl, l'aîné, était un individu sec et noueux au tempérament agressif, et en remontant le denim sanguinolent collé à la jambe de son cadet, je ne pus m'empêcher de penser que l'accident n'avait pas fait la bonne victime. Puis je découvris l'étendue des dégâts.

«Vous avez une voiture? demandai-je à Carl.

— Vous imaginez p'têt qu'on est venus à pinces?

— Tant mieux, parce qu'il faut tout de suite l'emmener à l'hôpital.»

Il jura.

«Vous pouvez pas le rafistoler, toubib?

— Je peux faire un pansement temporaire, c'est tout. Les soins dont il a besoin dépassent mes compétences.

— Ils vont me couper le pied? hoqueta Scott.

117

— Non, mais vous devrez éviter de cavaler pendant un bon moment.» Je me sentais beaucoup moins sûr de moi que je ne voulais le paraître. D'autant qu'il me semblait impossible de l'emmener au cabinet maintenant; on l'avait suffisamment déplacé comme ça. «J'ai laissé ma trousse sous une couverture à l'arrière de ma Land Rover. Quelqu'un veut bien aller la chercher?

— Je m'en occupe», répondit Ben.

Je lui donnai les clés de la voiture, et après son départ, je réclamai de l'eau et des serviettes propres pour nettoyer le sang autour de la plaie.

«C'était quel genre de piège?

— Un collet, expliqua Carl. Le genre de truc qui se resserre dès qu'on a mis le pied dedans. Et qui vous entaille jusqu'à l'os.»

En l'occurrence, il avait parfaitement rempli sa fonction, constatai-je.

«Où étiez-vous?»

Scott répondit en évitant de regarder ce que je faisais:

«De l'autre côté du marécage, près du vieux moulin...

— On cherchait Lyn», intervint Carl en dardant sur lui un œil noir.

J'en doutais. Je connaissais l'endroit. Comme la plupart des moulins à vent dans les Broads, celui qui était situé à la sortie du village servait de pompe à eau pour assécher les marécages. Abandonné depuis des années, ce n'était plus qu'une coquille vide privée d'ailes et de vie. La zone alentour, désolée même d'après les critères de Manham, constituait du même coup le territoire de chasse idéal pour quiconque tenait à éviter les regards indiscrets. Compte tenu de la réputation des

118

Brenner, cette explication me paraissait plus logique pour justifier leur présence là-bas en pleine nuit qu'une quelconque préoccupation d'intérêt général. Tout en nettoyant la blessure, je me demandai s'ils avaient réussi à se faire prendre par leurs propres pièges.

« C'était pas un des nôtres, dit soudain Scott comme s'il avait lu dans mon esprit.

— Scott ! le tança son frère.

— C'est vrai, quoi ! Il était planqué dans l'herbe sur le chemin. Et il était trop gros pour un lapin ou un chevreuil. »

Un profond silence suivit ces révélations. Même si la police n'avait pas encore apporté de confirmation officielle, tout le monde avait entendu parler des restes du piège découvert dans les bois où Lyn avait disparu.

Lorsque Ben m'eut donné ma sacoche, je fis de mon mieux pour nettoyer et panser la plaie.

« Maintenez son pied surélevé et conduisez-le aux urgences le plus vite possible », dis-je à Carl.

Sans ménagement, celui-ci força son frère à se lever puis le traîna vers la sortie. Je me lavai les mains avant de rejoindre Jenny.

« Il va se remettre ? demanda-t-elle.

— Ça dépend de l'état de son tendon. Avec un peu de chance, il s'en sortira avec un léger boitillement. »

Elle secoua la tête.

« Bon sang, quelle journée ! »

Ben s'approcha et me tendit mes clés de voiture.

« T'en auras besoin.

— Merci.

— Alors, qu'est-ce que t'en penses ? Tu crois qu'il y a un rapport avec la disparition de Lyn ?

— Aucune idée », répondis-je.

Pourtant, comme tout le monde sans doute, j'avais un mauvais pressentiment.

« Pourquoi y en aurait-il un ? » s'enquit Jenny.

Devant l'air hésitant de Ben, je compris qu'ils ne se connaissaient pas.

« Ben, je te présente Jenny. Elle enseigne à l'école. »

Interprétant mon intervention comme une invitation à poursuivre, il expliqua :

« Parce que la coïncidence serait trop énorme. D'accord, j'ai aucune sympathie pour les Brenner, cette bande de salop... » Il s'interrompit le temps de jeter un coup d'œil à Jenny. « Bref, j'espère sincèrement que c'en est une. Coïncidence, je veux dire.

— Je ne vous suis pas. »

Ben m'interrogea du regard, mais je me refusais à aller jusqu'au bout de sa logique.

« Parce que si c'en est pas une, ça signifie que le coupable est forcément quelqu'un du coin, déclara-t-il. Du village.

— Vous ne pouvez pas en être sûr », objecta Jenny.

Si l'expression de Ben laissait supposer le contraire, il était cependant trop poli pour la contredire.

« On verra bien, conclut-il. Sur ce, je vous souhaite une bonne nuit. »

Après avoir vidé son verre, il se dirigea vers la porte. Soudain, comme si une pensée venait de lui traverser l'esprit, il se retourna vers Jenny.

« Je me mêle sûrement de ce qui me regarde pas, mais vous êtes venue en voiture ? lança-t-il.

— Non, pourquoi ?

— Oh, c'est juste que vous devriez peut-être pas rentrer toute seule chez vous. »

Sur un dernier regard appuyé dans ma direction pour s'assurer que j'avais saisi le message, il sortit. Jenny esquissa un pauvre sourire.

« C'est si grave que ça ? murmura-t-elle.

— J'espère que non. Mais à mon avis, il a raison.

— Je n'arrive pas à le croire ! s'exclama-t-elle en secouant la tête. Il y a deux jours à peine, c'était l'endroit le plus tranquille de la planète ! »

Deux jours plus tôt, Sally Palmer gisait encore dans les marais et le monstre responsable de sa mort concentrait sans doute déjà son attention sur Lyn Metcalf. Je me gardai cependant de le lui faire remarquer.

« Quelqu'un ici peut vous raccompagner ? demandai-je.

— Non, mais ne vous inquiétez pas. Je suis capable de me débrouiller. »

Je n'en doutais pas. Néanmoins, malgré ses airs bravaches, je la sentais ébranlée.

« Je vous dépose, d'accord ? »

De retour chez moi, je m'assis à la table de jardin derrière la maison. La soirée était chaude, sans le moindre souffle d'air. La tête renversée, je contemplai les étoiles parmi lesquelles la lune presque pleine formait un disque blanc incomplet, nimbé d'une sorte de halo brumeux. J'essayai d'en distinguer les contours tachetés quand mes yeux se portèrent plus bas, vers les bois enténébrés à l'autre bout du champ. Si en temps normal j'appréciais le paysage, même le soir, j'éprouvai néanmoins un certain malaise à la vue de cet impénétrable enchevêtrement d'arbres.

Je me rendis à la cuisine, où je me servis un petit whisky que j'emportai dehors. Il était minuit passé et je savais qu'il me faudrait me lever de bonne heure, mais j'aurais saisi n'importe quel prétexte pour retarder le moment d'aller me coucher. De plus, pour une fois, j'avais trop de pensées en tête pour songer à ma fatigue. J'avais raccompagné Jenny jusqu'au cottage qu'elle louait avec une autre jeune femme. Nous n'avions pas pris la voiture, finalement, la nuit était claire et Jenny n'habitait qu'à quelques centaines de mètres. Sur le trajet, elle m'avait un peu parlé de son travail et de ses élèves. En une occasion seulement, elle avait évoqué son passé – lorsqu'elle avait mentionné une école à Norwich où elle avait enseigné. Puis elle avait rapidement dévié le cours de la conversation, noyant sa dérobade sous un déluge de paroles. J'avais feint de ne rien remarquer ; après tout, si elle préférait éviter certains sujets, libre à elle.

Alors que nous longions la ruelle étroite jusque chez elle, un renard avait glapi dans les environs. Jenny m'avait attrapé le bras.

« Désolée », avait-elle murmuré en me relâchant aussitôt comme si elle s'était brûlée. Elle avait laissé échapper un petit rire embarrassé. « On pourrait croire que je me suis habituée à vivre ici, depuis le temps... »

Par la suite, un silence gêné s'était instauré entre nous. Quand nous étions parvenus devant la maison, Jenny s'était arrêtée près de la grille.

« Eh bien... merci.

— De rien. »

Sur un dernier sourire, elle s'était précipitée vers la maison. J'avais attendu le déclic de la serrure pour m'en aller. Sur le chemin du retour jusqu'au village sombre, je sentais toujours la pression de sa main sur mon bras nu.

Et je la sentais encore. Je portai mon verre à mes lèvres en grimaçant au souvenir de la nervosité suscitée en moi par ce simple geste. Comment s'étonner que ma réaction l'eût déstabilisée ?

Mon whisky terminé, je rentrai. J'étais perturbé, en proie à l'impression exaspérante d'avoir oublié de faire quelque chose. Je dus réfléchir un moment avant de m'en souvenir : Scott Brenner. Je n'étais pas sûr que son frère lui permettrait de parler du piège à la police. Ce n'était peut-être rien, mais il fallait en informer Mackenzie. Après avoir récupéré sa carte, je composai le numéro de son portable. Comme il était presque une heure du matin, je pensais laisser sur sa boîte vocale un message qu'il trouverait le lendemain.

L'inspecteur répondit à la première sonnerie.

« Ouais ?

— C'est David Hunter, dis-je, pris de court. Désolé, je sais qu'il est tard, mais je voulais m'assurer que Scott Brenner vous avait appelé. »

Un silence s'ensuivit, durant lequel je devinai son irritation et sa fatigue.

« Scott qui ? »

Je lui relatai l'incident. Quand il reprit la parole, sa voix ne trahissait plus aucune lassitude.

« Et ça s'est passé où ?

— Près d'un vieux moulin à environ un kilomètre et demi au sud du village. Vous pensez qu'il pourrait y avoir un rapport ? »

Il me fallut quelques secondes pour identifier le son qui s'élevait à l'autre bout de la ligne – le crissement de sa barbe naissante sous ses paumes tandis qu'il se frottait le visage.

« Bah, qu'est-ce que ça peut faire..., lâcha-t-il enfin.

On va l'annoncer demain, de toute façon. Ce soir, deux de mes hommes ont été blessés, l'un par un collet, l'autre en marchant dans un trou où quelqu'un avait placé un bâton pointu.» Il ne cherchait plus à dissimuler sa colère. «Non seulement le ravisseur de Lyn Metcalf s'attendait à ce qu'on se lance à sa poursuite, mais il nous nargue!»

Cette nuit-là, la transition du rêve à la réalité ne me causa aucun choc. J'ouvris les yeux, tout simplement, face à la lumière de la lune qui se déversait par la fenêtre. Pour une fois, j'étais toujours dans mon lit; mes errances nocturnes s'étaient limitées à mes songes. Mais leur souvenir demeurait ancré en moi, aussi net que si je venais de quitter une pièce pour entrer dans une autre.

Le décor était toujours le même – une maison que je n'avais jamais vue, un endroit qui n'existait pas et pourtant m'évoquait un foyer. Kara et Alice étaient là, pleines d'allant, bien réelles. Nous discutions de ma journée, et aussi de tout et de rien, comme nous le faisions lorsqu'elles étaient encore en vie.

Puis je m'étais réveillé, pour me trouver de nouveau confronté à la brutalité de leur mort.

Les paroles de Linda Yates résonnèrent encore une fois dans ma tête. *On ne rêve pas sans raison*, avait-elle dit. Que penserait-elle de mes songes? J'imaginais sans peine les conclusions d'un psychiatre ou même d'un psychologue amateur comme Henry. Mais mes rêves défiaient toute tentative de rationalisation. Ils possédaient une logique et une authenticité qui n'avaient rien d'onirique. Et même si je ne voulais pas l'admettre, une partie de moi refusait toujours de croire à leur irréalité.

Mais en m'obstinant dans ce refus, je risquais bien de prendre une voie où j'avais peur de m'engager. Car je n'avais qu'un pas à faire pour rejoindre ma famille, et je savais que ce serait un acte dicté par le désespoir, non par l'amour.

Le plus effrayant pour moi, néanmoins, c'était qu'il m'arrivait de ne plus m'en soucier.

9

Le lendemain matin, deux autres personnes furent blessées par des pièges. Il s'agissait d'incidents distincts sans aucun rapport avec ceux de la nuit précédente. Je le savais car, notre cabinet ne bénéficiant pas des services d'une infirmière à plein temps, je dus les soigner toutes les deux. L'une d'elles, agent de police, avait eu le mollet déchiré par la pointe d'un bâton émergeant d'un trou dissimulé dans le sol. Comme pour Scott Brenner, je fis de mon mieux pour panser la plaie avant d'envoyer la jeune femme à l'hôpital pour des points. L'autre blessure, celle de Dan Marsden, un ouvrier agricole, était plus superficielle, le lacet de fil de fer n'ayant que partiellement traversé sa grosse botte de cuir.

« Nom d'un chien, je donnerais cher pour mettre la main sur le salaud qui l'avait placé là, marmonna-t-il à travers ses dents serrées quand je nettoyai le sang.

— Il était bien caché ?

— Mouais, impossible de le voir, ce putain de truc. Et je vous dis pas sa taille ! Dieu sait ce que ce gars-là comptait attraper avec un machin pareil. »

Je gardai le silence, persuadé néanmoins que les pièges avaient servi à attraper le gibier pour lesquels ils étaient conçus.

Une opinion que partageait également Mackenzie.

Il interrompit les recherches pour retrouver Lyn Metcalf le temps de faire installer un poste d'infirmerie devant le PC de campagne. Il émit aussi un communiqué recommandant à tout le monde d'éviter bois et champs autour du village, une initiative qui eut le résultat escompté : si la stupeur face aux événements récents l'avait emporté jusque-là dans la population, l'annonce officielle des risques encourus aux environs de Manham déclencha une première vague de véritable peur.

Bien entendu, certains refusèrent d'y croire ou affirmèrent catégoriquement qu'on ne les chasserait pas d'une terre qu'ils avaient connue toute leur vie. Ces rebelles demeurèrent campés sur leurs positions jusqu'au moment où l'un d'eux, grisé par un après-midi de beuverie au Lamb, mit le pied dans un trou recouvert d'herbe desséchée et se brisa la cheville. Ses cris de douleur s'avérèrent plus efficaces qu'une mise en garde des autorités.

Lorsque d'autres forces de police affluèrent et que la presse nationale enfin réveillée déferla sur le village, armée de micros et de caméras, Manham prit des allures de place forte assiégée.

« Jusqu'ici, on n'a eu affaire qu'à ces deux types de pièges, m'expliqua Mackenzie. Les collets, assez rudimentaires, comme en fabriquent tous les braconniers – sauf, bien sûr, qu'ils sont assez larges pour emprisonner le pied d'un adulte. Pour ce qui est des pieux, encore plus vicieux, je dirais que c'est l'œuvre d'un ancien militaire ou d'un de ces fanas de l'entraînement aux techniques de survie. Voire d'un tordu.

— Vous avez bien dit "jusqu'ici" ?

— Celui qui les a posés sait parfaitement ce qu'il

fait. Il n'a pas agi sur une impulsion, c'est évident. À partir de là, on ne peut pas écarter la possibilité qu'il nous ait réservé d'autres surprises.

— Pour entraver les recherches, vous croyez ?

— Possible. Quoi qu'il en soit, je ne veux pas prendre de risques. Pour le moment, on ne déplore que des blessures. Mais si on continue à tâtonner comme ça dans les bois, la prochaine fois, ce sera peut-être un mort qu'on découvrira. »

Il se tut à l'approche d'un carrefour, puis pianota avec impatience sur le volant en attendant que la voiture devant nous redémarre. Je tournai la tête vers la vitre, en proie à une sourde angoisse ravivée par le silence entre nous.

J'avais appelé Mackenzie à la première heure pour lui dire que j'acceptais d'examiner les restes de Sally Palmer s'il souhaitait encore ma collaboration. Cette certitude s'était imposée à moi dès mon réveil, comme si j'avais pris une décision pendant mon sommeil. Ce qui, je suppose, était le cas.

Objectivement, je ne voyais pas trop en quoi je pourrais être utile. Au mieux, en supposant que mes connaissances ne fussent pas trop poussiéreuses, je parviendrais à fournir une estimation plus précise du nombre de jours écoulés depuis la mort de la victime. Mais je ne me faisais aucune illusion sur l'intérêt de cette analyse pour Lyn Metcalf. C'était juste qu'il me paraissait désormais inconcevable de rester sans rien faire.

Pour autant, la perspective de la tâche à venir ne me réjouissait guère.

Mackenzie n'avait pas paru particulièrement surpris ni impressionné par ma réponse. Il allait en toucher un mot à son supérieur, m'avait-il dit, et il me tiendrait au courant. En raccrochant, je me sentais déboussolé, incapable de déterminer si mon initiative était la bonne.

Mais il m'avait rappelé une demi-heure plus tard pour savoir si je pouvais commencer l'après-midi même. La bouche sèche, j'avais accepté.

« Le corps est toujours à la morgue, avait-il précisé. Je passerai vous chercher à treize heures pour vous y conduire.

— Je peux me débrouiller pour y aller.

— Il faut que je retourne au poste de toute façon. Et j'aimerais vous parler de deux ou trois petites choses en route. »

Je m'étais interrogé sur cette dernière remarque en allant demander à Henry s'il voulait bien assurer mes consultations.

« Pas de problème, avait-il répondu. Il y a du nouveau ? »

Une lueur de curiosité brillait dans son regard. Je ne m'étais pas encore résolu à lui avouer pourquoi Mackenzie s'était adressé à moi. Cette situation me mettait mal à l'aise, mais d'un autre côté, clarifier les choses m'aurait obligé à fournir plus d'explications que je ne souhaitais en donner. Il me semblait néanmoins impossible de lui cacher la vérité plus longtemps. Je lui devais bien ça.

« Accordez-moi jusqu'au week-end », avais-je proposé. À ce moment-là, j'aurais certainement terminé ce que j'avais à faire et je n'aurais pas à me préoccuper du cabinet. « Je vous raconterai tout. »

Henry m'avait dévisagé avec attention.

« Un problème, David ?

— Non, non. C'est juste un peu...compliqué.

— Je m'en doute. À la même heure la semaine dernière, personne n'imaginait que les journalistes seraient partout et que la police poserait des questions à tout le monde. On se demande vraiment comment ça va finir... »

Au prix d'un effort visible, il avait souri.

« Bon, venez déjeuner dimanche. J'adore cuisiner et j'ai gardé en réserve un petit bordeaux dont vous me direz des nouvelles. De toute façon, on parle plus facilement quand on a l'estomac plein. »

Soulagé d'avoir obtenu au moins un sursis de ce côté-là, j'avais accepté l'invitation.

La circulation s'intensifia lorsque Mackenzie atteignit un rond-point. À l'intérieur de la voiture, les effluves de son after-shave se mêlaient à la senteur d'un désodorisant au menthol. L'habitacle était impeccable, comme s'il venait d'être nettoyé. Dehors, dans les rues, tout n'était que bruit et chaos – une atmosphère à la fois étrange et familière. Lorsque j'essayai de me rappeler à quand remontait ma dernière visite en ville, je me rendis compte avec stupeur que c'était ma première sortie de Manham depuis cet après-midi pluvieux où j'étais arrivé. Je me sentis envahi par des émotions contradictoires, partagé entre le regret d'avoir quitté mon refuge et l'incrédulité à la pensée d'avoir vécu si longtemps en reclus.

En mon absence, néanmoins, le monde avait continué de tourner.

Je vis un groupe d'enfants chahuter devant les grilles d'une école tandis que leur professeur tentait en vain de les calmer. Des piétons se hâtaient sur les trottoirs, concentrés sur leurs préoccupations du moment. Tous avaient leur propre vie à mener et étaient indifférents à la mienne. Ou à celle d'autrui.

« Le fil de fer ayant servi à fabriquer les pièges est identique à celui dont on s'est servi pour faire chuter Lyn Metcalf, reprit Mackenzie, me ramenant à l'instant présent. Et à celui qu'on a utilisé pour attacher l'oiseau. Je ne suis pas sûr qu'il provienne du même lot, mais on peut le supposer.

— Et vous en pensez quoi ? De l'oiseau, je veux dire.

— Pour le moment, je n'en sais trop rien. Soit il était là pour effrayer la victime, soit il s'agit d'une sorte de déclaration ou de signature.

— Comme les ailes sur le corps de Sally Palmer ?

— Peut-être. Oh, à propos, on a reçu le rapport de l'ornithologue. C'est un cygne tuberculé. Une espèce assez répandue dans la région, surtout en cette saison.

— Selon vous, il y aurait un lien entre les ailes de cygne et le colvert ?

— Je ne peux pas croire qu'il s'agisse d'une simple coïncidence, si c'est le sens de votre question. Ce type a peut-être quelque chose contre les volatiles... » Il doubla une camionnette qui avançait à une allure d'escargot. « On a mis des psychologues sur le coup, pour avoir une idée de l'état d'esprit du tueur. Et on a consulté des tas de spécialistes au cas où ce serait une espèce de rituel païen ou satanique, des conneries comme ça.

— Mais vous n'y croyez pas, hein ? »

Il prit son temps pour répondre, comme s'il réfléchissait à ce qu'il pouvait me révéler.

« Non, déclara-t-il enfin. Les ailes de cygne ont déchaîné les passions. On a parlé de symbolisme religieux ou classique et de toutes sortes de trucs, des anges et j'en passe. Aujourd'hui, pourtant, j'ai des doutes. Si le colvert avait été sacrifié ou mutilé, je ne dis pas. Mais attaché avec du fil de fer ? Non, d'après moi, notre homme aime torturer les êtres vivants. Faire son numéro, si vous préférez.

— Comme avec les pièges.

— Tout juste. D'accord, ça nous ralentit : on ne peut pas se concentrer sur les recherches en se demandant sans arrêt ce qu'il a pu semer derrière lui. Mais entre nous, pourquoi s'emmerder la vie ? Un type qui se donne autant de mal est forcément capable de couvrir ses traces. Au lieu de quoi, il nous laisse un oiseau, un pieu utilisé pour fabriquer un piège, et maintenant, tout ce bazar. Ou il se fiche complètement de ce qu'on trouve, ou il est juste... enfin...

— Il marque son territoire ? suggérai-je.

— Quelque chose comme ça, oui. Il veut nous montrer qu'il contrôle tout. Sans faire trop d'efforts : il pose des pièges dans des endroits stratégiques, et après, il regarde le spectacle. »

Je gardai le silence durant quelques instants en réfléchissant aux propos de Mackenzie.

« Ça va même plus loin, il me semble, avançai-je.

— Hein ?

— Il a transformé les bois et les marécages en une zone interdite. Les gens n'iront plus tellement ils auront la trouille de tomber sur un de ses pièges.

— Et alors ? me pressa-t-il, les sourcils froncés.

— Alors, peut-être qu'il ne cherche pas seulement à faire du mal à ses victimes. Peut-être qu'il prend son pied en les terrorisant. »

Pensif, Mackenzie fixait un point par-delà le pare-brise constellé de cadavres d'insectes.

« Possible, murmura-t-il enfin. Au fait, vous pourriez me dire où vous étiez hier matin entre six et sept heures ? »

Ce brusque changement de tactique me décontenança.

« À six heures, j'étais sûrement sous la douche. Après, j'ai pris mon petit-déjeuner et je suis allé au cabinet.

— À quelle heure ?

— Vers sept heures moins le quart.

— Vous commencez tôt.

— Je n'ai pas bien dormi.

— Quelqu'un peut confirmer ces horaires ?

— Oui, Henry. J'ai bu un café avec lui en arrivant. Noir, sans sucre, au cas où vous voudriez le savoir.

— Ce ne sont que des questions de routine, docteur Hunter. Vous avez participé à suffisamment d'enquêtes criminelles dans le passé pour connaître la procédure.

— Arrêtez-vous.

— Hein ?

— J'ai dit, arrêtez-vous. »

Il parut sur le point d'objecter quelque chose, mais il finit par mettre son clignotant et se garer sur le bas-côté.

« Pourquoi suis-je ici, au juste ? attaquai-je. Parce que je suis suspect ou parce que vous avez besoin de mon aide ?

— Écoutez, on demande à tous les...

— Répondez-moi.

— D'accord, je suis désolé, j'ai peut-être été un peu brutal. Mais il faut que je sache.

— Si vous pensez que j'ai le moindre rapport avec ce qui s'est passé, alors je n'ai rien à faire là. Qu'est-ce que vous imaginez ? Que j'ai hâte de reprendre du collier ? Franchement, j'aurais préféré ne plus voir un seul cadavre de toute ma vie. Alors, si vous n'avez pas confiance en moi, autant que je descende tout de suite. »

Mackenzie poussa un profond soupir.

« Écoutez, je ne crois pas que vous soyez mêlé à toute cette histoire. Dans le cas contraire, je peux vous assurer qu'on n'aurait pas recours à vos services. Mais on est obligés d'interroger tout le village, OK ? Du coup, je voulais juste en finir au plus vite. »

N'empêche, je n'aimais pas du tout la façon dont il m'avait jeté la question à la figure. Manifestement, il avait cherché à me déstabiliser pour évaluer ma réaction. Le reste de notre conversation répondait-il au même objectif ? me demandai-je. En attendant, force m'était de reconnaître qu'il devait faire son boulot. Et qu'il le faisait bien. De mauvaise grâce, j'acquiesçai d'un signe de tête.

« Bon, on peut y aller, maintenant ? » lança-t-il.

Ces mots m'arrachèrent un sourire.

« Oui.

— Alors, combien de temps ça prendra ? interrogea-t-il en redémarrant. L'examen, je veux dire.

— Je l'ignore. Tout dépend de l'état du corps. Qu'en pense le légiste ?

— Pas grand-chose. Il n'est pas sûr qu'il y ait eu agression sexuelle, mais étant donné qu'elle a été retrouvée nue, c'est fort probable. Le torse et les membres sont couverts de petites lacérations superficielles. Le toubib n'est même pas en mesure de déterminer si elle est morte des suites de la blessure à la gorge ou des chocs à la tête. Il y a une chance pour que vous puissiez nous éclairer ?

— Je n'en sais encore rien. »

Après avoir eu sous les yeux les photos de la scène de crime, j'avais déjà une idée sur la question, mais je préférais ne pas me prononcer avant d'avoir vu la victime.

Mackenzie me coula un regard de biais.

« À mon avis, je vais regretter de vous avoir posé la question, mais qu'est-ce que vous allez faire au juste ? »

Jusque-là, je m'étais efforcé de ne pas y songer. Pourtant, la réponse me vint tout naturellement :

« Je vais d'abord passer le corps aux rayons X s'il ne l'a pas encore été. Ensuite, je prélèverai des échantillons de tissus mous pour estimer le DPM et...

— Le quoi ?

— Le délai post mortem. En gros, on analyse les changements physiologiques pour évaluer le temps écoulé depuis le décès : étude des acides aminés, acides gras volatils, niveau de protéolyse musculaire... Après, je serai obligé d'ôter l'ensemble des tissus mous pour pouvoir examiner le squelette lui-même, étudier les traumatismes éventuels, déterminer quel genre d'arme a été utilisé... »

Il fronça les sourcils d'un air dégoûté.

« Et vous procéderez comment ?

— Eh bien, s'il ne reste pas trop de tissus mous, on utilise un scalpel ou des forceps. Ou alors, on fait bouillir le corps dans de l'eau pendant plusieurs heures.

135

— Je comprends mieux pourquoi vous avez voulu devenir généraliste», répliqua-t-il en faisant la grimace. Aussitôt après, il parut se rappeler mes autres motivations. «Désolé.

— Laissez tomber.»

Nous roulions en silence depuis un bon moment lorsque je le vis se gratter le cou.

«Vous l'avez montré à un médecin? demandai-je.

— Quoi?

— Le grain de beauté. Vous étiez en train de vous gratter.»

Il s'empressa de baisser sa main.

«Bah, ça me démangeait un peu, c'est tout.» Il tourna pour s'engager dans un parking. «Voilà, on y est.»

Je le suivis à l'intérieur de l'hôpital, où nous prîmes l'ascenseur jusqu'au sous-sol. La morgue se trouvait à l'extrémité d'un long couloir. À peine entré, je fus assailli par l'odeur, un mélange chimique à la fois âcre et écœurant qui semblait coller aux poumons dès la première inspiration. Le décor évoquait une composition toute de blanc, d'Inox et de verre. Une jeune Asiatique en blouse immaculée, assise à son bureau, se leva à notre approche.

«Bonjour, Marina, lança Mackenzie sans cérémonie. Docteur Hunter, je vous présente Marina Patel. Elle vous assistera.»

La main tendue, elle me sourit. De mon côté, j'essayais toujours de rassembler mes esprits, de retrouver mes repères dans cet environnement insolite et pourtant familier.

Mackenzie consulta sa montre.

« Bon, faut que je passe au poste. Appelez-moi quand vous aurez terminé, je viendrai vous chercher. »

Après son départ, la jeune femme m'interrogea du regard, attendant manifestement des instructions.

« Alors, c'est vous le légiste ? » demandai-je pour gagner du temps.

Elle sourit de nouveau.

« Pas encore. Je suis étudiante en troisième cycle. Mais j'ai bon espoir... »

Je hochai la tête. Aucun de nous ne fit le moindre geste.

« Vous voulez voir le corps ? » reprit-elle enfin.

Oh non. Non, je n'en avais pas la moindre envie.

« Oui, merci. »

Après m'avoir donné une blouse, elle me précéda vers des portes battantes. Derrière se trouvait une pièce plus petite rappelant une salle d'opération où régnait un froid glacial. Le corps était allongé sur une table en Inox et paraissait incongru sur cette surface métallique terne. Marina alluma les plafonniers, l'exposant dans sa pitoyable intégralité.

J'avais devant les yeux ce qui avait été Sally Palmer. Sauf qu'il ne restait plus rien d'elle. À mon soulagement initial succéda presque aussitôt un détachement clinique.

« OK, on y va », dis-je.

Cette femme avait connu des jours meilleurs. Son visage grêlé reflétait la lassitude, ses traits commençaient à perdre la distinction qui les caractérisait sans doute autrefois. Tête basse, elle semblait porter tout le poids du monde sur ses épaules. Pourtant, sa résignation dégageait une impression de noblesse, comme si elle acceptait malgré tout son fardeau accablant.

La statue de cette sainte dont j'ignorais le nom avait attiré mon attention durant l'office. Je n'aurais su dire ce qui me plaisait en elle. Posée sur une colonne, elle était grossièrement taillée, et même pour un profane comme moi, il était évident que le sculpteur n'avait pas vraiment le sens des proportions. Pourtant, sous l'effet de la patine du temps ou d'une influence plus indéfinissable, elle exerçait un indéniable attrait. Au cours des siècles, elle avait vu d'innombrables bonheurs et tragédies se jouer devant elle. Et elle serait encore là, vigilante et silencieuse, quand tout le monde aurait sombré dans l'oubli. Sa présence nous rappelait que tout est éphémère, les bonnes choses comme les mauvaises.

En cet instant, il s'agissait d'une pensée réconfortante. Même en cette chaude soirée d'été, l'atmosphère de l'église restait fraîche et imprégnée d'une odeur de renfermé. La lumière filtrée par le vieux vitrail – dont les baguettes de plomb enserraient des panneaux de verre déformés – se répandait en taches bleues et mauves. L'allée centrale se composait de dalles inégales lissées par l'usure, parmi lesquelles s'inséraient des tombes anciennes. La plus proche de moi s'ornait d'un crâne gravé sous lequel un tailleur de pierre médiéval avait inscrit un message morbide.

Tel que tu es maintenant, je fus un jour.
Tel que je suis maintenant, tu seras à ton tour.

Je changeai de position sur le banc inconfortable tandis que la voix de baryton insidieuse de Scarsdale se répercutait sur les murs de pierre. Sans surprise, le service de prières prévu à l'origine avait fourni au révérend le prétexte idéal pour imposer sa propre vision de la religion à une assistance captive.

« Alors même que nous prions pour l'âme de Sally Palmer et la délivrance de Lyn Metcalf se pose une question dont nous aimerions tous connaître la réponse. Pourquoi ? Pourquoi de tels drames se sont-ils produits ? Est-ce à la suite d'un jugement que ces deux jeunes femmes nous ont été enlevées si brutalement ? Mais sur quoi portait ce jugement au juste ? Et sur qui ? »

Agrippant à deux mains le pupitre en bois usé par le temps, Scarsdale foudroya du regard ses fidèles.

« Le jugement de Dieu peut s'abattre sur n'importe lequel d'entre nous à n'importe quel moment. Il ne nous appartient pas de le remettre en cause. Ni de crier à l'injustice. Dieu est miséricordieux, mais nous n'avons pas le droit d'espérer Sa miséricorde. Et Il l'accorde en empruntant des voies qui peuvent nous paraître incompréhensibles. Pour autant, ce n'est pas à nous, pauvres ignorants, d'en contester le bien-fondé ! »

Des flashs crépitèrent lorsqu'il s'interrompit pour reprendre son souffle. Il avait autorisé les journalistes à entrer dans l'église, ce qui ajoutait encore à l'irréalité de la scène. Une foule nombreuse remplaçait l'assistance d'ordinaire clairsemée. À mon arrivée, comme tous les bancs étaient pleins, j'avais dû me frayer un passage jusqu'à une petite place libre tout au fond.

C'était seulement en voyant un attroupement devant l'église que je m'étais souvenu du service. Mackenzie s'était arrangé pour me faire reconduire à Manham par un sergent en civil taciturne qui, de toute évidence, n'appréciait pas de jouer les chauffeurs de taxi. J'étais tombé sur la boîte vocale de l'inspecteur lorsque j'avais voulu le prévenir que mon travail était terminé pour la journée. Mais je lui avais laissé un message et il m'avait rappelé presque aussitôt.

« Alors, comment ça s'est passé ?

— J'ai envoyé certains échantillons au labo pour une analyse au chromatographe à gaz. Dès que j'aurai les résultats, je serai en mesure de vous fournir une estimation plus précise du délai post mortem. Demain, je commencerai à examiner le squelette, afin de déterminer quel genre d'arme a été utilisé.

— Donc, vous n'avez rien pour le moment ? avait demandé Mackenzie, manifestement déçu.

— D'après Marina, le légiste attribue la cause du décès aux chocs à la tête plutôt qu'à la blessure à la gorge.

— Et vous n'êtes pas d'accord ?

— Ils auraient peut-être été fatals, c'est vrai. Mais la victime était toujours en vie quand on l'a égorgée.

— Vous en êtes sûr ?

— Le corps est prématurément desséché. Même par cette chaleur, il ne se serait pas déshydraté aussi vite sans une importante perte de sang. Or les blessures infligées après la mort ne saignent pas.

— Les échantillons de terre prélevés à l'endroit où on a retrouvé la dépouille ont révélé une faible teneur en fer », avait souligné Mackenzie.

Autrement dit, il n'y avait pas beaucoup de sang sur place. Si la jugulaire avait été sectionnée là-bas, le taux de fer aurait atteint des sommets.

« Donc, elle a été tuée ailleurs, avais-je conclu.

— Et pour les chocs à la tête ?

140

— Soit ils ne l'ont pas tuée, soit ils sont post mortem. »

Il était resté silencieux un moment, mais je n'avais eu aucun mal à deviner ses pensées : Lyn Metcalf allait sans doute subir les tourments endurés par Sally Palmer. Et si elle n'était pas encore morte, ce n'était plus qu'une question de temps.

À moins d'un miracle.

Toujours en chaire, Scarsdale commençait à se fatiguer.

«Certains d'entre vous se demandent peut-être ce qu'ont pu faire ces deux pauvres femmes pour mériter un sort pareil. Ou ce que l'ensemble de notre communauté a pu faire.» Il écarta les mains. «Peut-être rien. Peut-être que le courant de pensée dominant aujourd'hui a raison et qu'il n'y a aucun sens à notre univers, aucune forme de sagesse toute-puissante...»

Il marqua une pause théâtrale. Jouait-il un numéro à l'intention des journalistes? me demandai-je.

«Ou peut-être sommes-nous trop éblouis par notre arrogance pour les percevoir, reprit-il. Bon nombre d'entre vous n'avaient pas mis les pieds dans cette église depuis des années. Bien sûr, vous êtes tellement occupés que vous n'avez pas de temps à consacrer à Dieu. Je ne prétends pas avoir connu Sally Palmer ou Lyn Metcalf; leur vie ne croisait pas souvent le chemin de cette église. Qu'elles soient des victimes tragiques, je n'en doute pas un seul instant. Mais des victimes de quoi?»

Tendant le cou, il se pencha en avant.

«Nous devrions tous, chacun d'entre nous, regarder au fond de notre cœur. Le Christ a dit : "Tu récoltes ce que tu as semé." Et aujourd'hui, c'est exactement ce qui se passe. Nous récoltons le fruit non seulement de la misère spirituelle de notre société, mais aussi de notre aveuglement vis-à-vis d'elle. Le mal ne cesse pas d'exister simplement parce que nous décidons de l'ignorer. Alors, sur qui en rejeter la faute ? »

D'un doigt osseux, il balaya l'église bondée.

« Nous-mêmes. Nous qui avons permis à ce Serpent de circuler librement parmi nous. Personne d'autre. Et maintenant, il nous faut demander à Dieu la force de le chasser de notre sein ! »

Un silence gêné s'ensuivit tandis que les membres de l'assistance tentaient d'assimiler ses propos. Scarsdale ne leur en laissa pas le loisir. Il redressa la tête et ferma les yeux, le visage illuminé par les flashs.

« Maintenant, prions. »

La sortie de l'office ne donna pas lieu aux habituels échanges de civilités. Sur la place du village se trouvait maintenant une grosse fourgonnette blanche dont la présence paraissait à la fois incongrue et intimidante. Les représentants de la presse et de la télévision avaient beau multiplier les tentatives, la majorité des habitants de Manham refusaient de se laisser interviewer. Les blessures étaient trop à vif, trop intimes. C'était une chose de voir d'autres communautés frappées par une tragédie faire les gros titres des journaux ; c'en était une autre de vivre soi-même l'expérience.

Aussi les questions fébriles des journalistes se heurtaient-elles le plus souvent à un mutisme poli mais total. À quelques exceptions près, la communauté de Manham tourna le dos au monde extérieur. À la plus grande surprise de tous, Scarsdale fut l'un des rares à accepter de collaborer avec les médias. S'il ne

142

semblait pas du genre à rechercher la publicité en temps normal, il s'était de toute évidence arrogé le droit de pactiser avec le diable, pour une fois. À en juger par la teneur de son sermon, il considérait les drames récents comme une justification de sa mission. De son point de vue d'homme aigri, les événements lui avaient donné raison et il comptait bien saisir de ses deux mains noueuses cette occasion de le prouver.

Henry et moi le vîmes prêcher devant une meute de reporters avides de petites phrases percutantes tandis que derrière lui, dans le cimetière, des enfants surexcités grimpaient sur la Pierre du Martyre dans l'espoir d'apparaître en photo ou à la télévision, écrasant les fleurs flétries qui l'ornaient encore. Sa voix, sinon ses paroles, portait jusqu'au terrain communal où nous bavardions, postés sous le marronnier. J'y avais retrouvé Henry après l'office. Il m'avait gratifié d'un sourire de guingois.

« Vous n'avez pas pu entrer ? avais-je demandé.

— Je n'ai même pas essayé. J'aurais bien voulu rendre hommage aux victimes, mais il n'est pas question un seul instant que je flatte l'ego de Scarsdale. Ni que je l'écoute déverser sa bile. Qu'en était-il, ce coup-ci ? Dieu a jugé nos péchés ? Nous avons nous-mêmes attiré le malheur sur nos têtes ?

— Quelque chose dans ce goût-là, oui, avais-je admis.

— Peuh ! Exactement ce qu'il faut à Manham : une invitation à la paranoïa. »

Alors que Scarsdale poursuivait sa conférence de presse impromptue, je notai que de nouveaux convertis étaient venus grossir les rangs des plus fidèles paroissiens rassemblés derrière lui. Des grenouilles de

143

bénitier comme Lee et Marjory Goodchild ou Judith Sutton et son fils Rupert avaient été rejointes par de nombreux pratiquants moins assidus. Tel un chœur muet et approbateur, ils écoutaient le révérend hausser la voix pour adresser son message aux caméras.

Henry remua la tête d'un air dégoûté.

« Regardez-le... Il est dans son élément, aucun doute. Lui, un homme de Dieu ? Ah ! Pour lui, c'est juste une occasion de répéter : "Je vous avais prévenus".

— N'empêche, il n'a pas tort. »

Il me jeta un coup d'œil sceptique.

« Ne me dites pas qu'il vous a converti ! s'exclama-t-il.

— Non. Mais je suis d'avis moi aussi que le coupable est quelqu'un d'ici. Un individu qui connaît bien les environs. Et qui nous connaît bien.

— Dans ce cas, j'espère sincèrement que Dieu nous viendra en aide, parce que si Scarsdale n'en fait qu'à sa tête, la situation risque de dégénérer.

— Comment ça ?

— Vous avez vu *Les Sorcières de Salem*, la pièce d'Arthur Miller ?

— À la télé, oui.

— Eh bien, au train où vont les choses, ce n'est rien en comparaison de ce qui se passera à Manham ». Je crus d'abord qu'il plaisantait, mais la gravité de son regard me détrompa. « Tâchez de garder un profil bas, David. Même si Scarsdale s'abstient de jeter de l'huile sur le feu, on va bientôt remuer la boue et brandir des index accusateurs. Débrouillez-vous pour rester à l'abri.

— Vous n'êtes pas sérieux ?

— Ah non ? Je vis ici depuis plus longtemps que

144

vous, David. Je sais de quoi sont capables nos chers voisins et bons amis ici présents. En ce moment même, ils affûtent leurs armes.

— Vous exagérez, j'en suis sûr.

— Vous croyez ? »

Il observait toujours Scarsdale qui, ayant dit ce qu'il avait à dire, retournait maintenant vers l'église. Quand les journalistes les plus obstinés voulurent lui emboîter le pas, Rupert Sutton s'interposa, bras écartés, formant un énorme rempart de chair que personne ne se risqua à affronter.

Henry me coula un regard entendu.

« Ce genre de drame sordide fait ressortir ce qu'il y a de plus mauvais en chacun de nous. Manham est un petit village, ne l'oubliez pas. Et les petits villages façonnent des petits esprits. D'accord, je suis peut-être trop pessimiste. Mais si j'étais vous, je surveillerais mes arrières. »

Il me gratifia d'un coup d'œil appuyé pour s'assurer que j'avais bien reçu le message, puis lança par-dessus mon épaule :

« Bonjour ! C'est une de vos amies, David ? »

Je me retournai, pour découvrir une jeune femme souriante, brune et potelée. Je l'avais croisée à plusieurs reprises mais j'ignorais son nom. Elle s'écarta légèrement, révélant la présence de Jenny dont l'expression, par contraste, semblait sinistre.

Ignorant la moue contrariée de son amie, l'inconnue s'avança vers moi.

« Bonjour, je m'appelle Tina.

— Ravi de vous rencontrer », répondis-je, déconcerté.

Jenny m'adressa un bref sourire. Elle semblait nerveuse.

145

« Bonjour, Tina, intervint Henry. Comment va votre maman ?

— Mieux, merci. L'enflure a presque disparu. » Elle reporta son attention sur moi, l'œil éclairé par une lueur malicieuse. « Merci d'avoir raccompagné Jenny l'autre soir. Je partage la maison avec elle. C'est rassurant de voir que la galanterie existe encore.

— Oh, pas de problème.

— Je pensais vous inviter un de ces jours. Pour boire un verre, ou manger un morceau... »

Je tournai la tête vers Jenny. Son visage avait viré à l'écarlate et je sentais le mien prendre le même chemin.

« Eh bien...

— Vendredi soir, ça vous irait ?

— Tina, je suis certaine qu'il a déjà..., commença Jenny, mais son amie ne saisit pas l'allusion.

— Vous êtes libre ? Sinon, on peut toujours remettre...

— Euh, oui, mais...

— Super ! On vous attend à huit heures. »

Toujours souriante, elle prit Jenny par le bras pour l'entraîner à sa suite. Je les regardai partir.

« Qu'est-ce qui se passe ? s'enquit Henry.

— Aucune idée. »

Il paraissait amusé.

« Je vous assure ! protestai-je.

— Bon, vous n'aurez qu'à tout me raconter dimanche. » Son sourire s'évanouit, remplacé de nouveau par une expression grave. « N'oubliez pas ce que je vous ai dit. N'accordez pas votre confiance à n'importe qui. Et surveillez vos arrières. »

Sur ces mots, il s'éloigna dans son fauteuil.

10

Dans la pièce mal éclairée résonnait une musique dont les notes grinçantes se répercutaient sur les objets suspendus au plafond bas. Comme en contrepoint, la perle de liquide sombre progressait lentement, traçant une ligne sinueuse avant de prendre de la vitesse sous l'effet de la gravité. Lors de sa chute, elle se mua en une sphère parfaite qui perdit presque aussitôt ses proportions harmonieuses en s'écrasant par terre.

Lyn regardait fixement le liquide rouge courir le long de son bras, puis goutter de ses doigts pour éclabousser le sol où il formait une flaque de plus en plus large aux contours déjà coagulés. La souffrance causée par la nouvelle entaille s'ajoutait à celle qui était née de toutes les autres, devenant peu à peu indissociable du reste. Le sang de ses blessures se répandait sur sa peau en une représentation abstraite de la cruauté.

Quand la musique discordante se tut enfin, elle chancela et, soulagée, s'appuya contre le mur de pierre rugueuse. Ce faisant, elle sentit de nouveau la brûlure de la corde autour de sa cheville. Elle avait le bout des doigts à vif à la suite des heures passées à essayer de s'en libérer alors qu'elle gisait dans le noir. Sans aucun succès, hélas, le nœud ne s'était pas desserré d'un cran.

Ses sentiments initiaux d'incrédulité et de trahison avaient presque cédé la place à la résignation. Elle n'avait aucune pitié à attendre dans cette pièce sombre, elle le savait. Aucune compassion. Pourtant, elle ne devait pas renoncer. Une main en visière au-dessus de ses yeux pour les protéger de la lumière crue fixée sur elle, elle tenta de scruter les ombres d'où l'observait son ravisseur.

« Je vous en prie... » Elle eut du mal à reconnaître sa voix désormais réduite à un chuchotement rauque. « Je vous en prie, dites-moi pourquoi vous faites ça. »

Cette requête se heurta à un silence seulement troublé par le bruit d'une respiration. Une odeur de tabac flottait dans l'air. Lyn distingua des bruissements, des sons indiquant un mouvement.

Puis la musique s'éleva de nouveau.

11

Le jeudi, un froid glacial s'abattit sur Manham – au figuré, du moins, puisque la chaleur se maintenait. Sous l'influence des événements récents et peut-être aussi du sermon de Scarsdale, le climat psychologique du village changea brusquement. Maintenant qu'il n'était plus possible d'accuser un étranger d'avoir commis toutes ces atrocités, la communauté n'avait d'autre solution que de s'examiner à la loupe. Pareil à un virus, le soupçon s'insinuait partout, et s'il était encore invisible, les premières victimes en étaient déjà porteuses à leur insu.

Et comme dans tout phénomène de contagion, certains se révélèrent plus vulnérables que d'autres.

Je ne m'en étais pas rendu compte lorsque, en début de soirée, je revins du laboratoire. Henry avait accepté une nouvelle fois d'assurer mes consultations, refusant catégoriquement ma proposition d'engager un remplaçant. «Prenez le temps qu'il vous faudra, avait-il dit. Ça ne me fera pas de mal de me remuer un peu.»

Je roulais toutes vitres baissées. Après avoir quitté les routes les plus encombrées, je humai avec plaisir l'air chargé de pollen – une senteur sucrée qui parvenait presque à masquer l'odeur légèrement sulfureuse de boue séchée émanant des roselières. C'était un changement bienvenu après la puanteur chimique du détergent qui semblait encore m'imprégner le nez et la gorge. La journée avait été longue et j'en avais passé la plus grande partie à analyser les restes de Sally Palmer. J'avais toujours du mal à associer mes souvenirs de cette jeune femme extravertie et pleine de vie aux ossements mis à bouillir pour les débarrasser de leurs derniers vestiges de tissus mous. Mais je n'avais pas la moindre envie de m'appesantir sur ce genre de considérations.

Par chance, j'avais trop à faire pour laisser mes pensées vagabonder.

Contrairement à la peau et à la chair, l'os conserve l'empreinte de tout ce qui l'a touché. Le squelette de Sally Palmer révélait quelques lésions à peine plus grosses que des égratignures et dont je ne pouvais rien tirer. En trois endroits, cependant, la lame s'était suffisamment enfoncée pour imprimer sa marque. Là où l'assassin avait placé les ailes de cygne, les deux omoplates présentaient des sillons similaires de quinze à dix-huit centimètres de long, ouverts d'un seul coup à en juger par la profondeur des entailles, plus importante au centre qu'aux extrémités ; dans les deux cas, le couteau avait décrit un arc à partir de la nuque. Il avait servi à lacérer le corps plutôt qu'à le poignarder.

À l'aide d'une petite scie électrique, j'avais effectué une coupe longitudinale sur l'un des sillons, le fendant sur toute sa longueur. Marina se tenait près de moi, l'air intrigué, tandis que j'examinais les surfaces exposées. Je lui avais fait signe d'approcher.

« Vous voyez comme les côtés sont lisses ? avais-je observé. On peut en déduire qu'il ne s'agissait pas d'une lame crantée. »

Elle avait froncé les sourcils.

« Comment le savez-vous ?

— Eh bien, une lame crantée laisse des marques reconnaissables. Comme une scie sur du bois.

— Donc, on peut écarter tout ce qui ressemble à un couteau à pain ou à steak.

— Exact. En tout cas, quel qu'il soit, l'instrument était tranchant. Regardez à quel point les coupures sont nettes, bien définies. Et profondes, avec ça. Quatre à cinq millimètres au centre.

— C'était un gros couteau, alors ?

— Oui. Peut-être du genre couteau de cuisine ou de boucher, mais je pencherais néanmoins pour un couteau de chasse, dont la lame est en général plus lourde, moins flexible. Dans le cas présent, elle n'a pas plié, elle ne s'est pas tordue non plus. Sans compter que la trace est large. Les couteaux à viande sont beaucoup plus fins. »

L'hypothèse du couteau de chasse concordait aussi avec le profil du tueur – un homme manifestement proche de la nature –, détail que j'avais néanmoins passé sous silence. J'avais photographié et mesuré les deux omoplates avant de m'intéresser à la troisième vertèbre cervicale, celle qui avait subi le plus de dégâts au moment où Sally Palmer avait eu la gorge tranchée. Cette blessure-là était différente, presque triangulaire. Cette fois, il s'agissait bien d'un coup, pas d'une lacé-ration. L'assassin avait plongé la lame dans la gorge, pointe en avant, puis l'avait maniée horizontalement pour sectionner la trachée et la carotide.

« Il est droitier », avais-je ajouté.

Marina m'avait jeté un coup d'œil étonné.

« Le creux dans la vertèbre est plus profond à gauche qu'à droite. Voilà comment il a frappé... » J'avais mimé le geste sur mon propre cou. « De gauche à droite. D'où l'hypothèse d'un droitier.

— Et s'il l'avait attaquée par-derrière ? Vous savez, pour éviter les projections de sang. »

J'avais secoué la tête.

« Ça n'aurait fait aucune différence. Il aurait tendu la main devant elle, transpercé la gorge et tiré la lame vers lui. De gauche à droite, s'il était droitier. S'il ne l'était pas, il aurait dû pousser la lame plutôt que la tirer. Non seulement c'est plus difficile, mais la marque sur l'os aurait eu une forme différente. »

Mon assistante avait gardé le silence quelques instants, comme si elle réfléchissait à ces informations. Enfin, elle avait hoché la tête.

« C'est subtil. »

Non, avais-je pensé. C'est juste le genre de détail qui saute aux yeux après des années d'expérience.

« Au fait, pourquoi dites-vous toujours "il" ? avait-elle lancé à brûle-pourpoint.

— Pardon ?

— À vous entendre, l'assassin est un homme. Pourtant, on n'a pas de témoins et le corps est trop décomposé pour déceler des traces de viol. Du coup, je me demandais comment vous pouviez le savoir. » Elle avait haussé les épaules, l'air embarrassé. « C'est juste une façon de parler ou est-ce que la police a du nouveau ? »

Je n'avais pas vraiment réfléchi à la question, mais Marina avait raison : j'avais supposé d'emblée que l'agresseur était de sexe masculin. Jusque-là, les apparences allaient dans ce sens : la force physique requise, le choix de victimes féminines... Je fus néanmoins surpris d'avoir considéré cet aspect de l'enquête comme un fait acquis.

« Bah, la force de l'habitude, sans doute, avais-je répondu en souriant. Les assassins sont le plus souvent des hommes. Cela dit, je n'ai aucune certitude à ce stade. »

Elle avait reporté son attention sur les ossements que nous avions soumis à un examen clinique.

« Moi aussi, je crois que c'est un homme, avait-elle murmuré. Et j'espère bien que les flics le coinceront, ce salaud. »

Concentré sur ses propos, j'avais presque failli passer à côté du dernier indice. J'avais étudié les vertèbres au microscope à faible puissance, sous une lumière vive, et j'allais me redresser quand je l'avais repérée : une minuscule tache noire au fond du trou creusé par la lame. Il ne s'agissait pas de pourriture, je l'aurais parié. J'en avais récupéré soigneusement un échantillon.

« C'est quoi ? avait demandé Marina.

— Aucune idée. »

J'éprouvais néanmoins un frémissement d'excitation : cette substance avait forcément été déposée par le couteau de l'assassin. D'accord, elle ne nous apprendrait peut-être rien.

Mais qui sait ?

J'avais envoyé le prélèvement au labo de la police scientifique afin de le faire analyser au spectrographe de masse, n'ayant moi-même ni les connaissances ni le matériel nécessaires, puis j'avais pris des moulages en plâtre des entailles sur les os. Si l'on retrouvait un jour une arme susceptible de les avoir causées, il suffirait de les comparer à ces marques pour en avoir la confirmation.

J'avais presque terminé. À présent, il ne me restait plus qu'à attendre les résultats du labo concernant la

153

mystérieuse substance ainsi que les analyses pratiquées la veille. Ils me permettraient d'affiner mon estimation du délai post mortem, et ainsi, de boucler ma mission. Mon rôle auprès de Sally Palmer, impliquant une intimité beaucoup plus grande dans la mort que dans la vie, serait achevé. Je pourrais retourner à ma nouvelle existence, retrouver ma solitude.

Étrangement, cette perspective ne me procurait pas le soulagement escompté. Mais peut-être avais-je déjà deviné que les choses ne s'arrêteraient pas là...

Je me lavais les mains quand on avait frappé à la porte. Marina était allée voir de quoi il s'agissait, et quelques instants plus tard, elle revenait accompagnée d'un jeune policier. J'avais regardé d'un œil torve le carton qu'il apportait.

« De la part de l'inspecteur-chef Mackenzie », avait précisé l'agent.

Comme il cherchait un endroit où le poser, je lui avais indiqué de la main la table en Inox. Je me doutais déjà de ce que contenait le colis.

« Il aimerait que vous fassiez des analyses, avait ajouté le policier. Il a dit que vous comprendriez. »

Son chargement n'avait pas l'air très lourd, et pourtant, le jeune homme était rouge et hors d'haleine, comme si l'effort l'avait épuisé. À moins qu'il ne tentât de retenir son souffle ? Une odeur pestilentielle commençait déjà à se répandre dans la salle.

Il s'était éclipsé au moment où j'ouvrais le carton. À l'intérieur, enveloppé dans du plastique, se trouvait le chien de Sally Palmer. Mackenzie voulait sans doute que je le soumette aux mêmes analyses que sa propriétaire. Si, comme c'était probablement le cas, l'animal avait été tué le jour de la disparition de Sally, l'estimation du délai post mortem nous confirmerait le nombre de jours écoulés depuis l'enlèvement. Et combien de temps la victime avait été gardée en vie. Rien ne nous permettait d'affirmer que son assassin réservait le même sort à Lyn Metcalf, mais nous aurions néanmoins une idée de son éventuelle espérance de survie.

En théorie, c'était une bonne idée. Sauf qu'elle ne nous mènerait nulle part. La chimie organique d'un chien n'est pas identique à celle d'un humain, aussi les analyses comparatives ne donnent-elles aucun résultat significatif. Au mieux, je pourrais étudier les entailles sur les vertèbres de l'animal. Avec un peu de chance, je découvrirais qu'elles avaient été causées par le même couteau que celui qui avait été utilisé sur Sally. Si cette information n'était guère susceptible de changer le cours de l'enquête, elle méritait néanmoins d'être connue.

J'avais gratifié Marina d'un sourire sans joie.

« On est encore là pour un moment, j'ai l'impression. »

Pourtant, l'examen avait duré moins longtemps que je ne le craignais. Le chien était beaucoup plus petit, ce qui nous avait simplifié la tâche. J'avais d'abord fait les radios dont j'avais besoin, puis j'avais mis le corps à bouillir. À mon arrivée à la morgue le lendemain, il ne resterait plus que le squelette. La pensée des restes de Sally et de sa fidèle Bess conservés dans la même pièce m'avait frappé, mais je n'aurais su dire si elle m'inspirait du réconfort ou de la tristesse.

Lorsque je pris la route sinueuse qui descendait vers Manham Water pour rejoindre le village, le couchant enflammait la surface du lac. Plissant les yeux, j'abaissai les lunettes noires remontées sur mon front. Durant un instant, ma vision fut obscurcie par les verres teintés, et soudain, je distinguai une silhouette qui avançait vers moi sur le bas-côté. Comme elle avait le soleil dans le dos, je ne la reconnus qu'au moment où je la dépassais. Je m'arrêtai, avant de faire marche arrière pour amener ma vitre baissée à sa hauteur.

«Je peux vous ramener?»

Linda Yates fouilla du regard la route déserte comme si elle réfléchissait à la question.

«Je ne vais pas dans la même direction que vous, répondit-elle enfin.

— Aucune importance. Ça ne me prendra que quelques minutes. Allez, montez.»

Je me penchai pour ouvrir la portière côté passager. Voyant que Linda hésitait toujours, j'ajoutai :

«Ce n'est pas loin de chez moi. Et de toute façon, je voulais prendre des nouvelles de Sam.»

La mention de son fils parut la décider et elle s'installa sur le siège. Je me rappelle avoir remarqué qu'elle se plaquait contre la portière, mais sur le moment, je n'y prêtai pas spécialement attention.

«Comment va-t-il? demandai-je.

— Mieux.

— Il est retourné à l'école?

— Non, ça n'aurait pas servi à grand-chose. Ils finissent demain.»

Cette remarque me ramena à la réalité. J'avais complètement perdu la notion du temps, oublié que les vacances d'été approchaient à grands pas.

«Et Neil?»

Pour la première fois, elle esquissa un bref sourire, teinté cependant d'amertume.

«Oh, lui, ça va. Il est bien comme son père...»

156

Sensible aux tensions domestiques suggérées par ces quelques mots, je préférai ne pas insister.

«Vous rentrez du boulot? lançai-je, sachant qu'elle faisait le ménage dans deux ou trois boutiques du village.

— Non, je suis passée au supermarché.»

Comme pour le prouver, elle me montra son sac en plastique.

«Il n'est pas un peu tard pour aller en courses?»

Elle me jeta un coup d'œil furtif. Cette fois, il n'était plus possible d'ignorer sa nervosité.

«Il faut bien que quelqu'un s'en charge.

— Est-ce que...» Je dus fouiller ma mémoire pour retrouver le nom de son mari. «Gary ne pouvait pas vous emmener?»

Elle haussa les épaules. Bon, apparemment, elle n'avait pas eu le choix.

«Vous savez, Linda, je ne crois pas que ce soit une bonne idée de se promener toute seule le soir en ce moment.»

De nouveau, j'eus droit à ce même regard furtif, nerveux. Il me sembla qu'elle se collait plus étroitement contre la portière.

«Tout va bien? demandai-je, conscient que ce n'était pas le cas.

— Oui, très bien.

— Vous avez l'air un peu à cran.

— Je suis juste... contente de rentrer.»

De toutes ses forces, elle agrippait l'encadrement de la vitre ouverte comme si elle voulait se jeter dehors.

«Allons, Linda, qu'est-ce qui ne va pas?

— Mais rien!»

157

La réponse avait jailli trop vite. Et brusquement, j'eus une révélation : elle avait peur. De moi.

« Si vous préférez continuer à pied, dites-le », risquai-je.

Son expression me révéla que j'avais vu juste. Avec le recul, je m'expliquais mieux sa réticence à monter dans ma voiture. Mais je n'étais pas un inconnu, bonté divine ! J'étais leur médecin de famille depuis mon arrivée, j'avais soigné Sam pour la varicelle et les oreillons, Neil pour un bras cassé ! Et à peine quelques jours plus tôt, je m'étais rendu chez elle quand les deux garçons avaient fait cette macabre découverte qui avait tout mis en branle. *Qu'est-ce qui se passe, bon sang ?*

Au bout d'un moment, elle secoua la tête.

« Non, c'est bon. »

Une partie de sa tension l'avait désertée, semblait-il.

« Je comprends que vous soyez méfiante, Linda. Je voulais vous rendre service.

— Je sais. C'est juste que...

— Oui ?

— Oh, ce n'est rien. Des ragots. »

Jusque-là, j'avais mis sa réaction sur le compte de l'anxiété, d'une méfiance instinctive suscitée par les événements récents. Mais à présent, je me sentais gagné par un malaise diffus à la pensée que son attitude cachait peut-être autre chose.

« Quel genre de ragots ? la pressai-je.

— Eh bien, on raconte que vous avez été arrêté. »

Sous le choc, j'en restai sans voix.

« Désolée, dit-elle, comme si c'était sa faute. Ce ne sont que des rumeurs idiotes.

— Où ont-ils péché une idée pareille ? » demandai-je, abasourdi.

Elle se tordit les mains, désormais moins apeurée que gênée.

« Vous... vous n'êtes plus au cabinet, expliqua-t-elle. Les gens disent que la police est venue vous voir, que vous avez été emmené par cet inspecteur, le responsable de l'enquête... »

Tout devenait clair. La rumeur s'était engouffrée dans le vide laissé par l'absence de véritables nouvelles, et en acceptant d'aider Mackenzie, je m'étais moi-même désigné comme cible. C'était tellement absurde que j'aurais pu éclater de rire. Sauf que ça n'avait rien de drôle.

Apercevant la maison de Linda, je me garai. J'étais toujours trop stupéfait pour reprendre la parole.

« Désolée, répéta-t-elle. Je pensais... »

Elle ne termina pas sa phrase.

Je songeai à ce que je pourrais dire sans pour autant livrer mon passé à la curiosité des habitants de Manham.

« Je donne un coup de main à la police, révélai-je. Je collabore avec eux, si vous préférez. Autrefois, j'étais... un spécialiste dans mon domaine. Avant de m'installer ici. »

Même si elle m'écoutait, je n'aurais pu affirmer que mes propos avaient un sens pour elle. En tout cas, elle n'avait plus l'air de vouloir se jeter hors de la voiture.

« Ils avaient besoin de mes conseils, poursuivis-je. Voilà pourquoi je n'étais pas au cabinet. »

Je ne voyais rien à ajouter. Au bout d'un moment, Linda baissa les yeux.

« C'est à cause de cet endroit. Du village…, murmura-t-elle d'une voix lasse en ouvrant la portière.

— N'empêche, j'aimerais bien examiner Sam. »

Elle hocha la tête. Toujours ébranlé, je la suivis dans l'allée. Après la clarté du dehors, l'intérieur de la maison me parut sombre, presque brumeux. Le téléviseur était allumé dans le salon, déversant un déluge de sons et de couleurs. Le mari de Linda et leur plus jeune fils la regardaient – l'homme vautré dans un fauteuil, l'enfant allongé à plat ventre devant le poste. Tous deux tournèrent la tête lorsque nous entrâmes. Gary interrogea sa femme du regard, attendant manifestement une explication.

« Le docteur Hunter m'a ramenée en voiture », déclara-t-elle. Déjà, elle posait son sac de courses et s'activait avec trop d'empressement. « Il voulait voir comment allait Sam. »

De toute évidence, Yates hésitait sur la conduite à adopter. La trentaine, sec et noueux, il avait un côté farouche, sauvage, digne d'un romanichel. Il se leva lentement, les bras ballants, comme s'il ne savait pas quoi faire de ses mains. Pour finir, il les fourra dans ses poches.

« J'étais pas au courant de votre visite, dit-il.

— Ce n'était pas prévu. Mais après ce qui est arrivé, je ne pouvais pas laisser Linda rentrer à pied. »

Ses joues s'empourprèrent et il détourna les yeux. Je devais absolument me calmer, pensai-je. Sinon, après mon départ, sa femme risquait de payer le prix de son humiliation.

Je souris à Sam qui, toujours à plat ventre, nous observait. Sa seule présence dans la maison par une belle soirée d'été prouvait qu'il n'était pas encore tout à fait remis, mais il semblait beaucoup moins abattu que la dernière fois que je l'avais vu. Quand je lui demandai s'il avait des projets pour les vacances, il alla même jusqu'à sourire, recouvrant un peu de son ancien entrain.

« Il est sur la bonne voie, confiai-je à Linda dans la cuisine un peu plus tard. Maintenant qu'il a surmonté le choc initial, il ne devrait plus tarder à se rétablir complètement. »

Elle hocha la tête d'un air distrait. De toute évidence, elle était toujours mal à l'aise.

« Pour tout à l'heure..., commença-t-elle.

— Ne vous inquiétez pas. Je vous suis reconnaissant de votre franchise. »

Jamais je n'aurais imaginé que les gens pourraient se méprendre sur mon compte. Peut-être était-ce naïf de ma part. La veille, Henry m'avait recommandé la prudence. Sur le moment, j'avais pensé qu'il exagérait, mais manifestement, il connaissait mieux le village que moi. À présent, j'en avais gros sur le cœur, car si j'avais commis une erreur de jugement, je découvrais surtout qu'une communauté à laquelle je me croyais intégré était prête à imaginer le pire à mon sujet.

J'aurais dû me rappeler qu'il faut toujours s'attendre au pire.

Je jetai un coup d'œil par-dessus mon épaule pour m'assurer que la porte du salon était fermée. Une question me préoccupait depuis que Linda était montée dans ma voiture.

« Dimanche dernier, après que Neil et Sam ont trouvé le corps, commençai-je, vous m'avez affirmé qu'il s'agissait de Sally Palmer parce que vous aviez rêvé d'elle. »

161

Postée devant l'évier, elle entreprit de rincer des tasses.

« Bah, ce n'était qu'une coïncidence.

— Ce n'est pas ce que vous avez dit sur le moment.

— J'étais bouleversée. Je n'aurais pas dû vous en parler.

— Je n'essaie pas de vous piéger, Linda. Je voulais seulement... » Quoi, au juste ? Je ne savais même plus ce que j'espérais prouver, et pourtant, je m'obstinai. « Voilà, je me demandais si vous aviez eu d'autres rêves. Au sujet de Lyn Metcalf. »

Elle délaissa aussitôt sa vaisselle.

« Je n'aurais jamais imaginé que quelqu'un comme vous puisse s'intéresser à ce genre de choses.

— Simple curiosité. »

Son regard s'était fait scrutateur. Inquisiteur, même. Je sentis grandir mon malaise quand elle remua la tête.

« Non », répondit-elle.

Et d'ajouter quelques mots si doucement que je faillis ne pas les entendre.

Je l'aurais volontiers interrogée plus avant si, au même moment, la porte ne s'était ouverte. Du seuil, Gary Yates nous considéra d'un air soupçonneux.

« Je vous croyais parti, docteur.

— Je m'en vais. »

Il se dirigea vers le frigo dont il ouvrit la porte rongée par la rouille. Dessus, un aimant fixé de travers, représentant un crocodile aux mâchoires grandes ouvertes, disait : « Commencez la journée par un sourire. » Gary sortit une canette de bière et l'ouvrit. Complètement indifférent à ma présence, il la porta à ses lèvres puis étouffa un rot en baissant le bras.

« Bon, eh bien, au revoir », lançai-je à Linda, qui inclina la tête d'un mouvement nerveux.

Son mari me regarda par la fenêtre quand je retournai vers la Land Rover. En rentrant au village, je repensai aux propos de Linda. Après avoir affirmé qu'elle n'avait pas rêvé de Lyn Metcalf, elle avait prononcé deux mots à peine audibles.

Pas encore.

Aussi ridicules que fussent les rumeurs à mon sujet, je ne pouvais les ignorer. Et mieux valait les affronter que les laisser proliférer ; n'empêche, je n'en éprouvais pas moins une appréhension inhabituelle en me dirigeant vers le Lamb ce soir-là. Les guirlandes de fleurs ornant la Pierre du Martyre, déjà flétries, pendaient mollement. J'espérai qu'il ne s'agissait pas d'un mauvais présage quand je passai devant le PC de campagne établi près de la place du village. Les deux agents assis à l'extérieur dans la lumière du couchant semblaient s'ennuyer ferme et se contentèrent de me regarder d'un air morne. Je m'arrêtai devant le pub puis, après avoir pris une profonde inspiration, je poussai les portes.

En entrant, ma première pensée fut que Linda Yates avait exagéré. Si quelques têtes se tournèrent à mon arrivée, j'eus cependant droit aux saluts coutumiers. Un peu graves, peut-être, mais quoi d'étonnant ? Personne n'allait rire ou blaguer à Manham pendant un bon bout de temps.

Je me dirigeai droit vers le comptoir, où je commandai une bière. Ben Anders, qui téléphonait sur son portable dans un coin, leva une main pour me saluer tout en poursuivant sa conversation. Jack remplit mon verre à la tireuse, les yeux fixés sur le liquide doré qui faisait monter la mousse. Les recommandations de Henry la veille étaient sans doute superflues, pensai-je avec soulagement. Les gens du village n'avaient pas une mauvaise opinion de moi.

Et puis, un des clients assis au comptoir s'éclaircit la gorge.

« Z'étiez parti, toubib ? »

C'était Cari Brenner. Quand je me tournai vers lui, je pris soudain conscience du silence qui s'était abattu sur la salle.

Henry avait raison, en fin de compte.

« On vous a pas beaucoup vu, ces deux derniers jours », poursuivit Brenner.

À en juger par son teint cireux et ses paupières lourdes, il avait un sérieux coup dans le nez.

« Possible. »

— Comment ça se fait ?

— J'avais des affaires à régler. »

Autant je désirais mettre un terme aux éventuelles rumeurs sur mon compte, autant je n'avais pas l'intention de me laisser impressionner. Ni d'alimenter les ragots.

« C'est pas ce qu'on m'a dit, gronda-t-il, l'œil enflammé par une colère qui ne demandait qu'à exploser. On m'a raconté que vous étiez avec la police. »

Dans le pub, on aurait pu entendre une mouche voler.

« C'est exact, répondis-je.

— Qu'est-ce qu'ils voulaient ?

— Des conseils.

— Hein ?» Il ne chercha pas à masquer son incrédulité. «À propos de quoi ?

— Posez-leur donc la question.

— C'est à vous que je la pose !»

Toute sa rage se concentrait désormais sur moi. Je me détournai de lui pour observer la salle. Certains clients contemplaient fixement leur verre. D'autres me dévisageaient, sans me condamner, se bornant à guetter ma réaction.

«Si vous avez quelque chose à dire, allez-y», déclarai-je le plus calmement possible.

Je soutins leurs regards jusqu'au moment où, l'un après l'autre, ils finirent par baisser les yeux.

«OK, puisque c'est comme ça...» Carl Brenner, qui s'était levé, vida son verre d'un trait avant de le flanquer sur le comptoir devant lui. «Vous avez...

— À ta place, je ferais gaffe.»

Ben Anders s'était matérialisé près de moi. Je me réjouis de le voir, pas seulement à cause de sa présence physique rassurante, mais parce qu'il m'apportait un soutien bienvenu.

«Toi, t'en mêle pas, ordonna Brenner.

— Oh, j'essayais juste de t'éviter de dire des trucs que tu regretteras demain.

— Je regretterai rien du tout.

— Tant mieux, répliqua Ben. Comment va Scott ?»

La question parut déconcerter Brenner.

«Quoi ?

— Ton frangin. Comment va sa jambe ? Celle que le docteur Hunter a soignée l'autre soir...»

Brenner changea de position, toujours maussade mais calmé.

«Ça se remet, maugréa-t-il.

— Heureusement que le docteur fait pas payer les consultations hors cabinet », souligna Ben d'un air affable. À l'intention de la salle, il lança : « D'ailleurs, je suis sûr qu'on en a tous profité à un moment ou à un autre. »

Pour mieux ménager ses effets, il laissa s'écouler quelques instants de silence, puis il frappa dans ses mains et se tourna vers le bar.

« Bon, si tu veux bien, Jack, je reprendrai la même chose. »

J'eus l'impression que quelqu'un avait ouvert une fenêtre pour laisser entrer une brise fraîche. L'atmosphère s'allégea sensiblement tandis que les clients s'agitaient de nouveau et, l'air un peu honteux pour certains, poursuivaient les conversations interrompues. La sueur mouillait ma chemise au niveau des reins, constatai-je, sans que la chaleur étouffante du pub en fût la cause.

« Un whisky ? me proposa Ben. À voir ta tête, t'en as bien besoin.

— Non, merci. En tout cas, je t'offre le tien.

— C'est pas la peine, tu sais.

— C'est le moins que je puisse faire.

— Laisse tomber. Ces connards méritaient une bonne leçon. » Il jeta un coup d'œil en direction de Brenner qui, la mine renfrognée, contemplait son verre vide. « Surtout ce connard-là, tiens. Je suis presque sûr qu'il pille les nids dans la réserve. Surtout ceux des espèces menacées. En principe, quand les œufs ont éclos, on est tranquilles, sauf que là, on a aussi perdu des oiseaux adultes. Des busards des roseaux et même des butors étoilés. Je l'ai pas encore pris la main dans le sac, mais un de ces jours... »

Il sourit à Jack qui plaçait une pinte devant lui.

« Merci, c'est sympa. » Il avala une longue gorgée de bière, puis poussa un soupir d'aise. « Alors, qu'est-ce que t'as fabriqué ? » Il me jeta un coup d'œil oblique. « C'est juste de la curiosité, t'inquiète pas. Je me demandais ce qui t'attirait loin d'ici. »

J'hésitai un instant, conscient qu'il méritait bien quelques explications. Sans entrer dans les détails, je lui résumai la situation.

« Oh, nom d'un chien, marmonna-t-il.

— Tu comprends peut-être mieux pourquoi je préfère me taire. Ou plutôt, pourquoi je préférais.

— Tu veux pas le dire quand même, histoire de clarifier les choses une fois pour toutes ?

— Je ne crois pas que ce soit la meilleure solution.

— Je peux toujours faire passer le mot, si ça t'arrange. Glisser quelques allusions à ton boulot... »

Cette suggestion, qui ne manquait pas de bon sens, allait cependant à l'encontre de mes principes. Autrefois, je ne parlais jamais de mon travail, et les vieilles habitudes ont la vie dure. Peut-être me montrais-je borné, mais pour moi, les morts ont droit à l'intimité autant que les vivants. Si l'on apprenait à quoi j'occupais mes journées, un vent de curiosité morbide soufflerait sur le village. De plus, comment réagiraient les habitants de Manham en découvrant les activités peu orthodoxes de leur médecin ? L'association de mes deux vocations risquait d'en choquer plus d'un.

« Non merci, Ben.

— À toi de voir. Si tu dis rien, y aura toujours des rumeurs. »

J'avais beau m'en douter, je sentis néanmoins mon estomac se nouer. Ben haussa les épaules.

« Ils ont une sacrée trouille, reprit-il. Tu comprends, ils savent que l'assassin habite forcément le coin. N'empêche, ils aimeraient mieux que ce soit un étranger.

— Je ne suis pas un étranger ! Je vis ici depuis trois ans. »

Mes objections sonnaient faux même à mes oreilles. J'avais beau résider et travailler à Manham, je ne pouvais prétendre y avoir ma place. Je venais d'en avoir la preuve.

« Ça compte pas. Même si t'étais installé ici depuis trente ans, tu resterais toujours quelqu'un de la ville. Et en cas de pépin, c'est toi qu'on regardera de travers.

— Donc, peu importe ce que je dis ou pas, finalement ? Enfin, j'ose espérer qu'ils ne sont pas tous comme ça.

— Pas tous, c'est vrai. Mais suffit de quelques-uns, ajouta-t-il d'un air grave. Bref, je croise les doigts pour qu'ils coincent ce salopard au plus vite. »

Je ne m'attardai pas après cette conversation. La bière me semblait amère et éventée, alors que c'était exactement la même que d'habitude. Mon altercation avec Brenner m'avait plongé dans une sorte d'hébétude, un engourdissement des sens comparable à celui qui précède la douleur d'une blessure récente. Et j'avais envie d'être chez moi quand les premiers élancements fuseraient.

En quittant le pub, je vis Scarsdale sortir de l'église. Peut-être n'était-ce qu'un effet de mon imagination, mais son pas me parut plus assuré que d'habitude. Après tout, c'était le seul à profiter des événements qui avaient dévasté le village. *Rien de tel que la tragédie et la peur pour faire de l'homme d'Église l'homme de la*

168

situation, pensai-je avec cynisme. Je le regrettai aussi-tôt : le révérend avait une tâche à accomplir, tout comme moi, et je n'avais pas le droit de me laisser influencer par mon antipathie pour lui. Dieu sait que j'avais eu ma dose de préjugés pour la soirée !

Le remords m'amena à lever la main pour le saluer. Il me regarda droit dans les yeux, et durant un instant, je crus qu'il ne daignerait pas me répondre. Enfin, il esquissa un petit hochement de tête.

Je ne pus cependant me défaire du sentiment qu'il avait lu dans mes pensées.

12

Le vendredi, les journalistes commencèrent à plier bagage. En l'absence de nouveaux éléments, leur intérêt pour Manham diminuait déjà. Si un rebondissement se produisait, ils reviendraient aussitôt, évidemment. Entre-temps, Sally Palmer et Lyn Metcalf apparaîtraient de moins en moins dans les journaux et sur les écrans, jusqu'au moment où leurs noms s'effaceraient de la conscience collective.

En me rendant au laboratoire de bon matin, je ne pensais cependant pas à l'inconstance des médias ni, je dois bien l'avouer, aux deux victimes. Même le choc suscité par les soupçons dont je faisais l'objet avait été relégué au second plan de mes préoccupations. Non, ce qui me tracassait était beaucoup plus trivial.

Ce soir-là, je devais dîner chez Jenny Hammond.

Je me répétais qu'il n'y avait pas lieu d'en faire toute une histoire. Qu'elle, ou plutôt son amie Tina, avait juste voulu se montrer amicale. Quand je vivais encore à Londres, les invitations de ce genre étaient monnaie courante, lancées et acceptées sans trop se poser de questions. Eh bien, c'était la même chose, me disais-je.

En vain.

Aujourd'hui, je n'habitais plus Londres et ma vie sociale se réduisait à quelques échanges de banalités avec mes patients ou devant une bière au pub. D'ailleurs, de quoi pourrions-nous parler ce soir ? Au village, les discussions ne portaient que sur un seul sujet et celui-ci ne se prêtait guère à une conversation détendue entre inconnus. Surtout si mes deux hôtesses avaient eu vent des rumeurs me concernant... À présent, je regrettais amèrement de ne pas avoir eu la présence d'esprit de décliner leur offre. J'envisageai même de les appeler pour annuler la soirée sous un prétexte quelconque, quitte à me confondre en excuses.

Pourtant, malgré le trouble suscité en moi par cette invitation, je n'en fis rien. Ce qui, en soi, était presque aussi troublant. Parce que au fond, je n'ignorais pas la véritable raison de ma nervosité : la perspective de revoir Jenny remuait en moi un mélange d'émotions complexes – en particulier, un profond sentiment de culpabilité – que j'aurais préféré laisser dormir.

J'avais l'impression de préparer une infidélité.

C'était ridicule, j'en avais bien conscience. Il n'y avait rien de plus en jeu qu'un repas, et depuis qu'un homme d'affaires ivre avait perdu le contrôle de sa BMW cet après-midi-là, presque quatre ans plus tôt, je n'avais plus personne à tromper.

Un raisonnement qui ne parvint pas non plus à dissiper mon malaise.

Aussi n'étais-je pas vraiment concentré quand, après m'être garé sur le parking, je pris l'ascenseur jusqu'au laboratoire. Au moment de pénétrer dans la morgue, je fis un effort pour rassembler mes idées. Marina était déjà là, et les portes battaient toujours derrière moi lorsqu'elle annonça :

« Les résultats viennent d'arriver. »

Mackenzie fronça les sourcils en regardant le rapport que je lui avais remis.

«Vous en êtes sûr?

— Presque. Les analyses confirment que Sally Palmer était morte depuis environ neuf jours quand on l'a trouvée.»

Nous étions dans le petit bureau du laboratoire. Quand je l'avais appelé pour proposer de lui envoyer les résultats par e-mail, l'inspecteur m'avait répondu qu'il préférait passer.

«Ces tests sont fiables? demanda-t-il.

— L'analyse des acides aminés est précise à douze heures près, c'est la meilleure approximation que vous obtiendrez. Je ne suis pas en mesure de vous dire à quelle heure exactement Sally a été tuée, mais le meurtre a été commis entre le vendredi midi et le samedi midi.

— Vous ne pouvez vraiment pas réduire cette fourchette?»

Je retins de justesse une repartie cinglante. J'avais passé toute la matinée à plancher sur les équations permettant de déterminer le délai post mortem. Il fallait procéder à des calculs complexes pour pondérer les résultats des analyses en fonction de la température moyenne de l'air et d'autres données climatiques relatives aux journées durant lesquelles Sally Palmer était restée dehors. Le plus grand mystère de la vie réduit à une banale formule mathématique...

«Désolé, mais si on prend tout en compte, les larves et le reste, je situe le décès à peu près au milieu de cet intervalle, insistai-je.

— Mettons le vendredi à minuit, donc. Et on l'a vue pour la dernière fois trois jours avant, pendant le barbecue. » Mackenzie fronça de nouveau les sourcils en réfléchissant aux implications de ces informations. « Vous n'avez aucun moyen d'être plus spécifique pour le chien ?

— Sa chimie organique est différente de celle d'un humain. Je pourrais procéder à d'autres tests, mais ils ne nous apprendront rien.

— Et merde... Vous pensez toujours qu'il est mort depuis plus longtemps ? »

Je haussai les épaules. Pour continuer, je ne pouvais m'appuyer que sur l'état de la dépouille et l'étude de l'activité des insectes – une science loin d'être exacte.

« J'en suis pratiquement certain, mais je vous le répète, les mêmes règles ne s'appliquent pas forcément aux animaux. Cela dit, je compterais au moins deux ou trois jours de plus. »

Mackenzie se mordilla la lèvre. Je devinais sans peine son raisonnement. Cela faisait maintenant trois jours que Lyn Metcalf avait disparu. Si l'assassin suivait le même schéma et la retenait bel et bien captive quelque part, nous abordions maintenant la phase finale du processus. Au cas où il n'aurait pas encore exécuté son plan tordu, sa victime ne tarderait plus à mourir.

Sauf si on la retrouvait avant.

« On a aussi les résultats de l'analyse pratiquée sur cette substance adhérant à la vertèbre de Sally Palmer », expliquai-je. Je lus un passage dans ma copie du rapport. « C'est un hydrocarbure de composition assez complexe : quatre-vingts pour cent de carbone, dix pour cent d'hydrogène, de petites quantités de soufre, d'oxygène et de nitrogène et quelques traces de métal aussi.

« — Traduction ?

— Du vulgaire bitume. Un produit courant, le genre de truc qu'on peut acheter dans n'importe quel magasin de bricolage.

— Bon, ça réduit le champ d'investigation. »

Une pensée se forma dans mon esprit, l'ébauche d'un lien évoqué par ce qui venait d'être dit. Mais j'eus beau tenter de mieux la cerner, elle s'obstina à me fuir.

« Rien d'autre ? lança Mackenzie, coupant court à mes réflexions.

— Pas grand-chose, non. Je dois encore examiner les marques laissées par le couteau sur la colonne vertébrale du chien. Avec un peu de chance, je serai en mesure de confirmer qu'il s'agit de la même arme utilisée contre Sally Palmer. Ensuite, j'aurai terminé. »

De toute évidence, s'il n'en attendait pas moins, Mackenzie avait cependant espéré plus.

« Et de votre côté ? Vous avez du nouveau ? » demandai-je.

J'eus la réponse à cette question en voyant son visage se fermer.

« On a deux ou trois pistes », dit-il d'un ton guindé.

Je ne soufflai mot. Au bout d'un moment, il poussa un profond soupir.

« OK, on n'a ni suspect, ni témoins, ni mobile. Donc, la réponse est non. Les enquêtes de voisinage n'ont rien révélé, et même si on a repris les recherches, on ne peut pas aller vite à cause des pièges éventuels. De toute façon, comment voulez-vous couvrir une étendue pareille ? Entre tous ces foutus marécages, ces fossés et ces forêts, c'est perdu d'avance. » Incapable de dissimuler sa frustration, il secoua la tête. « S'il a décidé de cacher le corps comme il faut, on risque de ne jamais le retrouver.

— Si j'ai bien compris, pour vous, elle est déjà morte. »

Il me lança un coup d'œil désabusé.

«Vous avez participé à pas mal d'enquêtes criminelles, non ? Combien de fois on réussit à sauver les victimes ?

— Ça arrive.

— Mouais, ça arrive, admit-il. Mais c'est aussi rare que de gagner à la loterie. Très franchement, je ne donne pas cher d'elle. Personne n'a rien vu, personne ne sait rien. Les gars du labo n'ont pas relevé d'indices utiles, ni dans les bois où elle a été enlevée ni sur le site où le corps de Sally Palmer a été abandonné. La consultation du fichier des délinquants sexuels n'a rien donné non plus. Tout ce qu'on sait, c'est que le suspect est costaud, en excellente condition physique et qu'il en connaît un rayon sur la nature et la chasse.

— On n'est guère plus avancés, hein ? »

Il laissa échapper un petit rire sans joie.

«Guère plus, non. Si on parlait de Milton Keynes, ce serait peut-être différent, mais dans une communauté rurale comme celle-là, la chasse est un véritable mode de vie. On n'y fait plus attention. Résultat, jusque-là, notre gars a réussi à voler sous les radars.

— Et pour le profil psychologique ?

— Même problème. On n'a pas assez d'éléments pour progresser. Le portrait dressé par les psychologues est tellement vague qu'il ne sert à rien. On a affaire à un individu habitué au grand air, en bonne santé, d'une intelligence moyenne, mais assez imprudent ou négligent pour avoir laissé sa victime dans un

175

endroit où on pouvait facilement la retrouver. Ça pourrait s'appliquer à la moitié des hommes de Manham. Prenez en compte les villages voisins et vous obtenez au moins deux ou trois cents suspects potentiels. »

Mackenzie paraissait découragé. Et pour cause... Sans être un expert, je savais par expérience que la plupart des tueurs en série se font arrêter par hasard ou parce qu'ils ont commis une erreur grossière. Ce sont de véritables caméléons, en général des citoyens ordinaires capables de se fondre dans la masse. Lorsqu'ils sont démasqués, leurs amis et connaissances tombent des nues. Car au-delà des horreurs qu'ils perpétuent, le plus choquant au sujet de ces monstres bien réels, c'est de voir à quel point ils ont l'air normaux.

Exactement comme vous et moi.

Quand je levai de nouveau les yeux vers l'inspecteur, il grattait le grain de beauté dans son cou. En croisant mon regard, il suspendit son geste.

« On nous a tout de même signalé un détail qui pourrait avoir son importance, ajouta-t-il avec une désinvolture peu convaincante. Un témoin ayant bavardé avec Sally Palmer pendant le barbecue affirme qu'elle était contrariée parce qu'on avait déposé un cadavre d'hermine devant sa porte. Elle pensait à une espèce de blague tordue. »

Je songeai aux ailes de cygne dont on avait affublé le corps de Sally et au colvert attaché à la pierre levée le matin où Lyn Metcalf avait été kidnappée.

« À votre avis, c'est l'assassin qui l'avait placé là ? »

Il haussa les épaules.

« Ou des gosses... À moins que ce ne soit une marque pour distinguer sa victime, voire un avertissement. Une façon pour lui de revendiquer sa proie, en somme. Et

176

il ne s'en tient pas forcément aux oiseaux pour signer ses crimes.

— Lyn Metcalf avait parlé d'un animal, elle aussi ?

— Elle a raconté à son mari qu'elle avait vu un lièvre crevé dans les bois la veille de sa disparition. Mais bon, il avait peut-être été tué par un chien ou un renard. De toute façon, on ne le saura jamais. »

Il avait raison, et pourtant, je me posais toujours des questions. Les coïncidences existent, bien sûr, dans les affaires de meurtre comme dans d'autres aspects de la vie. Le comportement de l'assassin jusque-là me laissait cependant supposer qu'il pouvait se croire suffisamment intouchable pour désigner ses victimes à l'avance.

« Donc, on ne peut rien en tirer ? insistai-je.

— Ce n'est pas du tout ce que j'ai dit, rétorqua-t-il. Simplement, à ce stade, je ne vois pas trop comment exploiter cette piste. On a déjà demandé s'il y avait eu des cas de maltraitance sur des animaux. Deux ou trois habitants se souviennent d'une poignée de chats tués il y a environ dix ou quinze ans, mais l'auteur n'a jamais été pris et... Quoi ? »

Je remuais la tête.

« Vous l'avez souligné vous-même, inspecteur, Manham n'est pas une ville. Ici, les mentalités sont différentes. Si les habitants ne se montrent pas délibérément cruels, ils ne font guère de sentiment non plus.

— Selon vous, personne ne s'inquiéterait de quelques animaux morts ?

— Si quelqu'un faisait brûler un chien sur le terrain communal, ça provoquerait sans doute une certaine agitation. Mais on est à la campagne, ne l'oubliez pas. Des bêtes sont tuées tous les jours. »

De mauvaise grâce, il finit par se rallier à mon point de vue.

« Bon, tenez-moi au courant de ce que vous trouverez sur la chienne, déclara-t-il en se levant. Si c'est important, n'hésitez pas à m'appeler sur mon portable.

— Une minute, inspecteur. Il y a encore une chose que vous devriez savoir. »

Je lui parlai de la rumeur circulant dans le village, selon laquelle j'avais été arrêté.

« La poisse, marmonna-t-il quand j'eus terminé. Ça peut dégénérer, vous croyez ?

— Aucune idée. J'espère que non. Mais les gens sont à cran. S'ils vous voient arriver au cabinet, ils risquent d'en tirer des conclusions. Et je n'ai pas envie de passer mon temps à me justifier.

— Compris. »

Il ne semblait cependant pas trop inquiet. Ni surpris, à vrai dire. Après son départ, j'en vins à me dire qu'il misait peut-être sur ce genre de réaction, qu'il avait peut-être tout à y gagner si je devenais une sorte de bouc émissaire. J'eus beau me répéter que cette pensée était ridicule, elle demeura ancrée dans mon esprit lorsque je retournai examiner le squelette du chien.

Machinalement, je procédais aux préparatifs pour photographier les marques laissées par le couteau sur la colonne de l'animal. Pour moi, ce n'était qu'une procédure de routine visant surtout à répertorier les preuves pour étayer le dossier en cours plutôt qu'à chercher des indices significatifs. Lorsque je plaçais la vertèbre sous un microscope à faible grossissement pour l'étudier plus en détail, je savais déjà à quoi m'attendre. Je l'examinais toujours quand Marina m'apporta une tasse de café.

« Du nouveau ? » s'enquit-elle.

Je m'écartais de l'appareil.

« Voyez vous-même. »

Elle se pencha vers l'oculaire, puis fit la mise au point. Quand elle se redressa, elle semblait déconcertée.

« Je ne comprends pas...

— Quoi ?

— L'entaille est irrégulière, pas lisse comme l'autre. J'ai remarqué des espèces de stries sur l'os. Vous m'avez dit que seule une lame crantée laissait ce genre de marques.

— Exact.

— Mais ça n'a aucun sens ! Pourquoi ces traces seraient-elles différentes de celles qui ont été relevées sur la femme ?

— C'est simple, répondis-je. Elles n'ont pas été faites par la même arme. »

13

La viande était à peine rosée. Des gouttes de graisse s'y accrochaient, telle de la sueur, puis dégoulinaient à travers la grille pour s'écraser en sifflant sur les braises incandescentes. De fines volutes de fumée s'en échappaient paresseusement, imprégnant l'air d'une brume bleutée à l'odeur âcre.

Tina fronça les sourcils en piquant un des steaks hachés presque crus placés sur le barbecue.

« Je te l'avais bien dit, c'est pas assez chaud.

— Attends encore un peu, lui conseilla Jenny.

— Si on attend, tout va s'éteindre. Faut absolument que ce soit plus chaud.

— En tout cas, on ne met plus d'allume-feu.

— Pourquoi ? À ce rythme, on va y passer la nuit !

— M'en fous. Ce truc-là est mortel.

— Oh, allez ! Je suis affamée ! »

Nous nous trouvions dans le jardin du minuscule cottage partagé par les deux jeunes femmes. Ce n'était guère plus qu'une cour, à vrai dire, un carré d'herbes folles bordé sur deux côtés par un vaste enclos. Mais il n'en constituait pas moins un petit coin d'intimité, surplombé uniquement par les fenêtres des chambres de la maison voisine et offrant une vue imprenable sur le lac situé à peine une centaine de mètres plus loin.

Tina piqua une dernière fois les steaks hachés avant de se tourner vers moi.

« En tant que médecin, vous en pensez quoi ? Est-ce qu'il vaut mieux risquer l'empoisonnement à l'allume-feu ou mourir de faim ?

— Je vous propose un compromis, répondis-je. Vous enlevez la viande le temps de verser le produit. Comme ça, elle n'en prendra pas le goût.

— C'est beau, un homme qui a l'esprit pratique ! » s'exclama Tina en se servant d'un torchon pour ôter la grille du barbecue.

Je portai de nouveau ma bouteille de bière à mes lèvres, moins par soif que pour me donner une contenance. Ma proposition d'aide avait été déclinée – une bonne chose, sans doute, vu le niveau de mes compétences culinaires –, me laissant désœuvré, sans rien pour tromper ma nervosité. De son côté, Jenny, tout aussi mal à l'aise, passait son temps à revoir la disposition du pain et des salades sur la table de jardin en bois blanc. Sa tenue – un haut beige sur un short en jean – mettait en valeur sa silhouette élancée et sa peau bronzée. À part les salutations d'usage quand j'étais arrivé, nous avions à peine échangé deux mots. De fait, si Tina n'avait pas été là, je ne suis même pas sûr que nous nous serions adressé la parole.

Par chance, Tina n'était pas du genre à laisser s'installer des pauses embarrassées dans la conversation. Elle avait bavardé sans discontinuer, ponctuant de temps à autre son monologue enjoué de quelques instructions à mon intention ; si je voulais me rendre utile, pouvais-je préparer la sauce de la salade, aller chercher le rouleau de papier absorbant qui nous fournirait également des serviettes et ouvrir des bières ?

Ce dîner ne rassemblerait que trois convives, j'en avais maintenant la certitude. J'oscillais entre le soulagement de n'avoir à affronter personne d'autre et le regret de ne pas avoir la possibilité de me fondre dans la masse.

Tina versa une bonne dose d'allume-feu sur les braises.

« Oh, merde ! s'écria-t-elle en faisant un bond en arrière quand des flammes s'élevèrent.

— Je t'avais bien dit de ne plus en mettre ! railla Jenny.

— Hé, c'est pas ma faute, c'est sorti trop vite ! »

Le barbecue était désormais enveloppé de fumée.

« Bon, je crois que c'est assez chaud », observai-je.

Tina me donna un petit coup dans le bras.

« Vous, allez nous chercher d'autres bières.

— Vous ne croyez pas qu'on devrait d'abord enlever les plats ? »

La fumée avait également englouti la table de jardin, sur laquelle se trouvaient les salades.

« Ah, zut ! »

Tina se précipita au cœur du nuage pour récupérer les entrées.

« Ce serait plus facile si on déplaçait tout, non ? lançai-je en tirant la table.

— Aide-le, Jenny, j'ai les mains pleines », répliqua Tina, qui avait récupéré un saladier rempli de pâtes.

Son amie lui jeta un coup d'œil agacé puis agrippa l'autre côté de la table. Ensemble, nous parvînmes à la transporter à l'écart de la fumée. Mais au moment où nous la reposions au sol, l'un des pieds, plus court que les autres, déséquilibra le plateau qui s'inclina dangereusement du côté de Jenny, menaçant d'expédier assiettes et verres par terre.

« Attention ! » s'écria Tina.

Je parvins de justesse à rattraper la table. Au passage, ma main effleura celle de Jenny.

« Je la tiens, vous pouvez lâcher, dis-je.

— Je croyais que tu l'avais réparée, Tina, lui reprocha Jenny.

— Je l'ai fait ! J'avais mis un morceau de papier pour la caler.

— Du papier ? Elle aurait surtout besoin qu'on la lime !

— Mouais, ben c'est pas la seule ici…

— *Tina !* la tança Jenny, gênée mais se retenant visiblement d'éclater de rire.

— Attention ! s'exclama son amie en voyant la table osciller de nouveau.

— Ne reste pas plantée là ! lui cria Jenny. Va chercher un truc à mettre sous le pied ! »

Tina se précipita vers le rideau de perles à l'entrée de la cuisine. Restés seuls, Jenny et moi échangeâmes un sourire quelque peu embarrassé. Mais cette fois, la glace était rompue.

« Alors, content d'être venu ? ironisa-t-elle.

— En tout cas, ça sort de l'ordinaire.

— Oh, je m'en doute. Vous ne devez pas souvent assister à des réceptions aussi sophistiquées.

— Je dois bien l'admettre. »

Je la vis baisser les yeux.

« Euh, je ne sais pas trop comment vous dire ça, mais vous êtes tout mouillé », murmura-t-elle.

Suivant la direction de son regard, je m'aperçus qu'une bouteille de bière s'était renversée sur la table, inondant l'entrejambe de mon jean. Quand je voulus m'écarter, le liquide dégoulina sur mes cuisses.

« Bon sang, j'y crois pas ! » lança Jenny.

Nous fûmes pris d'un fou rire qui ne s'était toujours pas calmé lorsque Tina rapporta un morceau de bois pour servir de cale.

« Qu'est-ce qui vous arrive ? demanda-t-elle, avant de découvrir les taches sur mon pantalon. Bon, vous préférez que je revienne plus tard ? »

Une fois l'équilibre de la table assuré, Tina me proposa un short ample ayant appartenu à un ancien petit ami.

« Vous pouvez le garder, dit-elle. De toute façon, il ne risque pas de le réclamer », ajouta-t-elle d'un ton lugubre.

Pas étonnant, pensai-je en découvrant le motif voyant. Mais c'était toujours mieux que mon jean trempé de bière, aussi me résignai-je à l'enfiler. Lorsque je retournai dans le jardin, Tina et Jenny gloussèrent.

« Jolies gambettes », observa Tina, suscitant de nouveau l'hilarité générale.

Les steaks grésillaient sur les braises chaudes. Nous les mangeâmes accompagnés de salade, de pain et de la bouteille de vin que j'avais apportée. Quand je voulus remplir le verre de Jenny, elle hésita.

« Juste une goutte.

— T'es sûre ? » répliqua Tina, les sourcils froncés.

Jenny hocha la tête.

« Oui, ne t'inquiète pas. » Devant mon regard interrogateur, elle esquissa une grimace. « Je suis diabétique, alors je dois faire attention à ce que je mange et à ce que je bois.

184

— De quel type ? demandai-je.

— Oh, c'est vrai, j'ai tendance à oublier que vous êtes médecin. Type un. » Je m'y attendais. C'était le type de diabète le plus fréquent chez les gens de son âge. « Mais bon, ce n'est pas si terrible. Je ne prends qu'une faible dose d'insuline. J'ai consulté le docteur Maitland pour avoir une ordonnance quand je suis arrivée au village », ajouta-t-elle d'un air contrit.

Sans doute se sentait-elle gênée d'avouer qu'elle avait vu le médecin « officiel » de Manham. Il n'y avait cependant pas de quoi ; depuis le temps, j'avais l'habitude.

Tina feignit de frissonner.

« Moi, je tomberais dans les pommes si je devais me faire une piqûre.

— Oh, arrête, ce n'est rien, protesta Jenny. D'autant qu'il ne s'agit pas d'une véritable aiguille, juste d'une espèce de petit stylo à lancette... De toute façon, si tu continues à nous seriner avec ça, David n'osera pas reprendre de vin.

— Ah non, surtout pas ! s'exclama Tina. J'ai besoin de lui pour m'accompagner ! »

Je n'y tenais pas spécialement, mais sur l'insistance de Jenny, je laissai son amie me resservir plus souvent que je ne l'avais prévu. Le lendemain était un samedi et la semaine avait été longue. De plus, je passais un bon moment. Je ne me souvenais pas de m'être autant amusé depuis...

Bien longtemps.

Après le repas, cependant, l'atmosphère changea. La nuit tombait, et Jenny contempla le lac dans la lumière déclinante. En voyant son visage s'assombrir, je devinai ce qu'elle allait dire.

185

« On en oublierait presque ce qui est arrivé, murmurat-elle. Du coup, on se sent... un peu honteux, non ? »

Tina soupira.

« Elle voulait annuler la soirée, m'expliqua-t-elle. Sous prétexte qu'on risquait de choquer les voisins en faisant un barbecue.

— Ça me paraissait irrespectueux, me confia Jenny.

— Pourquoi ? demanda son amie. Tu crois vraiment que les autres ne vont pas regarder la télé ou s'offrir une bière au pub ? D'accord, c'est triste, effrayant et tout et tout, mais je ne vois pas pourquoi on devrait se flageller pour autant.

— Tu sais très bien ce que je veux dire.

— Je sais surtout comment sont les gens d'ici. De toute façon, s'ils ont envie de s'en prendre à quelqu'un, ils n'hésiteront pas une seconde, sans chercher à savoir ce que cette personne a réellement fait. » Tina s'interrompit un instant. « Bon, d'accord, je noircis peut-être le tableau, mais c'est vrai. » Elle plongea son regard dans le mien. « Vous l'avez découvert aussi, pas vrai ? »

À cet instant seulement, je compris qu'elles avaient eu vent des rumeurs à mon sujet.

« Tina..., l'avertit Jenny.

— Quoi ? Tu préfères prétendre qu'on n'a rien entendu ? Je veux dire, bien sûr que la police va vouloir parler au médecin du village ! Là-dessus, il suffit qu'un habitant fronce les sourcils pour que tous les autres vous regardent de travers. Ça montre bien à quel point ils ont l'esprit borné.

— Et la langue trop bien pendue ! » s'emporta Jenny, perdant son sang-froid pour la première fois.

Tina haussa les épaules.

186

« Autant jouer franc jeu. On fait suffisamment de messes basses à Manham. Moi, j'ai grandi ici, Jenny. Pas toi.

— Vous n'appréciez pas trop le village, on dirait », lançai-je dans l'espoir de dévier le sujet.

Mon intervention me valut de sa part un léger sourire.

« Si je pouvais, je filerais à la première occasion. Je ne comprends pas les gens comme vous deux, qui avez choisi de vous établir ici. »

Dans le silence qui suivit, Jenny se leva, livide.

« Je vais préparer du café. »

Quand elle s'engouffra dans la maison, le rideau de perles s'agita frénétiquement après son passage.

« Merde, murmura Tina, penaude. Elle a raison, j'ai la langue trop bien pendue. Et je suis un peu pompette, en plus », ajouta-t-elle en posant son verre.

Au début, j'avais supposé la réaction de Jenny provoquée par une maladresse de ma part. Je comprenais maintenant que je n'y étais pour rien.

« Elle va bien ? demandai-je.

— Bah, elle doit juste m'en vouloir à mort à cause de mon manque de tact... » Elle paraissait sur le point de bondir de sa chaise pour rejoindre son amie. « Écoutez, ce n'est pas à moi de vous mettre au courant, mais il vaut peut-être mieux que vous le sachiez : elle a eu une mauvaise expérience il y a environ un an. C'est pour ça qu'elle est venue ici. Pour essayer d'oublier.

— Quel genre d'expérience ? »

Elle secoua la tête.

« Si elle souhaite vous en parler, elle le fera. De toute façon, je n'aurais rien dû dire. Je voulais juste... vous mettre au courant, quoi. Comme Jenny vous aime bien, je... Oh, et puis zut, je m'enfonce. On oublie tout et on recommence, d'accord ?

— D'accord. » Toujours distrait par ce qu'elle venait de me raconter, je formulai la première chose qui me passait par la tête : « Alors, quelles rumeurs avez-vous entendues à mon sujet ? »

Tina fit la grimace.

« OK, je l'ai cherché. Pas grand-chose, en fait, juste des ragots comme quoi vous auriez été interrogé par la police et que vous... vous seriez suspecté. » Elle me gratifia d'un sourire qui se voulait provocant sans y parvenir tout à fait. « Vous ne l'êtes pas, hein ?

— Pas que je sache, non. »

À l'évidence, ma réponse lui suffit.

« Voilà ce que je reproche à ce foutu village, marmonna-t-elle. Tout le monde ne demande qu'à imaginer le pire sur votre compte. Alors quand un événement de ce genre se produit... » Elle eut un geste d'agacement. « Ça y est, je recommence. Bon, je ferais mieux d'aller voir où en est le café.

— Je peux vous aider ? »

Déjà, elle se dirigeait vers la cuisine.

« Non, ne bougez pas. Je vais envoyer Jen vous tenir compagnie. »

Après son départ, je me laissai bercer par le silence de la nuit en songeant à ce qu'elle m'avait dit. *Jenny vous aime bien*. Que fallait-il en déduire ? Ou plutôt, que m'inspiraient ces quelques mots ? En même temps, ce n'étaient que des propos échangés entre convives légèrement éméchés, je ne devrais sans doute pas y accorder trop d'importance...

Alors, pourquoi me sentais-je aussi nerveux, tout à coup ?

Je me levai, puis m'approchai du muret bordant le jardin. Les champs au-delà étaient plongés dans une obscurité totale, à présent. Une brise à peine perceptible venait du lac, apportant les cris désolés d'une chouette.

Soudain, un bruit résonna derrière moi. Jenny était ressortie avec deux tasses. Je m'écartai du mur pour rejoindre le carré de lumière provenant de la porte ouverte, mais quand j'émergeai de l'ombre, Jenny sursauta, renversant du café sur ses doigts.

« Désolé, je ne voulais pas vous effrayer.

— Ce n'est pas grave. J'ai été surprise, c'est tout. »

Elle posa les tasses puis souffla sur ses mains. Je lui tendis une feuille de papier absorbant.

« Ça va ?

— Je survivrai, répondit-elle en s'essuyant.

— Où est Tina ?

— Elle dégrise. » Jenny souleva de nouveau les tasses. « Je ne vous ai pas demandé si vous preniez du lait et du sucre.

— Non aux deux questions. »

Elle sourit.

« Eh bien, j'avais deviné. » Après m'avoir donné une tasse, elle se dirigea vers le mur. « Vous admiriez le paysage ?

— Ce que j'en vois, en tout cas.

— C'est superbe, à condition d'aimer les champs et l'eau.

— C'est votre cas ? »

Côte à côte, nous contemplâmes le lac.

« Oui, murmura-t-elle. Quand j'étais petite, j'allais souvent faire de la voile avec mon père.

— Vous en faites encore ?

— Plus depuis des années. Mais j'apprécie de vivre à proximité de l'eau. Je n'arrête pas de me dire que je devrais louer un bateau. Un petit, parce que je sais que Manham Water n'est pas assez profond pour naviguer sur des embarcations plus grosses. C'est idiot d'habiter à côté d'un lac et de ne pas en profiter, non ?

— J'ai un dinghy, si ça vous tente. »

J'avais prononcé ces mots sans réfléchir. Aussitôt, Jenny leva vers moi des yeux brillants. Quand un sourire se dessina sur ses lèvres, je me rendis compte à quel point nous étions proches l'un de l'autre. Je sentais même la chaleur de sa peau nue.

« Sérieux ?

— En réalité, il ne m'appartient pas, répondis-je. C'est celui de Henry, mais il me laisse l'utiliser.

— Vous êtes sûr ? Parce que je ne disais pas ça pour...

— Je sais. De toute façon, un peu d'exercice me serait bénéfique. »

Ma réponse m'étonna moi-même. *Qu'est-ce que tu cherches, bon sang ?* Je me tournai de nouveau vers le lac, heureux de pouvoir dissimuler mon visage dans l'obscurité.

« Pourquoi pas dimanche ? m'entendis-je demander.

— Ce serait formidable ! À quelle heure ? »

Je me rappelai soudain mon déjeuner avec Henry.

« Dans l'après-midi ? Vers trois heures ?

— Parfait. »

Je ne la regardai pas, mais sa voix me laissa supposer qu'elle souriait. Je me concentrai sur mon café, dont j'avalai une gorgée brûlante. Comment avais-je pu faire une chose pareille ? *Tina n'est pas la seule à avoir besoin de dégriser*, pensai-je.

Peu après, je pris congé. Tina fit une apparition tardive au moment où je partais, pour me dire en souriant que je pourrais toujours lui rendre le short plus tard. Je décidai néanmoins de remettre mon jean humide. Ma réputation au village avait déjà suffisamment souffert comme ça, inutile d'alimenter les commérages en me baladant à cette heure vêtu d'un short bariolé.

Je n'étais pas loin de leur maison quand mon téléphone mobile émit un bip signalant que j'avais un message. Je l'emportais toujours avec moi pour que l'on puisse me prévenir en cas d'urgence, mais quand j'avais enlevé mon pantalon, je l'avais oublié dans la poche. Une sourde inquiétude s'empara de moi à l'idée de ne pas avoir été joignable pendant plus de deux heures. Chassant Jenny de mon esprit, j'appelai ma boîte vocale en espérant qu'il ne s'était rien passé de grave.

Le message ne concernait cependant aucun de mes patients. Il venait de Mackenzie.

La police avait découvert un corps.

14

Les projecteurs inondaient la scène d'une clarté irréelle, transformant les arbres alentour en étrange décor d'ombre et de lumière. Au centre s'activaient les techniciens de scène de crime. Un secteur rectangulaire avait été délimité par un quadrillage de fils en Nylon, et, accompagnés par le bourdonnement d'un générateur, les hommes grattaient méticuleusement la terre, révélant peu à peu ce qui gisait en dessous.

Mackenzie les regardait en croquant un bonbon à la menthe. La fatigue se lisait sur ses traits tirés, d'autant que l'éclairage cru privait de couleurs son visage et accentuait les cernes sous ses yeux.

« On a trouvé la tombe cet après-midi. Elle n'est pas très profonde – de soixante à quatre-vingt-dix centimètres. Au début, on a pensé à une fausse alerte, à un terrier de blaireau, par exemple, un truc comme ça. Jusqu'à ce qu'on dégage la main. »

L'endroit se situait dans un bois à environ trois kilomètres de celui où le corps de Sally Palmer avait été découvert. À mon arrivée, juste après minuit, la police scientifique avait déjà éliminé une première couche de terre. Je vis l'une des techniciennes en filtrer une poignée à travers un tamis. Elle s'interrompit le temps d'examiner quelque chose, puis jeta l'objet de sa curiosité et poursuivit sa tâche.

« Qui vous a guidés jusque-là ? demandai-je.

— Les chiens. »

Je hochai la tête. La police n'utilisait pas seulement les chiens pour repérer drogues ou explosifs. Localiser une tombe n'avait rien de facile, et plus le site à fouiller était étendu, plus la tâche devenait complexe. Quand le corps était enseveli depuis un certain temps, une dépression indiquait parfois l'emplacement où la terre retournée s'était tassée, on utilisait alors de longues sondes pour explorer les lieux à la recherche de zones où le sol était plus meuble. J'avais même entendu parler d'un expert de la police scientifique aux États-Unis qui avait obtenu des résultats intéressants en se servant de morceaux de fil de fer recourbés pour deviner où étaient enfouis les cadavres.

Les chiens n'en demeuraient pas moins le meilleur moyen de les repérer. Leur odorat particulièrement sensible pouvait détecter les relents de gaz libérés par la décomposition à plusieurs dizaines de centimètres de profondeur. Certains de ces limiers avaient même réussi à retrouver des dépouilles enterrées depuis plus d'un siècle.

À l'aide de truelles et de brosses, les techniciens de scène de crime débarrassaient les restes partiellement mis au jour en faisant preuve d'une minutie digne d'archéologues. Que la tombe eût été creusée quelques semaines ou quelques centaines d'années plus tôt, ils avaient recours aux mêmes techniques. Dans les deux cas, l'objectif consistait à dégager le corps le plus délicatement possible afin de recueillir d'éventuels indices déposés par l'agresseur à son insu.

En l'occurrence, l'information la plus révélatrice était déjà apparente. Même sans participer aux fouilles, je me tenais assez près de la fosse pour voir l'essentiel.

Mackenzie me jeta un coup d'œil.

«Un commentaire?

— Rien que vous ne sachiez déjà, j'imagine.

— Dites-le-moi quand même.

— Il ne s'agit pas de Lyn Metcalf.»

Il émit un petit grognement neutre.

«Continuez, docteur Hunter.

— Ce n'est pas une tombe récente. Quelle que soit l'identité du mort, il était là bien avant que Lyn ne disparaisse. Il n'y a plus trace de tissus mous et on ne décèle aucune odeur. Le chien a fait du bon boulot.

— Je lui transmettrai vos félicitations, répliqua-t-il d'un ton sec. Alors, depuis combien de temps notre mort est-il là, à votre avis?»

Je reportai mon attention sur la fosse. Le squelette, de la même couleur que le sol tout autour, était maintenant presque entièrement déterré. Il s'agissait à l'évidence d'un adulte couché sur le flanc, dont les vêtements – un jean et un T-shirt pour autant que je pouvais en juger – adhéraient toujours aux os.

«Pour le moment, sans avoir effectué d'analyses, je ne peux vous donner qu'une approximation. À cette profondeur, le corps se décompose beaucoup plus lentement qu'en surface. Pour en arriver à ce stade, je dirais qu'il faut au minimum douze mois, voire quinze. Pourtant, j'ai l'impression qu'il est là depuis plus longtemps. Peut-être plusieurs années.

— Comment le savez-vous?

— À cause du jean et du T-shirt. Ils sont en coton, un tissu qui met entre quatre et cinq ans à pourrir. Ils ne sont pas encore complètement désagrégés, mais on n'en est pas loin.

— Rien d'autre ?

— Je peux l'examiner de plus près ?

— Allez-y. »

L'équipe de scène de crime n'était pas la même que celle que j'avais rencontrée sur le site où Sally Palmer avait été découverte. J'eus droit à quelques regards intrigués lorsque je m'accroupis au bord de la fosse, mais personne ne formula la moindre remarque. Il était déjà tard et ces hommes avaient encore de longues heures de travail devant eux.

« Des signes de traumatisme ? demandai-je à l'un d'eux.

— D'importantes lésions crâniennes, je crois. On vient juste de dégager la tête. »

Il m'indiqua la tempe droite encore partiellement recouverte de terre. Des fissures apparaissaient déjà, rayonnant de l'endroit où l'os avait été enfoncé.

« Je pencherais pour un choc plutôt qu'un coup de feu ou une blessure par arme blanche, dis-je. Qu'en pensez-vous ? »

Mon interlocuteur hocha la tête. Contrairement à son collègue sur l'autre scène de crime, il ne semblait pas indisposé par ma présence.

« C'est probable. Mais je préfère ne pas me prononcer avant de m'être assuré qu'il n'y a pas de balle à l'intérieur du crâne. »

Les traumatismes crâniens causés par une balle ou un instrument tranchant de type couteau sont différents de ceux que provoque un objet contondant. Il n'est pas difficile de les reconnaître, et jusque-là tous les indices, en particulier l'os brisé comme un œuf,

195

étayaient cette seconde hypothèse. J'approuvai néanmoins la réserve de l'expert.

« D'après vous, le décès serait dû à cette blessure à la tête ? s'enquit Mackenzie.

— Possible, répondis-je. À en juger par les dégâts, elle a sans doute été fatale, si elle n'a pas été infligée post mortem. Pour le moment, il est encore trop tôt pour le savoir.

— Rien d'autre ?

— Eh bien, c'est un homme. Probablement blanc, dans les dix-huit ou vingt ans. »

Il scruta l'intérieur de la tombe.

« Sérieux ?

— Regardez la tête. La forme de la mâchoire n'est pas la même chez les hommes que chez les femmes. Celle d'un homme est plus large. Et vous voyez ce petit os saillant, à l'endroit où se trouvait l'oreille ? C'est l'arc zygomatique, toujours plus gros chez les hommes. Quant aux os du nez, ils suggèrent une origine européenne plutôt qu'africaine. Il pourrait peut-être s'agir d'un Asiatique, mais à cause de la forme du crâne, en losange, je dirais que non. Pour l'âge... » Je haussai les épaules. « Encore une fois, ce ne sont que des suppositions à ce stade. En attendant, les vertèbres n'ont pas l'air usées. Et les côtes, ici... » Je lui montrai les protubérances sous le T-shirt. « Plus on vieillit, plus les extrémités deviennent irrégulières, bosselées. Celles-ci sont manifestement toujours pointues, d'où ma conclusion qu'il s'agit d'un jeune adulte. »

Mackenzie ferma les yeux et se massa l'arête du nez.

« Génial. Exactement ce qu'il nous fallait : un meurtre

sans rapport avec l'enquête en cours.» Soudain, il leva les yeux. «Il a eu la gorge tranchée?

— A priori, non.» J'avais déjà cherché sur les vertèbres cervicales la présence éventuelle de marques de couteau. «Après une aussi longue période d'ensevelissement, ce n'est pas facile d'évaluer l'étendue des blessures sans un examen approfondi. Mais à première vue, rien n'indique qu'il a été égorgé.

— Maigre consolation», murmura l'inspecteur.

Je compatissais. J'avais du mal à imaginer ce qui lui compliquerait le plus la tâche : ouvrir une seconde enquête pour meurtre ou découvrir des indices révélant que le même assassin œuvrait depuis des années.

Quoi qu'il en soit, tout cela ne me concernait pas, à mon grand soulagement. Je me levai, puis frottai mes mains pleines de terre.

«Si vous n'avez plus besoin de moi, je ferais mieux de rentrer.

— Vous pouvez passer à la morgue demain? Je veux dire, plus tard dans la journée, rectifia Mackenzie.

— Pourquoi?»

Ma réaction parut sincèrement le dérouter.

«Eh bien, pour analyser les restes. On devrait avoir terminé ici en milieu de matinée. Vous pourrez disposer du corps à l'heure du déjeuner.

— Donc, vous partez du principe que je vais accepter?

— Ce n'est pas le cas?»

Ce fut mon tour d'être étonné. Pas tant par sa question que par sa perspicacité; il semblait me connaître mieux que je ne me connaissais moi-même.

« D'accord, répondis-je, résigné à l'inévitable. Je serai là-bas à midi. »

Je me réveillai à la cuisine, transi et désorienté. Devant moi, la porte donnant sur le jardin, restée ouverte, me laissait entrevoir les premières lueurs du jour. Le souvenir du rêve était toujours vivace dans mon esprit, les voix et la présence de Kara et d'Alice me semblaient aussi réelles que si je venais de leur parler. Et bizarrement, je me sentais encore plus troublé que d'habitude. En songe, j'avais eu l'impression que Kara cherchait à me mettre en garde, mais que je ne voulais pas l'écouter. Parce que j'avais trop peur de ce que je risquais d'entendre.

Un frisson me parcourut. Je ne me rappelais pas avoir descendu l'escalier ni quelle raison m'avait poussé à ouvrir la porte. Au moment où je me levai pour la fermer, je me figeai. La masse sombre des bois se dressait au loin, émergeant telle une falaise de l'océan de brume claire au-dessus du champ. Je fus saisi d'un mauvais pressentiment.

L'arbre qui cache la forêt. Cette phrase surgie de nulle part s'imposa à mon esprit. Soudain, elle me paraissait avoir un sens plus profond, qui s'obstinait cependant à me fuir. Je tentais toujours de le cerner lorsque quelque chose m'effleura la nuque.

Je sursautai et me retournai, pour découvrir la cuisine vide. C'est la brise, pensai-je, même si rien ne venait troubler le silence, ni bruit ni souffle d'air. Je fermai la porte en essayant de refouler mon malaise. Néanmoins, en retournant me coucher pour attendre l'aube, j'avais toujours la sensation que des doigts couraient sur ma peau.

J'avais presque toute la matinée à tuer avant mon rendez-vous à la morgue. N'ayant rien de mieux à faire, je me rendis à pied chez Henry, comme souvent le samedi, pour prendre le petit-déjeuner. Déjà réveillé et manifestement en pleine forme, il me demanda d'un ton enjoué comment s'était passée la soirée de la veille tout en surveillant la cuisson des œufs et du bacon. Il me fallut quelques secondes pour comprendre qu'il parlait du barbecue chez Jenny et non de la macabre découverte dans les bois. La nouvelle n'avait pas encore été annoncée et je n'osais imaginer les réactions qu'elle susciterait. Manham avait déjà tellement de mal à surmonter le choc des événements récents... Quant à moi, je me sentais encore trop ébranlé par mon rêve pour avoir envie d'évoquer ce nouveau rebondissement.

Aussi ne mentionnai-je pas l'existence d'un second cadavre. Ce fut d'autant plus facile que la gaieté de Henry était communicative, au point qu'en partant j'avais oublié une bonne partie de mes idées noires. Mon humeur s'améliora encore quand je rentrai chez moi récupérer ma voiture. Une fois de plus, il faisait un temps magnifique, la température matinale restant bien plus supportable que la chaleur étouffante de la journée. Les fleurs jaunes, violettes et rouges sur le terrain communal, vibrantes de couleurs intenses, répandaient dans l'air une senteur sucrée. Seule la présence incongrue du PC de campagne brisait l'illusion du calme pastoral.

En temps normal, sa vue aurait eu raison de mon soudain élan d'optimisme, mais je n'avais pas ressenti un tel bien-être depuis si longtemps qu'elle ne me fit aucun effet. J'évitai cependant de m'interroger sur les raisons de ce brusque revirement, d'établir le moindre lien avec Jenny. Je voulais juste profiter du moment.

De fait, il n'était pas appelé à durer.

Alors que je passais devant l'église, une voix m'interpella :

« Docteur Hunter ? Vous auriez une minute, s'il vous plaît ? »

Scarsdale se tenait dans le cimetière en compagnie de Tom Mason, le plus jeune des deux jardiniers qui entretenaient les massifs et les pelouses de Manham. Je m'approchai du muret qui me séparait d'eux.

« Bonjour, révérend. Tom... »

Celui-ci hocha la tête en esquissant un sourire timide, sans lever les yeux des rosiers dont il s'occupait. Tout comme son grand-père, il n'était jamais plus heureux qu'en compagnie de ses plantes, qu'il soignait avec une placidité presque bovine. Il n'y avait en revanche rien de doux ni de bovin chez Scarsdale, qui ne se donna pas la peine de répondre à mon salut.

« Je serais curieux de connaître votre opinion sur la situation actuelle, déclara sans préambule le révérend, dont le costume noir au milieu des vieilles pierres tombales semblait absorber la lumière du soleil.

— Je ne suis pas sûr de comprendre, répondis-je, déconcerté par sa remarque.

— Eh bien, le village traverse une période difficile. D'ici peu, la nation tout entière aura les yeux braqués sur nous. Vous en êtes conscient ? »

Je frémis à l'idée qu'il allait peut-être m'infliger une nouvelle version de son sermon.

« Que voulez-vous au juste ? demandai-je.

— Montrer que Manham ne tolérera pas ce qui est arrivé. C'est sans doute l'occasion pour nous de renforcer les liens de la communauté. De nous unir face à cette mise à l'épreuve.

— J'ai du mal à considérer les agissements de ce demeuré comme une simple mise à l'épreuve !

— Vous, peut-être. Mais les habitants s'inquiètent du tort causé à la réputation du village. À juste titre, cela dit.

— Ah bon ? Je les aurais crus plus soucieux de retrouver Lyn Metcalf et de mettre la main sur le meurtrier de Sally Palmer. Ce n'est pas plus important que la réputation de Manham ?

— Ne jouez pas à ce petit jeu avec moi, docteur Hunter, riposta-t-il. Si les gens avaient prêté un peu plus d'attention à ce qui se passait dans la communauté, nous n'en serions pas là. »

Sans doute aurais-je été bien avisé de ne pas insister, mais ce fut plus fort que moi.

« Je ne vois toujours pas où vous voulez en venir. »

J'avais une conscience aiguë de la présence du jardinier derrière nous. Scarsdale, qui ne rechignait jamais à se donner en spectacle devant un public, recula légèrement pour pouvoir mieux me toiser.

« Plusieurs paroissiens sont venus me trouver, déclara-t-il. Eux aussi souhaitent présenter un front uni. Surtout dans nos relations avec la presse.

— Comment ça ?

— Il semblerait que le village ait besoin d'un porte-parole. Quelqu'un qui puisse communiquer avec le monde extérieur au nom du village.

— Vous, je parie.

— Si d'autres souhaitent assumer cette responsabilité, je serais heureux de leur céder la place.

— Pourquoi croyez-vous que ce soit nécessaire ?

— Parce que Dieu n'en a pas encore fini avec nous. »

Il avait prononcé ces mots avec une étrange force de conviction.

« Qu'attendez-vous de moi au juste, révérend ?

— Vous êtes un personnage important, ici. Votre soutien serait le bienvenu. »

L'idée qu'il pût se servir de cette affaire comme d'une tribune publique pour son propre compte me faisait frémir. Pourtant, je savais que la peur et la méfiance désormais ancrées dans les esprits lui offriraient un public réceptif. C'était déprimant.

« Je n'ai pas l'intention de parler aux journalistes, si c'est ce que vous entendez, répliquai-je.

— C'est aussi une question d'attitude. Je préfère ne pas penser que certains parmi nous pourraient miner les efforts de ceux qui agissent au mieux des intérêts de Manham.

— Je vais vous dire une chose, révérend. Faites ce que vous estimez bon pour le village et j'en ferai autant.

— Dois-je prendre cela comme une critique ?

— Mettons plutôt que nous avons des points de vue différents sur les intérêts de Manham. »

Il me fixa d'un regard froid.

« Rappelez-vous que les gens d'ici ont une bonne mémoire. Ils ne risquent pas d'oublier les faux pas commis en pareilles circonstances. Ni de les pardonner, aussi peu charitable que cela puisse paraître.

— Eh bien, je tâcherai de marcher droit.

— Oh, ironisez tant que vous voudrez ! En attendant, je ne suis pas le seul à me demander de quel bord vous êtes. Les gens parlent, docteur Hunter. Et ce que j'ai entendu est assez troublant.

— Vous ne devriez peut-être pas écouter les ragots, révérend. D'ailleurs, en tant qu'homme d'Église, n'êtes-vous pas censé accorder le bénéfice du doute ?

— Vous n'avez pas à m'apprendre mon travail.

— Alors, ne venez pas m'apprendre le mien. »

Il me foudroya du regard. Sans doute aurait-il continué sur sa lancée si des cliquetis ne s'étaient élevés juste derrière lui ; Tom Mason rangeait ses outils dans sa brouette. Scarsdale se redressa, le regard aussi dur que les stèles autour de lui.

« Je ne vous retiens pas, docteur Hunter. Bonne journée », ajouta-t-il d'un ton guindé avant de s'éloigner.

Bravo, tu as remarquablement géré la situation, pensai-je, désabusé, en poursuivant mon chemin. Je n'avais pas eu l'intention de transformer cet entretien en confrontation directe, mais Scarsdale faisait toujours ressortir ce qu'il y avait de plus mauvais en moi. Perdu dans mes pensées moroses, je ne vis la voiture qu'au moment où elle s'arrêta à ma hauteur.

« T'as l'air d'une poule face à un couteau. »

C'était Ben. Lunettes de soleil sur le nez, il avait posé un bras musclé sur l'encadrement de la vitre. Malgré sa carrosserie poussiéreuse, sa Land Rover toute neuve reléguait la mienne au rang de vulgaire antiquité.

« Désolé, j'avais la tête ailleurs.

— J'avais remarqué. Ce serait pas un coup du Grand Inquisiteur, par hasard ? lança-t-il en indiquant de la tête l'église derrière nous. Je t'ai vu en grande conversation avec lui. »

Je ne pus m'empêcher de rire.

« T'as deviné, Ben. »

Quand je lui eus relaté ma discussion avec le révérend, il secoua la tête.

« J'ignore quel Dieu il est censé vénérer, mais si notre bon vieux révérend est à Son image, je préfère pas Le rencontrer la nuit au coin d'un bois. T'aurais dû l'envoyer au diable.

— Ça lui aurait bien plu, c'est sûr.

— Apparemment, il t'en veut. T'es une menace pour lui.

— Pardon ?

— Réfléchis. Jusqu'à maintenant, c'était juste un prêtre en panne d'inspiration, suivi par une ridicule poignée de fidèles. Aujourd'hui, c'est la chance de sa vie, et toi, tu représentes un défi potentiel à son autorité. T'es médecin, instruit, tu viens d'une grande ville... Sans compter que t'es pas pratiquant !

— Je ne suis pas en compétition avec lui ! m'exclamai-je, exaspéré.

— Peu importe. Ce vieux con veut se faire passer pour la Voix de Manham. Si t'es pas avec lui, t'es contre lui.

— Comme si on n'avait pas assez de problèmes comme ça...

— Tu sais, rien de tel qu'un type vertueux pour foutre la merde. Au nom de l'intérêt général, évidemment. »

Je le regardai. Sa bonne humeur coutumière semblait l'avoir déserté.

« Ça va, Ben ?

— Mouais, je suis juste de mauvais poil, ce matin. Au cas où t'aurais pas remarqué...

— Tu t'es cogné la tête ? »

Une de ses tempes s'ornait d'une bosse éraflée, en partie masquée par ses lunettes de soleil. Machinalement, il y porta la main.

« Je me suis fait ça en cavalant après une saloperie de braconnier dans la réserve cette nuit. Quelqu'un a essayé de piller le nid de busard des roseaux que j'avais à l'œil. En voulant le poursuivre, je me suis cassé la gueule.

— Tu l'as attrapé, finalement ? »

L'air furieux, il me signifia que non.

« Mais je l'aurai, aucun doute. Je suis sûr que c'est cet enfoiré de Brenner. Je suis tombé sur sa bagnole garée dans le coin. Je l'ai guetté en vain, il s'est pas montré. Il devait se planquer quelque part en attendant que je me tire. » Il m'adressa un sourire crispé. « J'espère bien qu'il m'a vu, parce que j'ai dégonflé les pneus de sa bagnole.

— T'as pris un risque, là, non ?

— Ah ouais ? Et il va faire quoi, à ton avis ? Me dénoncer aux flics ? » Il ponctua ces mots d'un petit ricanement méprisant. « Tu vas au Lamb, ce soir ?

— Peut-être.

— Y a des chances pour que je te retrouve là-bas, alors. »

Il redémarra, laissant dans son sillage un nuage de gaz d'échappement qui se dissipa peu à peu. En rentrant chez moi, je repensai à ma conversation avec Ben. Il existait en effet un marché noir en plein essor pour les espèces menacées, en particulier les oiseaux. Et étant donné le rôle joué par les animaux dans le meurtre de Sally Palmer et l'enlèvement de Lyn Metcalf, il me paraissait nécessaire d'en informer la police. D'un autre côté, cette caractéristique des crimes n'ayant pas été rendue publique, je ne voyais pas comment en parler à Ben ; autrement dit, j'allais devoir manœuvrer derrière son dos en me chargeant moi-même d'avertir Mackenzie. Autant cette idée me rebutait, autant je me sentais tenu d'agir. L'expérience m'avait enseigné que parfois les détails les plus insignifiants à première vue peuvent se révéler essentiels.

Je ne le savais pas encore, mais ce constat allait se vérifier de la manière la plus inattendue.

15

Cette nuit-là, il y eut une autre victime. Mais cette fois, l'agresseur de Sally Palmer et de Lyn Metcalf n'était pas en cause. Du moins, pas directement. Non, le drame avait pour origine la défiance et l'hostilité qui régnaient désormais au village.

James Nolan, un de mes patients, habitait un minuscule cottage au fond d'une impasse derrière le garage. Employé dans une boutique du village voisin, c'était un homme discret dont la réserve dissimulait à la fois une grande gentillesse et une immense détresse. Célibataire à plus de cinquante ans, il pesait bien vingt-cinq kilos de trop, mais surtout, il était homosexuel, une situation dont il avait profondément honte. Dans un trou perdu comme Manham, où de tels penchants étaient contre nature, les possibilités d'aventures restaient limitées. Aussi, jeune homme, avait-il cherché un semblant de satisfaction dans les parcs publics et les toilettes des villes proches. Une fois, l'individu qu'il avait abordé s'était révélé être un flic en civil. L'humiliation cuisante éprouvée à la suite de cette rencontre avait duré bien plus longtemps que la condamnation avec sursis dont il avait écopé. Inévitablement, l'affaire était revenue aux oreilles des habitants de Manham. Déjà tourné en ridicule par la plupart d'entre eux, Nolan avait acquis une dimension beaucoup plus sinistre. Si la nature exacte de sa faute n'avait jamais été évoquée, sans doute parce que personne ne la connaissait, la rumeur avait toutefois suffi à le marginaliser. À la façon dont les petites communautés attribuent des rôles à ses membres, il était devenu l'intouchable du village, le croque-mitaine dont les enfants ne devaient pas s'approcher – une image que Nolan n'avait fait que renforcer en se retranchant un peu plus dans son isolement. Il longeait les rues tel un fantôme, ne demandant qu'à passer inaperçu. Et la population de Manham n'était que trop heureuse de l'exaucer, manifestant envers lui moins de tolérance que d'indifférence.

Jusqu'à maintenant.

En un sens, ce fut presque un soulagement pour lui quand l'attaque survint. Depuis la découverte du corps de Sally Palmer, il vivait dans la peur, sachant que la raison ne pesait pas lourd lorsqu'il s'agissait de désigner des boucs émissaires. Le soir, en rentrant du travail, il s'empressait de se calfeutrer chez lui en espérant que l'invisibilité continuerait de le protéger. Ce samedi-là, hélas, elle ne lui fut d'aucun secours.

Il était onze heures passées lorsque les premiers coups retentirent à sa porte. Il avait éteint le poste de télévision et s'apprêtait à aller se coucher. Ses rideaux étaient tirés, et durant quelques instants, il demeura assis dans son fauteuil en priant pour que les visiteurs s'en aillent. Ceux-ci, au contraire, s'acharnèrent. Ils étaient plusieurs, manifestement ivres, à hurler son nom en faisant entendre leurs gros rires. Puis les rires se muèrent en cris furieux, les coups à la porte redoublèrent de violence. Le battant tremblait et vibrait sous leurs assauts. Nolan regarda le téléphone, prêt à appeler la police. Mais au dernier moment, une vie entière à éviter d'attirer l'attention sur lui l'en dissuada. Et quand les intrus changèrent de tactique, menaçant de défoncer la porte s'il n'ouvrait pas, il fit ce qu'il avait toujours fait.

Il obéit.

La chaînette de sûreté était elle aussi censée le protéger. Comme tout le reste, cependant, elle s'avéra inutile. La porte céda, arrachée à ses gonds par la brutalité de l'offensive, expédiant Nolan dans le couloir alors que ses assaillants s'engouffraient chez lui.

Plus tard, il affirma qu'il n'en avait reconnu aucun ; il n'avait pas eu le temps de voir leurs visages. N'empêche, j'avais du mal à croire qu'il pût ignorer l'identité des attaquants – forcément des hommes qu'il avait déjà croisés, voire des jeunes dont les parents ou les grands-parents avaient grandi avec lui. Ils l'avaient roué de coups de poing et de coups de pied avant de saccager sa maison. Une fois le jeu de massacre terminé, ils s'en étaient de nouveau pris à leur victime, ne s'arrêtant qu'au moment où elle avait sombré dans l'inconscience. Peut-être un sursaut de lucidité les avait-il empêchés de la tuer, mais l'étendue de ses blessures était telle qu'ils avaient très bien pu la laisser pour morte.

Ils avaient déjà quitté les lieux depuis longtemps quand mon téléphone sonna. Je tâtonnai à la recherche du combiné et, encore embrumé par le sommeil, j'entendis une voix méconnaissable me chuchoter que quelqu'un était blessé. Alors que je tentais de rassembler mes esprits, mon interlocuteur me donna l'adresse puis raccrocha. Je contemplai le téléphone quelques secondes avant de réclamer une ambulance. Cet appel ne m'avait pas fait l'effet d'une mauvaise farce. De plus il valait mieux prévenir les secours immédiatement, car il leur faudrait du temps pour arriver.

Sur le trajet, je m'arrêtai au poste de commandement installé dans le village. Des agents s'y relayaient vingt-quatre heures sur vingt-quatre, et je craignais de me rendre sans escorte à l'adresse indiquée. Ce fut cependant une erreur. Comme ils n'avaient pas été prévenus de mon coup de fil aux urgences, je perdis un temps précieux à leur fournir des explications. Et lorsque, enfin, un policier accepta de m'accompagner, je regrettai de ne pas y être allé seul.

L'impasse où vivait Nolan était plongée dans l'obscurité. Nous repérâmes facilement son cottage, dont la porte d'entrée était grande ouverte. J'observai les habitations voisines en approchant. Il n'y avait aucun signe de vie à l'intérieur, et pourtant j'avais la nette impression d'être observé.

Nous découvrîmes le blessé gisant au milieu de sa maison dévastée. Je ne pus guère faire plus que le mettre en position latérale de sécurité en attendant l'ambulance. Il alternait les phases de conscience et d'inconscience, aussi continuai-je de lui parler jusqu'à l'arrivée des urgentistes. À un certain moment, quand il me parut relativement lucide, je lui demandai ce qui s'était passé. Il se borna à fermer les yeux sans répondre.

Lorsqu'on l'emmena sur une civière, l'un des policiers présents sur les lieux voulut savoir pourquoi c'était moi qu'on avait prévenu plutôt que les urgences. Je l'ignorais, prétendis-je en contemplant le reflet des gyrophares bleus sur les fenêtres voisines. Malgré l'agitation qui régnait dans l'impasse, personne n'était visible et personne n'était venu voir ce qui se passait. On nous regardait, pourtant, j'en avais la certitude. Tout comme on avait regardé – ou évité de regarder – les coups pleuvoir sur la porte, puis sur Nolan lui-même. La conscience d'un habitant s'était réveillée, mais pas suffisamment pour le pousser à intervenir, seul ou avec des renforts. Cette affaire-là concernait le village. En m'alertant moi, un quasi-étranger, mon interlocuteur avait opté pour un compromis. Il n'y aurait aucun témoin du drame, j'en étais certain, et l'auteur de l'appel ne se ferait jamais connaître. Le coup de fil avait été donné de l'unique cabine téléphonique du village, découvrirait-on plus tard, ce qui lui garantissait l'anonymat. Quand l'ambulance s'éloigna, je reportai mon attention sur les vitres aveugles et les portes closes. J'avais envie de hurler. Mais quoi, au juste ? Et dans quel but ?

En fin de compte, je rentrai chez moi pour essayer de dormir quelques heures.

Le lendemain matin, je me réveillai mal à l'aise et bougon. J'allai chercher le journal puis l'emportai dans le jardin avec ma tasse de café noir. Les gros titres du week-end concernaient un accident de train, la découverte d'un second corps à Manham n'ayant droit qu'à quelques lignes en pages intérieures. Dans la mesure où elle n'avait apparemment aucun rapport avec le meurtre de Sally Palmer, elle n'était relatée qu'à titre informatif, comme une simple coïncidence.

La veille, j'avais passé l'après-midi et une bonne partie de la soirée à examiner les restes du jeune homme, et s'il nous fallait encore attendre les résultats des tests sur l'adipocire recueillie dans les échantillons de terre pour obtenir une estimation plus précise du délai post mortem, je n'imaginais cependant aucune surprise. La bonne nouvelle, si je pouvais m'exprimer ainsi, c'était qu'il ne serait sans doute pas trop difficile de mettre un nom sur la victime. Ses dents, plombages compris, étaient intactes, ce qui nous laissait une chance d'obtenir une correspondance avec les dossiers dentaires. D'autre part, j'avais découvert une ancienne fracture du tibia gauche susceptible, même si l'os s'était ressoudé depuis longtemps, de nous aider à établir son identité.

Hormis ces détails, je n'avais pu que confirmer ce que j'avais déjà dit à Mackenzie : l'occupant de la sépulture était un jeune Blanc d'une vingtaine d'années dont le crâne avait été fracassé par un objet lourd et contondant – sans doute un maillet ou un gros marteau, vu la forme arrondie et en étoile des trous creusés dans l'os. Leur localisation et l'étendue des dommages occasionnés suggéraient qu'on l'avait frappé par-derrière. Au bout de tant d'années, je n'aurais pu affirmer qu'il était mort à la suite de ces coups, et pourtant, j'en étais presque sûr. De telles blessures avaient dû être instantanément fatales, et s'il n'existait aucun moyen de savoir ce qu'il avait pu subir avant, ses ossements ne révélaient pas d'autres signes de violence.

En tout cas, rien ne permettait de relier ce décès aux événements récents survenus à Manham. Notre assassin ciblait des femmes, pas des hommes, et bien que cette dernière victime n'eût pas encore été identifiée, je ne la croyais pas originaire du village. D'une part, la disparition d'un habitant de Manham n'aurait pu demeurer ignorée aussi longtemps, et surtout, ce meurtre ne présentait aucune similitude avec celui de Sally Palmer. Celle-ci n'avait pas été enterrée mais abandonnée en pleine campagne, et contrairement au jeune homme, elle avait eu les os du visage brisés, par colère ou pour la rendre méconnaissable. Dans le cas présent, le scénario le plus plausible voulait que l'assassin et le jeune homme fussent des étrangers ; après le décès, le corps avait été transporté dans la région pour mieux brouiller les pistes.

J'avais néanmoins passé plus de temps que nécessaire à vérifier l'état de ses cervicales. Peut-être parce qu'une semaine plus tôt, la principale caractéristique de Manham était sa tranquillité ; or aujourd'hui, on y déplorait deux meurtres, l'un récent et l'autre plus ancien, et un enlèvement. Dans ces conditions, il aurait été difficile de ne pas éprouver l'impression d'un drame approchant de son dénouement. Si le village commençait seulement à révéler ses secrets, qui sait ce que nous allions encore déterrer ?

Cette perspective n'avait décidément rien de réconfortant.

Je parcourus sans grand intérêt le reste du journal, puis le jetai sur la table et terminai mon café. Il était temps de prendre une douche et de me préparer pour mon déjeuner dominical chez Henry.

La pensée de ma sortie avec Jenny juste après me rendait à la fois nerveux et euphorique. Un peu honteux aussi, car je n'avais pas eu le temps d'en parler à Henry. Il ne verrait probablement aucune objection à nous prêter le dinghy, mais sans doute comptait-il sur ma compagnie dans l'après-midi, et j'avais des scrupules à l'abandonner ainsi. Peut-être aurais-je dû reporter l'un ou l'autre de ces rendez-vous ? Le problème, c'était que je n'avais pas plus envie de laisser tomber Henry que de renoncer à une promenade en bateau, d'autant que l'occasion ne se représenterait sans doute pas de sitôt.

Le bateau, hein ? me soufflait une petite voix moqueuse. *Ce n'est pas plutôt l'idée de revoir Jenny qui te motive ?* Peu désireux de réfléchir à la question, je me rendis à la salle de bains.

En arrivant à *Bank House*, je sentais poindre une migraine qui ne m'empêcha cependant pas d'apprécier l'appétissante odeur de rosbif s'échappant de la maison. Comme d'habitude, j'entrai sans frapper et appelai Henry.

« Ici ! » répondit-il.

Je me dirigeai vers la cuisine où régnait une chaleur suffocante malgré la porte ouverte donnant sur la pelouse abritée. Un verre vide à la main, Henry fouettait de l'autre une préparation pour Yorkshire pudding – peut-être pas le plat idéal par une belle journée d'été, mais pour ce qui était du déjeuner dominical, Henry ne dérogeait pas aux traditions.

« C'est presque prêt », m'informa-t-il. Il versa la pâte dans un plat à rôtir, faisant siffler et grésiller la graisse brûlante au fond. « Dès que ce machin-là sera cuit, on pourra passer à table.

— Je peux faire quelque chose ?

— Servez-nous donc à boire. J'ai déjà attaqué une vulgaire piquette, sinon j'ai ouvert une bonne bouteille pour l'aérer. Elle devrait être chambrée, maintenant. À moins que vous ne préfériez une bière ?

— Non, du vin, c'est parfait. »

Déjà, il avançait vers le four. Il ouvrit la porte, se voûtant légèrement pour éviter une bouffée d'air brûlant, puis glissa le plat à l'intérieur. Il ne cuisinait pas souvent, laissant en général Janice s'occuper des repas, mais quand il se mettait aux fourneaux, j'étais toujours impressionné par son adresse. À sa place, comment m'en serais-je sorti ? me demandais-je invariablement. Cela dit, il n'avait guère eu le choix. Et de toute façon, Henry n'était pas homme à baisser les bras devant la difficulté.

« Voilà, dit-il en claquant la porte. Encore vingt minutes et on pourra s'y mettre. Alors, mon vieux, il arrive ce pinard ?

— Tout de suite. » J'ouvris un tiroir. « Vous n'auriez pas de l'aspirine, par hasard ? J'ai mal à la tête.

— S'il n'y a rien ici, allez jeter un coup d'œil dans la réserve. »

Comme le tiroir ne contenait qu'un paquet vide de paracétamol, je m'engageai dans le couloir jusqu'au bureau de Henry, dont il avait également fait son cabinet depuis que je m'étais installé dans l'ancien. Nous y entreposions les médicaments ainsi que diverses affaires lui appartenant. Il avait en effet gardé toutes sortes de poudres, de flacons et d'instruments médicaux légués par son prédécesseur. Leur possession enfreignait sans doute un certain nombre de réglementations, mais il n'était pas homme à se préoccuper de paperasserie et de tracasseries administratives.

Sa collection prenait la poussière dans une vitrine victorienne dont l'élégance contrastait avec la laideur de la réserve et du petit réfrigérateur où nous rangions les vaccins. Ces deux meubles métalliques paraissaient totalement déplacés dans un décor tout de bois et de cuir, et ce, malgré les efforts de Henry pour les camoufler parmi de nombreuses photographies encadrées

215

– dont l'une, prise l'année précédente, nous montrait tous les deux à bord du dinghy. Sur la plupart des autres, on le voyait en compagnie de sa femme, Diana. Celle de leur mariage trônait en bonne place sur la réserve. Tous deux formaient un très beau couple – jeunes, souriants, inconscients du destin qui les attendait.

Machinalement, je jetai un coup d'œil aux béquilles poussiéreuses reléguées dans un coin près de la table de travail. Quand j'étais arrivé à Manham, Henry essayait encore de s'en servir, et parfois, je l'entendais grogner sous l'effort requis pour faire quelques pas. « Je vais prouver à ces imbéciles qu'ils ont tort », répétait-il à l'époque. Malheureusement, il n'y était jamais parvenu, et peu à peu, il avait renoncé à ses tentatives.

Délaissant ces témoignages d'une condition humaine bien fragile, je déverrouillai la réserve. Après avoir déniché parmi les boîtes des comprimés de paracétamol, je refermai l'armoire à clé et retournai à la cuisine.

« C'est pas trop tôt, marmonna Henry en me voyant entrer. Dépêchez-vous de nous servir ce fichu vin. Ça donne soif, ce genre de préparatifs ! » Il s'éventa en s'approchant de la porte ouverte. « Si on allait prendre l'air ?

— On déjeune dehors ?

— Ne dites pas n'importe quoi ! Et apportez donc la bouteille. Le bordeaux, hein, pas la piquette... »

J'avalai mes comprimés avec un peu d'eau, puis me conformai à ses instructions. Le jardin était bien entretenu sans être tiré au cordeau. Henry, autrefois passionné de jardinage, souffrait de ne plus pouvoir s'en occuper. Nous nous dirigeâmes vers le vieux salon de jardin en fer forgé disposé à l'ombre d'un cytise. Le lac scintillait derrière la clôture, créant l'illusion de la fraîcheur. Je remplis nos verres.

« À la vôtre, dis-je en levant le mien.

— Santé », répondit-il. Il fit tourner dans son verre le liquide couleur rubis qu'il huma ensuite d'un air critique. Enfin, il y trempa les lèvres. « Mmm, pas mauvais.

— Vous l'avez acheté au supermarché ?

— Peuh, espèce de philistin. » Il en avala une nouvelle gorgée, qu'il prit le temps de savourer avant de reposer son verre. « Bon, trêve de plaisanteries. Venez-en au fait, David : ce dîner, l'autre soir, c'était comment ?

— On a fait un barbecue dans le jardin. Tout pour vous plaire, quoi !

— Bah, manger dehors, c'est acceptable un vendredi soir. Le déjeuner dominical, lui, exige un certain cérémonial. Et je vous signale que vous n'avez pas répondu à ma question.

— C'était très agréable, merci. »

Il haussa un sourcil.

« C'est tout ?

— Que voulez-vous que je vous dise ? J'ai passé un bon moment.

— Tiens donc ! Vous ne me feriez pas des cachotteries, par hasard ? » Il se fendit d'un grand sourire. « Il va falloir que je vous tire les vers du nez, c'est évident. Et si on prenait le dinghy, cet après-midi ? Vous pourriez tout me raconter. Il n'y a pas beaucoup de vent, mais peu importe ; ramer, c'est excellent pour la digestion. »

À ces mots, je sentis une rougeur coupable envahir mes joues.

«Bien sûr, si vous n'en avez pas envie, je comprendrai, reprit Henry, dont le sourire s'évanouissait déjà.

— Non, ce n'est pas ça. C'est juste que... À vrai dire, j'avais proposé à Jenny de l'emmener faire du bateau.

— Oh, murmura-t-il, manifestement surpris.

— Désolé, j'aurais dû vous prévenir plus tôt. »

Mais déjà, il s'était ressaisi et dissimulait sa déception derrière une façade enjouée.

«Ne vous excusez pas, David. Je suis très heureux pour vous.

— Je peux toujours... »

Il balaya la phrase d'un geste.

«Pas question. Par une journée pareille, vous serez mieux en compagnie d'une jolie fille que d'un vieux schnock comme moi.

— Vous ne m'en voulez pas, vous êtes sûr ?

— On n'aura qu'à remettre ça à une prochaine fois. Je suis tellement content que vous ayez enfin rencontré quelqu'un qui vous plaise.

— Nous n'en sommes pas là...

— Allons, David, il est grand temps que vous pensiez à vous amuser un peu. Inutile de vous justifier.

— Pas du tout, je voulais seulement... »

Je m'interrompis, à court de mots.

«Laissez-moi deviner, reprit Henry, qui avait recouvré son sérieux. Vous vous sentez coupable, c'est ça ?»

Je hochai la tête.

«Ça fait quoi ? Trois ans ?

— Presque quatre, rectifiai-je.

— Pour moi, ça en fera bientôt cinq. Et vous savez quoi ? Eh bien, c'est rudement long. On ne peut pas ressusciter les morts, alors autant essayer de profiter de la vie. Quand Diana est partie... Bref, je n'ai pas besoin de vous expliquer ce qu'on ressent. » Il partit d'un petit rire. « Je n'arrivais pas à comprendre pourquoi j'avais survécu et pas elle. À vrai dire, longtemps après l'accident... »

Il se tut soudain, le regard fixé sur le lac.

« Enfin, c'est une autre histoire. » Il tendit la main vers son verre. « Pour changer de sujet, j'ai entendu dire qu'il y avait eu du grabuge, hier soir. »

Henry n'ignorait pas grand-chose de ce qui se passait au village.

« Si on veut, oui. Certains des voisins de James Nolan lui ont rendu visite.

— Comment va-t-il ?

— Pas très bien. » J'avais appelé l'hôpital avant de venir. « Il a reçu une sacrée raclée. Il va rester en observation pendant encore une semaine ou deux.

— Et personne n'a rien vu, j'imagine.

— Apparemment pas. »

Ses épais sourcils se rejoignirent lorsqu'il esquissa une grimace de dégoût.

« Tous des bêtes, bougonna-t-il. Des foutus bestiaux ! Cela dit, je ne suis pas vraiment surpris. Si j'ai bien compris, vous avez eu les honneurs de la rumeur, vous aussi ? »

J'aurais dû me douter qu'il était au courant.

« Au moins, je n'ai pas été tabassé.

— À votre place, David, je ne me réjouirais pas trop vite. Je vous ai prévenu de ce qui risquait d'arriver. Vous avez beau être le docteur de Manham, vous n'aurez pas droit pour autant à un traitement de faveur. »

Son humeur s'assombrissait à vue d'œil.

« Voyons, Henry...

— Faites-moi confiance, je connais cet endroit

mieux que vous. À la première occasion, les gens d'ici se retourneront contre vous comme ils se sont retournés contre Nolan. Et peu importe que vous leur ayez rendu service. La gratitude ? Oh non, pas ici, dans ce foutu trou à rats ! » Emporté par la colère, il avala une gorgée de vin sans même la savourer. « Parfois, j'en viens à me demander pourquoi on se donne autant de mal.

— Vous ne le pensez pas.

— Ah non ? » En le voyant contempler son verre d'un air morose, je me demandai combien il en avait ingurgité avant mon arrivée. « Non, peut-être pas. N'empêche, il y a tout de même des moments où je m'interroge. Franchement, qu'est-ce qu'on fabrique ici, vous et moi ? Quel est le sens de tout ça ?

— Nous sommes médecins, Henry. Quel autre sens voulez-vous chercher ?

— Je sais, je sais, répliqua-t-il, exaspéré. Mais entre nous, qu'est-ce qu'on leur apporte ? Sincèrement, David, vous n'avez jamais l'impression de perdre votre temps ? De prolonger les jours d'un vieux débris juste pour le principe ? Au fond, on ne fait que retarder l'inévitable. »

Inquiet, je l'observai plus attentivement. Il paraissait fatigué, et pour la première fois, je fus frappé par les signes de vieillesse sur son visage.

« Henry ? Ça va ? »

La question lui arracha un petit rire désabusé.

« Bah, n'écoutez pas ce que je raconte. Je me sens d'humeur cynique, aujourd'hui. Un peu plus que d'habitude, disons. » Il attrapa la bouteille de bordeaux. « Peut-être que toute cette histoire commence à m'affecter moi aussi. Allez, on s'en reprend un, et après, vous me parlerez de vos mystérieuses occupations. »

Autant j'avais redouté ce moment, autant j'étais soulagé à présent de pouvoir orienter la conversation vers une autre voie. Henry m'écouta, d'abord perplexe lorsque je lui avouai la vérité sur ma carrière avant mon arrivée à Manham, puis incrédule lorsque je lui expliquai en quoi consistait ma collaboration avec Mackenzie.

À la fin de mon récit, il secoua lentement la tête.

« Eh bien, comme on dit, il faut se méfier de l'eau qui dort...

— Désolé. Je sais que j'aurais dû vous mettre au courant plus tôt, mais jusqu'à la semaine dernière, je croyais vraiment que tout ça était derrière moi.

— Vous n'avez pas à vous excuser. »

Pourtant, je voyais bien qu'il était ébranlé. Il m'avait accordé une chance à un moment où j'étais au plus bas, pour découvrir aujourd'hui que je ne m'étais pas montré honnête envers lui. Durant tout ce temps, je lui avais laissé croire que mon expérience d'anthropologue n'était pas sortie du cadre de l'université. Même s'il ne s'agissait pas réellement d'un mensonge, j'avais mal récompensé sa confiance.

« Si vous souhaitez ma démission, je vous la donnerai, dis-je.

— Hein ? Ne soyez pas ridicule ! » Il me regarda droit dans les yeux. « À moins que vous n'ayez plus envie de travailler ici ?

— Non, ce n'est pas ça. Au début, je ne voulais même pas m'impliquer dans cette affaire. Je n'ai pas délibérément cherché à vous cacher mes activités, c'est juste que je préférais ne pas y penser.

— Je peux comprendre. En attendant, je suis un peu surpris, c'est tout. J'étais loin de me douter que votre carrière avait été si... exceptionnelle. » Il observa le lac d'un air pensif. « Je vous envie, David. Pour ma part, j'ai toujours regretté de ne pas m'être spécialisé en psychologie. J'avais de l'ambition, autrefois. Mais je ne suis pas allé au bout de mes rêves. Trop d'années d'études... Le plus important pour moi, c'était d'épouser Diana, et devenir généraliste me permettait de gagner ma vie tout de suite. Il n'empêche que psychologue, ça me paraissait plus glamour à l'époque.

— Il n'y a rien de glamour dans ce que je fais.

— D'excitant, alors... » Il me coula un regard entendu. « Et surtout, ne venez pas me dire le contraire ! Je vous ai vu changer ces derniers jours, et ce, avant même le barbecue. » Il gloussa en sortant sa pipe de sa poche. « En tout cas, quelle semaine ! À propos, on sait qui est le deuxième cadavre ?

— Pas encore. Avec un peu de chance, les archives dentaires nous permettront de l'identifier. »

Henry secoua la tête en bourrant sa pipe.

« On vit dans un coin tranquille pendant des années, et tout à coup... » Au prix d'un effort visible, il chassa ses idées noires. « Bon, j'aurais intérêt à aller voir où en est le déjeuner. Les choses vont déjà assez mal comme ça sans qu'en plus on soit obligés de manger du pudding brûlé ! »

Par la suite, nous nous en tînmes à des sujets de conversation plus légers. Pourtant, en fin de repas, Henry semblait épuisé. Sans doute parce qu'il avait assumé la plus grande partie de ma charge de travail ces derniers jours, me rappelai-je. Je proposai de faire la vaisselle, mais il ne voulut rien entendre.

« Je vais bien, je vous assure, s'obstina-t-il. Quoi qu'il en soit, presque tous les plats passent au lave-vaisselle. Je préférerais que vous alliez vite rejoindre votre amie.

— Oh, j'ai encore le temps...

— Écoutez, David, si vous insistez pour la faire, j'insisterai pareillement. Et je n'ai qu'une envie pour le moment : finir le vin et peut-être m'accorder une sieste. »

Il affecta un air sévère.

« Alors, vous tenez vraiment à me gâcher mon dimanche après-midi ? »

J'avais prévu de retrouver Jenny au Lamb, car pour moi c'était un territoire neutre, alors qu'aller la chercher chez elle me paraissait beaucoup plus compromettant, comme si nous avions eu un rendez-vous en bonne et due forme. J'essayais toujours de me convaincre que nous allions juste faire du bateau ; rien à voir avec une invitation à dîner où l'on doit déployer toutes sortes de stratégies de séduction, où l'on risque d'envoyer ou de recevoir les mauvais signaux. Non, c'était une sortie tout à fait innocente.

Sauf que mon impatience grandissante m'affirmait le contraire.

J'avais pris soin de ne pas trop boire au déjeuner, et même si j'avais envie d'un breuvage plus corsé, je décidai de m'en tenir au jus d'orange. Quelques hochements de tête saluèrent mon entrée au pub. Ils n'exprimaient rien de particulier, me sembla-t-il, mais je fus soulagé de voir que Carl Brenner n'était pas là.

J'emportai mon verre dehors et m'appuyai contre le muret de pierre devant l'établissement. Sous l'effet de la nervosité, j'avalai mon jus d'orange presque d'un trait. Puis, me rendant compte que je consultais ma montre toutes les deux ou trois minutes, je m'obligeai à reporter mon attention sur la route où, quelques secondes plus tard, apparut une voiture. C'était une vieille Mini, et il ne me fallut pas longtemps pour reconnaître Jenny au volant. Quand elle en descendit, sa seule vue suffit à améliorer considérablement mon humeur. *Hé, qu'est-ce qui t'arrive, mon vieux ?* me demandai-je. Puis elle s'approcha de moi et toutes mes interrogations furent balayées.

« J'avais la flemme de marcher », dit-elle avec un sourire en remontant ses lunettes noires sur son front. Je savais cependant que, comme beaucoup de femmes, elle préférait ne plus sortir seule à pied. Ce jour-là, elle portait un short et un T-shirt bleu sans manches – une tenue rehaussée d'une touche de parfum à peine perceptible. « Vous ne m'avez pas attendu trop longtemps, au moins ?

— Je viens d'arriver. » Lorsqu'elle jeta un coup d'œil à mon verre vide, je haussai les épaules, embarrassé. « J'avais soif. Vous buvez quelque chose ?

— Oh, je ne suis pas contrariante. »

Je sentais naître entre nous cette tension qui amène chaque phrase à sonner faux. *Décide-toi, et vite*, me dis-je, conscient que ces instants cruciaux donneraient le ton de l'après-midi.

« Pourquoi on ne commanderait pas une bouteille à emporter ? » suggérai-je, m'étonnant moi-même.

En voyant son sourire s'élargir, je compris que j'avais fait le bon choix.

« Super. »

Jenny patienta dehors pendant que je retournais au pub acheter du vin. J'essayai d'ignorer les regards intrigués quand je demandai à emprunter des verres et un tire-bouchon en me reprochant de ne pas y avoir pensé plus tôt. En même temps, je savais bien ce qui m'avait retenu : j'avais évité tout ce qui pouvait évoquer autre chose qu'une simple sortie en plein air. Et manifestement, Jenny avait fait de même.

«Une minute», dit-elle au moment où je ressortais, avant de disparaître à son tour à l'intérieur du Lamb. Quelques instants plus tard, elle rapporta des paquets de chips et de cacahouètes. «Pour les petits creux», précisa-t-elle.

Par la suite, la tension se dissipa entre nous. Nous laissâmes sa voiture sur la place et marchâmes vers le lac. Nous aurions pu traverser le jardin de *Bank House* jusqu'au ponton, mais pour ne pas déranger Henry, nous suivîmes un sentier peu fréquenté qui contournait la maison. Le dinghy était immobile sur l'eau étale. Il n'y avait pas le moindre souffle de vent lorsque nous grimpâmes à bord.

«À mon avis, ce n'est pas aujourd'hui qu'on hissera la voile, lançai-je.

— Bah, ça ne fait rien. Ce sera tout de même bien agréable de naviguer.»

Sans me soucier de la voile, je m'emparai des rames et m'éloignai sur le lac dont l'étendue miroitante écorchait les yeux. Seul le clapotis régulier des pagaies troublait le silence. Jenny était assise en face de moi, et de temps à autre nos genoux s'effleuraient, mais aucun de nous ne changea de position. Une de ses mains flottait mollement à la surface, faisant naître de légers remous dans son sillage.

À l'approche de la rive opposée, les eaux de Manham Water devenaient moins profondes, et en certains endroits, d'épaisses touffes de joncs couleur paille formaient des remparts infranchissables. Une sorte de langue de terre en émergeait, dont les berges se dissimulaient sous les branches enchevêtrées de vieux saules pleureurs. Je laissai le bateau dériver vers l'un de ces arbres, puis l'amarrai au tronc. Au-dessus de nous, le soleil jouant dans les feuillages les rendait d'un vert translucide.

« C'est magnifique ! s'exclama Jenny.

— On va se promener ? »

Elle hésita.

« Je ne voudrais pas passer pour une poule mouillée, mais vous croyez que c'est prudent ? Je veux dire, avec les pièges et tout...

— J'ai du mal à imaginer que quelqu'un en ait posé par ici. Comme personne ne vient plus dans ce coin, ce serait se donner beaucoup de mal pour rien. »

Une fois la bouteille mise à rafraîchir dans l'eau, nous entreprîmes d'explorer les environs. Il n'y avait cependant pas grand-chose à voir sur cette avancée sinon une profusion de joncs, de rochers et d'arbres. Au milieu se dressaient les ruines d'un minuscule bâtiment privé de toit et envahi par la végétation.

« À votre avis, c'était une maison ? » s'enquit Jenny en se baissant pour passer sous le linteau de pierre.

Des feuilles mortes crissaient sous nos pas. Malgré la chaleur, les lieux dégageaient une odeur d'humidité et de moisi.

« Possible, répondis-je. Autrefois, tout ce terrain appartenait à Manham Hall, une grande propriété. C'était peut-être une dépendance, quelque chose comme ça.

— Je ne savais pas qu'il y avait un manoir par ici.

— Il n'existe plus. Il a été démoli juste après la Seconde Guerre mondiale.»

Elle laissa courir sa main sur la mousse recouvrant le manteau d'une vieille cheminée.

«Quand on visite les endroits de ce genre, on se demande toujours qui pouvait bien les habiter, pas vrai ? À quoi ressemblaient ces gens, comment était leur vie...

— Difficile, sans doute.

— D'accord, mais est-ce qu'ils le pensaient ou est-ce que pour eux, c'était normal ? Dans quelques centaines d'années, par exemple, quand les gens découvriront les vestiges de nos maisons, est-ce qu'ils se diront : "Les pauvres ! Comment faisaient-ils pour s'en sortir ?"

— C'est probable. On réagit tous de la même façon.

— En fait, je voulais devenir archéologue, avoua-t-elle. Avant d'opter pour l'enseignement, bien sûr. Toutes ces existences passées dont on n'a pas connaissance... Et chacun s'imaginant que la sienne est la plus importante, exactement comme nous...» Elle frémit, puis ébaucha un sourire. «Ça me donne des frissons. Et en même temps, ça continue à me fasciner.»

Avait-elle découvert par je ne sais trop quel moyen ma propre expérience avec les existences passées ? me demandai-je. Non, son discours ne paraissait pas calculé.

«Qu'est-ce qui vous en a empêchée, Jenny ? De devenir archéologue, je veux dire ?

— Je ne devais pas être assez motivée, finalement. Alors je me suis retrouvée dans une salle de classe. Attention, ne vous y trompez pas, j'adore mon métier ! Mais parfois, on se dit : "Et si..."

— Vous pourriez suivre une formation.

— Non, répondit-elle en caressant toujours le manteau de la cheminée. Aujourd'hui, je ne suis plus la même. »

Cette remarque m'étonna.

« Comment ça ?

— Oh, eh bien, le destin nous offre certaines chances à certains moments. Vous savez, quand vous arrivez à un carrefour décisif, un truc comme ça... Vous prenez une décision, vous vous engagez dans une voie ; si vous aviez pris l'autre, elle vous aurait conduit ailleurs. » Elle haussa les épaules. « L'archéologie faisait partie de ces voies que je n'ai pas choisies.

— Vous ne croyez pas aux secondes chances ?

— À d'autres chances, plutôt. De toute façon, votre vie ne sera jamais celle qu'elle aurait été si vous aviez pris une décision différente la première fois. » Son expression s'était assombrie. Elle retira sa main, soudain embarrassée. « Oh, bon sang, qu'est-ce que je raconte, moi... Désolée, ajouta-t-elle avec un petit rire.

— Vous n'avez pas à vous excuser », murmurai-je, mais déjà, elle se baissait pour franchir le seuil.

Je lui emboîtai le pas en veillant à lui ménager la possibilité de chasser ses idées noires. Sous son casque de cheveux blonds, sa nuque joliment hâlée paraissait satinée. Les fins poils clairs courant sur son cou disparaissaient sous son haut. Je dus résister à l'envie de les caresser, et pour éviter la tentation, je me forçai à baisser les yeux.

Quand Jenny se retourna, elle avait recouvré toute sa gaieté.

« Vous croyez que le vin sera assez frais ? lança-t-elle.

— Il n'y a qu'un moyen de le savoir. »

228

Parvenus près du bateau, nous récupérâmes la bouteille.

«Vous pouvez en boire, Jenny? Parce que j'ai aussi acheté de l'eau, si vous voulez.

— Non, le vin sera parfait, merci. J'ai eu ma piqûre d'insuline ce matin, un verre ne peut pas me faire de mal.» Elle sourit. «Sans compter qu'un médecin m'accompagne!»

Nous trinquâmes sur la terre ferme à l'ombre des saules. Nous avions à peine échangé deux mots depuis la visite de l'édifice en ruine, mais le silence entre nous n'avait rien de désagréable.

«La ville vous manque, parfois? s'enquit-elle enfin.

— Difficile à dire. J'en regrette certains aspects, c'est vrai. Moins les bars et les restaurants que l'effervescence tout autour. En même temps, je me suis habitué à la campagne. Au fond, c'est avant tout une question de changement de rythme.

— Vous pensez repartir un jour?»

Après m'avoir dévisagé un instant, elle contempla le lac.

«Aucune idée», avouai-je.

Machinalement, elle arracha un brin d'herbe.

«Qu'est-ce que Tina vous a raconté, l'autre soir?

— Pas grand-chose, répondis-je. Juste que vous aviez eu une mauvaise expérience, sans préciser laquelle.»

Jenny sourit.

«Cette bonne vieille Tina», dit-elle d'un ton désabusé où ne perçait cependant aucune rancœur.

Je patientai, la laissant libre de se confier ou pas.

«J'ai été agressée, me révéla-t-elle quelques instants plus tard, concentrée sur son brin d'herbe. Ça fait maintenant dix-huit mois. Ce soir-là, j'étais sortie avec des copains et j'ai pris un taxi pour rentrer. Par prudence. Vous savez ce qu'on dit, les rues ne sont pas sûres, et tout et tout... Bref, on avait fêté un anniversaire et j'avais un peu trop bu. Je me suis endormie dans la voiture, mais quand j'ai rouvert les yeux, le chauffeur s'était arrêté et grimpait déjà sur la banquette arrière. Alors je me suis débattue et il m'a frappée en menaçant de me tuer. Après, il...»

Sa voix tremblait. Elle s'interrompit le temps de se ressaisir.

«Il n'est pas allé jusqu'à me violer. Tout à coup, j'ai entendu des gens dehors. Il s'était garé dans un parking désert que ce groupe traversait pour éviter de faire un détour. Un pur hasard. Je me suis mise à hurler, à donner des coups de pied dans la vitre... Le chauffeur a paniqué, il m'a poussée dehors et il a démarré sur les chapeaux de roue. Les flics m'ont dit que j'avais eu beaucoup de chance. C'est vrai, je m'en suis tirée avec seulement quelques bleus et des égratignures. Ç'aurait pu être bien plus grave, évidemment. Pourtant, il ne me semblait pas avoir eu de la chance ; j'étais terrifiée.

— Ils l'ont coincé ?»

Jenny fit non de la tête.

«Je n'ai pas été capable de leur fournir une description précise de mon agresseur, et il s'est enfui avant que quelqu'un ait pu relever son numéro d'immatriculation. Je ne connaissais même pas le nom de la compagnie de taxis vu que je l'avais hélé dans la rue. Donc, il est toujours en train de rôder là-bas...»

Elle jeta le brin d'herbe dans le lac, où il flotta à la surface sans la rider.

«J'en suis arrivée au point où je n'osais plus mettre

le nez dehors, poursuivit-elle. Je ne craignais pas spécialement de tomber sur lui, j'avais juste peur de... de tout, en fait. Puisqu'on m'avait déjà attaquée une fois sans raison, ça pouvait très bien recommencer. N'importe quand. En désespoir de cause, j'ai décidé de quitter la ville pour m'installer dans un petit coin tranquille, à l'abri du danger. Après, j'ai vu l'annonce pour ce poste, et voilà comment je me suis retrouvée ici...» Elle me gratifia d'un sourire de guingois. «Une sacrée bonne idée, hein?

— Je suis heureux que vous soyez là.»

J'avais parlé sans réfléchir et je m'empressai de reporter mon attention sur le lac. *Imbécile!* fulminai-je. *Qu'est-ce qui t'a pris de dire un truc pareil?*

Durant quelques instants, aucun de nous ne souffla mot. Enfin, je me tournai vers elle, pour découvrir ses yeux fixés sur moi.

«Une chips?» proposa-t-elle en esquissant un sourire timide.

La gêne entre nous se dissipa aussitôt. Soulagé, je saisis la bouteille de vin.

Au cours des jours suivants, j'en viendrais à considérer cet après-midi comme l'un des derniers moments de calme avant la tempête.

16

La semaine suivante, le village fut plongé dans les limbes. Née de l'attente morose d'un nouveau rebondissement, une tension sourde imprégnait l'atmosphère tel de l'ozone.

Pourtant, rien ne se produisit.

L'humeur générale s'accordait au paysage, morne et engourdi. Le temps se maintenait au beau fixe, sans aucune trace de nuages à l'horizon. L'enquête piétinait, faute de pistes concernant le suspect ou la victime, et les rues résonnaient des cris joyeux d'écoliers célébrant le début de leurs longues vacances d'été. Je repris mes horaires habituels au cabinet, et si un nombre croissant de patients demandait à voir Henry ou si une certaine réserve se manifestait chez ceux que je recevais, je feignis de ne pas le remarquer. J'avais opté pour cette vie-là et fait de Manham mon foyer, pour le meilleur et pour le pire. Tôt ou tard, tous ces événements seraient derrière nous et les choses recouvreraient un semblant de normalité.

Je tentais du moins de m'en convaincre.

Jenny et moi nous retrouvâmes régulièrement les jours suivants. Un soir, nous allâmes dîner dans un restaurant à Horning où les tables étaient garnies de nappes en lin et de bougies, et où la carte des vins ne se réduisait pas à un simple choix entre blanc et rouge.

Nous venions de nous rencontrer, et pourtant, nous avions déjà l'impression de nous connaître depuis des années. Peut-être à cause de ce que nous avions traversé l'un et l'autre : nous avions tous les deux découvert un aspect de l'existence qui demeurait un territoire inconnu pour la plupart de nos semblables ; nous avions aussi mesuré à quel point la frontière entre le quotidien et la tragédie est ténue. Cette expérience nous liait tel un langage intime, informulé mais néanmoins présent. Il m'avait paru naturel de lui parler de mon histoire, de Kara et d'Alice, de mon travail d'expert médico-légal pour Mackenzie. Elle m'écouta sans m'interrompre, se contentant de me presser la main à la fin de mon récit.

« Vous avez fait ce qu'il fallait », conclut-elle en laissant ses doigts s'attarder encore quelques instants sur les miens avant de retirer prestement sa main.

Par la suite, le plus naturellement du monde, nous changeâmes de sujet.

Sur le trajet du retour, pourtant, un sentiment de malaise s'installa entre nous. Jenny se repliait de plus en plus sur elle-même à mesure que nous approchions de Manham. La conversation fluide jusque-là devint forcée, puis se tarit.

« Ça va ? m'enquis-je en me garant devant chez elle.

— Oui, oui, répondit-elle un peu trop vite. Eh bien, bonne nuit », lança-t-elle en ouvrant la portière.

Au moment de descendre, cependant, elle hésita.

« Écoutez, David, je suis désolée, mais je... je ne veux rien bousculer. »

Je hochai la tête.

« Enfin, je veux dire... Ce n'est pas que je ne veuille pas... » Elle prit une profonde inspiration. « Pas tout de suite, d'accord ? » Elle me gratifia d'un sourire hésitant. « Pas encore. »

Sans m'accorder le temps de répondre, elle se pencha vers moi et m'effleura les lèvres d'un léger baiser avant de se ruer dans la maison. Son brusque départ me laissa désemparé, à la fois fébrile et bourrelé de remords.

Ses paroles se gravèrent dans mon esprit pour une autre raison. *Pas encore.* C'était la réponse donnée par Linda Yates quand je lui avais demandé si elle avait rêvé de Lyn. Je la croisai de nouveau un après-midi lors de cette période d'accalmie durant laquelle tout le village semblait retenir son souffle. Elle se hâtait dans la rue principale, l'air soucieux, et elle ne m'aperçut qu'au moment de me croiser. Aussitôt, elle se figea.

« Bonjour, Linda. Alors, comment vont les garçons ?

— Bien, bien. » Je m'apprêtais à poursuivre mon chemin quand elle me rappela : « Docteur Hunter... »

Je patientai. Elle balaya du regard les alentours pour s'assurer que personne ne nous écoutait.

« Vous... vous aidez toujours la police ? Comme vous me l'avez raconté l'autre jour ?

— Ça m'arrive.

— Ils ont découvert quelque chose ?

— Vous savez bien que je ne peux pas en parler, Linda.

— Mais ils ne l'ont pas encore retrouvée ? Lyn, je veux dire. »

Ce n'était pas la curiosité qui la motivait. Son anxiété était presque palpable.

« À ma connaissance, non. »

Elle inclina la tête sans paraître rassurée pour autant.

«Pourquoi ? la pressai-je, même si je commençais à avoir une vague idée de la réponse.

— Oh, rien. Je me posais la question, c'est tout», marmonna-t-elle avant de filer.

Troublé, je la suivis des yeux tandis qu'elle s'éloignait. J'avais l'impression dérangeante qu'elle cherchait moins des nouvelles qu'une confirmation. Et ce, probablement pour une bonne raison : tout comme Sally Palmer, Lyn Metcalf avait fait irruption dans ses rêves.

Pourtant, je chassai rapidement cette idée. Je vivais à Manham depuis trop longtemps si je commençais à croire aux prémonitions ou à attacher de l'importance aux songes – les siens comme les miens. Il était d'autant plus facile pour moi d'ignorer le problème que mon sommeil n'avait pas été perturbé ces derniers temps, et que je me réveillais le matin en pensant à Jenny et à l'avenir. Il me semblait remonter enfin à la surface après un long séjour sous terre. C'était peut-être égoïste de ma part, mais en dépit des drames récents, je me sentais porté à l'optimisme.

Et puis, en milieu de semaine, la nouvelle tira le village de son inertie. Les empreintes dentaires du jeune homme retrouvé enseveli correspondaient à celles d'Alan Radcliff, vingt et un ans, étudiant en écologie originaire du Kent, disparu cinq ans plus tôt. Il séjournait alors dans la région de Manham pour étudier l'environnement, et à un certain moment, il avait fini par s'y intégrer définitivement. Lorsque sa photo fut publiée, quelques habitants se souvinrent même de lui : un garçon séduisant au sourire avenant. Durant les quelques semaines où il avait campé dans les marécages, il était devenu un visage familier au village, illuminant les journées des adolescentes avant de partir brusquement.

Sauf qu'il n'était allé nulle part.

La communauté de Manham ne fit pratiquement aucun commentaire sur ce nouveau coup du sort. Maintenant que l'on connaissait l'identité de la victime et son lien avec la région, personne n'avait besoin de souligner l'évidence : en aucun cas il ne pouvait s'agir d'une coïncidence ; le village n'avait plus la possibilité de prendre ses distances avec les fantômes du passé.

Après tout ce qui s'était déjà produit, ce choc inattendu avait de quoi anéantir la population. Or, il fut presque immédiatement suivi d'un autre encore plus terrible.

Je venais d'entamer mes consultations de l'après-midi lorsque Mackenzie me téléphona. Je m'étais déjà entretenu avec lui la veille, quand il m'avait appris l'identité du jeune homme, et je supposai d'emblée qu'il me rappelait à ce sujet – ce qui montrait bien à quel point j'avais baissé ma garde. Même lorsqu'il demanda à me voir au plus vite, je ne fis pas le rapprochement.

« J'ai des rendez-vous, dis-je en rédigeant une ordonnance, le combiné coincé entre l'épaule et l'oreille. Ça ne peut pas attendre ?

— Non ! répliqua-t-il avec une telle brusquerie que je cessai d'écrire. J'ai besoin de vous, docteur Hunter. Le plus vite possible », ajouta-t-il, comme pour faire une concession à la courtoisie.

Mais de toute évidence, la politesse ne comptait pas parmi ses priorités du moment.

« Pourquoi ? Il y a du nouveau ? »

À l'autre bout de la ligne, le silence se prolongea.

Mackenzie devait hésiter à me communiquer des informations sur une ligne de téléphone publique.

« On l'a retrouvée », lâcha-t-il enfin.

Il existe de nombreuses espèces de mouches dont la forme, la taille et le cycle de vie diffèrent. Les mouches bleues, les plus connues, appartiennent à la famille des calliphorides. Elles se développent sur la matière organique en décomposition : nourriture avariée, fèces, charognes – n'importe quoi ou presque. La plupart des gens ne voient pas leur intérêt ; pour eux, ce ne sont que des parasites porteurs de maladies, aussi avides de bouses fraîches que de mets raffinés, dont ils se nourrissent en régurgitant dessus leur repas précédent.

Mais comme tout dans la nature, ces insectes ont une fonction bien déterminée. Si répugnantes soient-elles, les mouches jouent un rôle essentiel dans la dégradation de la matière organique, contribuant à accélérer le processus d'autolyse, à réduire les morts aux éléments bruts dont ils sont constitués. Elles participent à un système de recyclage naturel, et dans cette perspective, leur dévouement obstiné à cette tâche ne manque pas d'une certaine élégance. Loin d'être inutiles, elles sont même plus importantes dans l'ordre des choses que l'oiseau ou le chevreuil dont elles se nourriront un jour. D'un point de vue médico-légal, les mouches ne sont pas seulement un mal nécessaire, elles ont une valeur inestimable.

Je les déteste.

Pas parce que je les trouve particulièrement exaspérantes ou dégoûtantes, même si, comme tout un chacun, je suis sensible à ces aspects. Ni parce qu'elles nous rappellent notre ultime devenir physique. Non, je les déteste à cause du bruit.

Je perçus leur murmure en m'enfonçant dans les marais. Au début, je le ressentis plutôt comme une sorte de vibration indissociable de la chaleur, puis il se fit de plus en plus insistant à mesure que j'approchais du cœur de l'activité – un bourdonnement frénétique, incessant, qui semblait constamment osciller entre différentes tonalités sans réellement en changer. L'air grouillait d'insectes en vol. Je chassai ceux que mon visage en sueur attirait, conscient soudain de la présence d'un autre élément.

L'odeur, à la fois familière et repoussante, me parvenait malgré la pommade mentholée étalée au-dessus de ma lèvre supérieure. J'avais entendu dire un jour qu'elle rappelait celle d'un fromage laissé longtemps au soleil. Ce n'était pas tout à fait ça, mais presque.

Mackenzie me salua d'un hochement de tête. Les techniciens de scène de crime travaillaient dans un silence lugubre, le visage rouge tant ils avaient chaud dans leur combinaison étouffante. Je tournai la tête vers l'objet de toute cette agitation – celle des policiers en nage comme celle des nuées de mouches frénétiques.

« On n'a pas encore déplacé le corps, m'expliqua Mackenzie. Je vous attendais.

— Le légiste est venu ?

— Oui, et il est déjà reparti. Il a dit que vu l'état de décomposition avancée, il ne pouvait rien nous apprendre pour le moment, sinon que c'était mort. »

Cela ne faisait aucun doute. Il y avait bien longtemps que je ne m'étais pas rendu sur une scène de crime où gisait la victime d'un meurtre récent. La dépouille de Sally Palmer avait déjà été emportée à mon arrivée sur les lieux, et l'environnement stérile de la morgue m'avait permis de l'examiner avec un détachement clinique. Quant aux restes d'Alan Radcliff, ils étaient ensevelis depuis si longtemps qu'ils étaient devenus de simples vestiges d'une humanité dont il ne subsistait presque plus rien. Là, en revanche, c'était différent – la mort dans toute sa gloire répugnante.

« Comment l'avez-vous repéré ? » demandai-je en enfilant un gant de latex.

Je m'étais mis en tenue dans le PC de campagne installé à proximité. Nous étions à plusieurs kilomètres du village, dans une zone de marais asséchés presque diamétralement opposée à l'endroit où avait été découvert le premier cadavre. À quelques centaines de mètres de nous, le lac scintillait sous le soleil, indifférent aux événements. Cette fois, prudent, je ne portais qu'un short sous ma combinaison. Pourtant, après ma courte marche à travers le marécage, je dégoulinais déjà.

« C'est grâce à l'hélico, répondit Mackenzie. Un vrai coup de pot. À cause d'un problème dans les systèmes, les gars ont dû faire demi-tour. Sinon, ils n'auraient jamais survolé ce coin. Il a déjà été fouillé.

— Quand ?

— Ça remonte à huit jours. »

Ce qui nous donnait une idée du délai maximum écoulé depuis l'abandon du corps. Peut-être aussi de la date du décès, mais c'était moins évident. Certains assassins déplacent leurs victimes plus d'une fois.

J'enfilai mon autre gant. J'étais prêt, sans pour autant éprouver le moindre enthousiasme à l'idée de la tâche à venir.

«Vous pensez que c'est elle ? demandai-je à Mac-kenzie.

— Officiellement, il faut attendre l'identification formelle, mais je ne crois pas que le doute soit permis.»

Moi non plus, à vrai dire. Nous avions eu droit à un premier répit en découvrant l'étudiant dans la tombe, et la possibilité d'un second me paraissait peu probable.

Lyn Metcalf, méconnaissable, gisait à plat ventre parmi les touffes de graminées. Elle était nue mais portait toujours une chaussure de sport, à la fois incongrue et pathétique. Elle était décédée depuis plusieurs jours, de toute évidence. La mort avait déjà opéré ses sinistres changements, comme si elle obéissait aux lois d'une alchimie inversée transformant l'or de la vie en matière vile. Sauf que cette fois, l'assassin n'avait pas ajouté ses propres modifications obscènes.

Il n'y avait nulle trace d'ailes de cygne.

Tout en m'efforçant de maîtriser cette partie de mon esprit qui tentait de m'imposer le souvenir de la jeune femme souriante croisée la semaine précédente, j'entrepris d'examiner son corps. On distinguait plusieurs lacérations dans la peau assombrie, mais la blessure la plus importante se situait au niveau de la gorge. C'était évident même si la victime était toujours allongée sur le ventre.

«Vous pouvez déterminer depuis combien de temps elle est morte ? s'enquit Mackenzie. En gros, s'em-pressa-t-il d'ajouter.

— Eh bien, il reste des tissus mous et la peau commence tout juste à se relâcher.» De la main, j'indiquai les plaies envahies par des escouades de larves. « Et vu l'activité des insectes, je dirais entre six et huit jours.

— Vous ne pouvez pas être plus précis ? »

Je faillis répliquer qu'il venait de me demander une approximation, mais au dernier moment, j'y renonçai. Après tout, ce n'était pas plus agréable pour lui que pour moi.

« Comme la température extérieure est restée constante, je peux réduire ce délai à sept jours maximum si le corps n'a pas été déplacé.

— Rien d'autre ?

— Même genre de lésions que celles qui ont été observées sur Sally Palmer, quoique moins nombreuses. La gorge a été tranchée, et là encore, le niveau de déshydratation du corps est élevé, mais moins que pour la première victime puisque la mort ne date pas d'aussi longtemps. À première vue, je pense qu'elle s'est vidée de son sang. » J'examinai la végétation noircie autour de la dépouille, consumée par les substances chimiques à haute teneur alcaline que l'organisme avait libérées. « Il faudra évaluer le taux de fer pour en être sûr, mais à mon avis, elle a été tuée ailleurs et jetée ensuite ici, comme Sally Palmer.

— On a affaire au même individu ?

— Ça, malheureusement, je ne peux pas vous le dire. »

Mackenzie grommela. Je comprenais son malaise. Si à certains égards ce meurtre ressemblait à celui de Sally Palmer, il présentait cependant un certain nombre de différences propres à semer le doute sur la possibilité d'un seul tueur : pour autant que nous pouvions en juger, il n'y avait pas de lésions faciales ; surtout, l'élément animal était absent. Du point de

241

vue de l'enquête, ces constatations posaient de sérieux problèmes. Ou l'assassin avait été obligé de changer ses méthodes pour une raison ou pour une autre, ou il ne suivait aucun schéma prédéterminé. À moins que ces crimes ne fussent l'œuvre de deux personnes distinctes.

En tout cas, aucune de ces options n'incitait à l'optimisme.

Accompagné par le murmure monotone des mouches, je prélevais mes échantillons. Lorsque je me redressai enfin, j'avais les articulations et les muscles douloureux.

« Vous avez fini ? demanda Mackenzie.

— Presque. »

Je reculai. L'étape suivante n'était jamais agréable. Tout ce qui pouvait être fait sans déplacer le corps – photos, mesures, etc. – l'avait été. Il fallait maintenant s'intéresser à ce qui se trouvait en dessous. Avec précaution, les techniciens de scène de crime entreprirent de retourner le cadavre. Dérangées en pleine activité, les mouches s'agitèrent de plus belle.

« Oh, nom de Dieu ! »

Je ne sus jamais qui avait poussé cette exclamation. Tous les enquêteurs présents avaient de l'expérience dans le domaine criminel, mais à mon avis, aucun de nous n'avait jamais vu pareil spectacle. La mutilation avait été infligée de face, cette fois. De l'abdomen ouvert de la victime s'échappaient plusieurs formes indistinctes. L'un des policiers se détourna promptement, saisi de haut-le-cœur. Durant un moment, personne ne bougea. Enfin, le professionnalisme reprit le dessus.

« C'est quoi ? » demanda Mackenzie d'une voix sourde, manifestement sous le choc.

Son visage d'ordinaire rougi par le soleil avait pris une teinte cireuse. Incapable de prononcer une parole, je regardais toujours la dépouille. Ce que j'avais sous les yeux dépassait mon entendement.

Ce fut finalement l'un des techniciens qui réagit le premier.

« Des lapins, dit-il. Des petits lapins. »

Lorsque Mackenzie me rejoignit, j'étais assis sur le plancher du coffre ouvert de la Land Rover, une bouteille d'eau glacée à la main. Je ne pouvais rien faire de plus pour le moment, et c'était avec un immense soulagement que j'avais ôté ma combinaison. Mais même si je m'étais rafraîchi au poste de commandement, je me sentais toujours souillé, et pas seulement à cause de la chaleur.

L'inspecteur s'assit à côté de moi sans souffler mot. Je portais la bouteille à mes lèvres quand il sortit un paquet de bonbons à la menthe.

« Bien, dit-il enfin. Au moins, on sait qu'il s'agit du même homme.

— À quelque chose malheur est bon, c'est ça ? »

J'avais répliqué d'un ton plus sec que je ne l'aurais voulu. Il me jeta un bref coup d'œil.

« Ça va ? me demanda-t-il.

— Si on veut. C'est le manque de pratique, sans doute. »

Je pensais qu'il allait s'excuser de m'avoir entraîné dans cette histoire, mais ce ne fut pas le cas. Le silence se prolongea entre nous.

« Lyn Metcalf est portée disparue depuis neuf jours, reprit-il au bout d'un moment. Si sa mort remonte à six ou sept jours, ainsi que vous l'avez suggéré, j'en déduis que le meurtrier l'a gardée en vie pendant deux jours minimum. Comme pour Sally Palmer.

— Je sais. »

Il laissa son regard dériver vers le lac dont la surface semblable à du mercure brillait sous le soleil.

« Pourquoi ?

— Je ne vous suis pas, inspecteur.

— Pourquoi ne pas les tuer tout de suite ? Pourquoi prendre un tel risque ?

— Je ne vous apprendrai rien en vous disant qu'on n'a pas affaire à un esprit rationnel.

— Non, mais il n'est pas complètement idiot non plus. Alors, pourquoi fait-il ça ? » Mackenzie se mordilla la lèvre, l'air contrarié. « Bon sang, je n'y comprends rien.

— Comment ça ?

— Quand une femme est enlevée et tuée, le mobile est en général d'ordre sexuel. Ici, on ne retrouve pas le schéma habituel.

— D'après vous, elles n'ont pas été violées ? »

Tout comme dans le cas de Sally Palmer, l'état du second corps ne permettrait pas de se prononcer sur ce point. Ce serait néanmoins un modeste réconfort de savoir que les victimes n'avaient pas subi les derniers outrages.

« Ce n'est pas ce que j'ai dit, répliqua Mackenzie. Lorsqu'on découvre le cadavre d'une femme nue, on peut supposer qu'il y a eu agression sexuelle. La plupart du temps, le prédateur sexuel lambda tue ses victimes aussitôt après avoir pris son pied. Il ne s'amuse que très rarement à les retenir prisonnières jusqu'à ce qu'il en ait marre de jouer avec elles. C'est pour ça que je ne m'explique pas le comportement de ce type.

— Il a peut-être besoin de s'échauffer avant de passer à l'acte ? »

Durant quelques instants, Mackenzie me dévisagea sans mot dire. Enfin, il haussa les épaules.

« Peut-être. En attendant, ce type est suffisamment intelligent pour kidnapper deux femmes et entraver les recherches en posant des pièges, et pourtant, il néglige de dissimuler correctement les corps. Et pour les mutilations, alors ? Qu'est-ce qu'elles signifient ?

— Vous devriez plutôt demander à vos psychologues.

— Oh, je le ferai, ne vous inquiétez pas. Mais je ne crois pas qu'ils puissent me répondre non plus. Alors, provocation ou négligence ? J'ai l'impression que deux tendances contradictoires s'affrontent chez le meurtrier.

— Vous pensez à un schizophrène ? »

Manifestement perplexe, il fronça les sourcils.

« Ça m'étonnerait. Un individu atteint de troubles mentaux aussi évidents ne serait pas passé inaperçu au village. Et de toute façon, je ne suis même pas sûr qu'il serait capable de telles horreurs.

— Il y a encore autre chose, ajoutai-je. Il a assassiné deux femmes en l'espace de, quoi, une vingtaine de jours ? Et le second meurtre a été perpétré dix ou onze jours après le premier. Ce n'est pas... » J'allais dire « normal », sauf que le terme ne s'appliquait pas à la situation. « Ce n'est pas habituel, n'est-ce pas ? Même pour un tueur en série.

— Non, en effet, marmonna Mackenzie, envahi par la lassitude.

245

— Alors, pourquoi une telle précipitation ? Qu'est-ce qui l'a poussé à agir ?

— Si j'en avais la moindre idée, on ne serait pas loin de capturer ce salopard. » Il se redressa et grimaça en se massant les reins. « Bon, je vais faire transporter le corps à la morgue. D'ici demain, d'accord ? »

Je hochai la tête. Mais quand il s'éloigna, je le rappelai :

« Et pour les animaux morts ? Vous allez informer l'opinion publique ?

— Non, on ne peut pas communiquer ce genre de détails.

— Même si le meurtrier s'en sert pour marquer ses futures victimes ?

— Pour le moment, docteur, on n'en sait rien.

— Vous avez mentionné un cadavre d'hermine chez Sally Palmer, et la veille de sa disparition, Lyn Metcalf a parlé à son mari d'un lièvre mort.

— Vous l'avez dit vous-même, docteur, on est à la campagne ici. Des bestioles crèvent tous les jours.

— Sans pour autant finir attachées à une pierre ou enfermées dans le ventre d'une morte...

— N'empêche, rien ne prouve que l'assassin les aient utilisées pour cibler ses proies, s'obstina Mackenzie.

— Mais il vaudrait mieux avertir les gens, non ? Ne serait-ce que par précaution ?

— Ah oui ? Pour inciter tous les malades et les petits malins du coin à brouiller les pistes ? On serait submergés d'appels au premier hérisson écrasé.

— Si vous gardez le silence, l'assassin risque de désigner une autre victime à son insu. Il l'a peut-être déjà fait.

— J'en suis conscient, mais les gens sont déjà bien

assez enrayés comme ça. Je ne tiens pas à semer la panique. »

Je décelai cependant une nuance de doute dans sa voix.

« Il va recommencer, pas vrai ? » dis-je.

Durant une fraction de seconde, je crus qu'il allait me répondre. Puis, sans un mot, il se détourna et s'éloigna.

17

L'annonce de la mort de Lyn Metcalf fit à Manham l'effet d'une bombe. Compte tenu de ce qui était arrivé à Sally Palmer, la nouvelle ne surprit pratiquement personne mais n'en causa pas moins un choc immense. Car si Sally, malgré sa popularité, était toujours considérée comme une étrangère, Lyn en revanche était née au village. Elle avait fréquenté son école, s'était mariée dans son église... Elle y avait sa place, contrairement à Sally. Sa mort – son assassinat – suscita par conséquent une réaction plus viscérale chez les habitants incapables de prétendre désormais que la victime avait apporté de l'extérieur les germes de son triste destin. Aujourd'hui, la communauté portait le deuil de l'un de ses membres.

Et en redoutait un autre.

Car aucun doute ne subsistait plus dans les esprits : un drame terrible, sans précédent, se jouait à Manham. Deux meurtres perpétrés dans un délai aussi court, c'était de l'inédit. De nouveau, nous eûmes droit aux honneurs de la presse. Le village se retrouva sous les projecteurs, tel le théâtre d'un carambolage offert à la curiosité morbide du public. Comme toutes les victimes, la population ressentit d'abord de l'incrédulité, puis de la rancœur...

Puis de la colère.

Faute de pouvoir la décharger sur d'autres cibles, elle réagit en s'en prenant aux étrangers attirés par ses malheurs. Pas aux policiers, toutefois, même si l'indignation suscitée par leur impuissance commençait à bouillonner. La presse en revanche ne bénéficiait pas d'une telle immunité. Pour beaucoup, l'excitation fébrile des journalistes avides d'informations ne témoignait pas seulement d'un manque de respect mais aussi d'un profond mépris. Leurs questions se heurtèrent à une hostilité se traduisant d'abord par des visages de marbre et des bouches cousues, puis par des moyens plus offensifs. Les jours suivants, du matériel laissé sans surveillance disparut ou subit de mystérieuses détériorations. Des câbles furent sectionnés, des pneus lacérés, des réservoirs d'essence remplis de sucre. Une journaliste particulièrement tenace, dont les lèvres fardées semblaient perpétuellement incurvées en un sourire déplacé, eut besoin de points de suture quand une pierre lancée d'on ne sait où lui entailla la tête.

Bien entendu, personne n'avait rien vu.

Mais tout cela n'était qu'un symptôme, le signe extérieur d'une véritable maladie. Après des siècles d'autonomie durant lesquels le village s'était toujours su en mesure de compter sur lui-même, il ne pouvait plus faire confiance à ses membres. La suspicion qui jusque-là se bornait à une simple contagion menaçait à présent de prendre les proportions d'une épidémie. Les anciennes querelles et rivalités acquirent une dimension plus sinistre. Une bagarre éclata un soir entre trois générations de deux familles différentes quand la fumée d'un barbecue dériva vers le mauvais jardin. Une femme appela la police, hystérique, pour découvrir que le «rôdeur» dont elle avait eu si peur n'était qu'un voisin en train de promener son chien. Et deux maisons eurent leurs vitres brisées par des briques ; l'une à cause d'un prétendu affront, l'autre pour une raison que personne ne s'expliqua ou ne voulut admettre.

Au milieu du chaos, un seul homme semblait affirmer un peu plus chaque jour sa domination. Scarsdale était devenu le porte-parole de Manham. Alors que tous ses concitoyens tournaient le dos aux médias, il ne voyait pour sa part aucun inconvénient à s'exprimer devant les caméras et les micros. Il s'en prenait alors à tout le monde, déplorant l'incapacité de la police à retrouver l'assassin, la complaisance morale qui d'après lui avait conduit à cette situation et – sans avoir conscience de l'ironie, apparemment – l'obstination de la presse à vouloir exploiter la tragédie. Tout autre que lui aurait sans doute été accusé de rechercher la publicité. En l'occurrence, si sa détermination à diffuser sur les ondes ses points de vue sulfureux suscitait quelques murmures désapprobateurs, notre bon révérend n'en gagnait pas moins un soutien de plus en plus important. Sa voix tremblait d'une indignation partagée par tous et compensait largement, par son intensité et son volume, la déraison de certains propos.

Je pensais pourtant, peut-être naïvement, qu'il réservait ses déclarations les plus virulentes pour la chaire. Or j'avais sous-estimé sa capacité à surprendre, de même que sa détermination à profiter de son importance nouvellement acquise. Aussi fus-je pris de court, comme tout le monde, lorsqu'il annonça son intention d'organiser une réunion publique dans la salle des fêtes du village.

Elle eut lieu le lundi suivant la découverte du corps

de Lyn Metcalf. La veille, un office commémoratif avait été célébré à l'église. En constatant cette fois que Scarsdale avait interdit aux médias d'y assister, je m'étais demandé s'il avait agi ainsi par considération pour la famille en deuil ou pour attiser la curiosité des journalistes. En m'approchant de la salle des fêtes ce soir-là, je compris que cette seconde hypothèse était la bonne.

C'était un bâtiment bas, purement utilitaire, situé derrière la place du village. En passant devant ce matin-là pour me rendre à la morgue, j'avais aperçu Scarsdale dehors, occupé à donner ses ordres à Tom Mason pour l'entretien des espaces verts alentour. À présent, l'odeur de l'herbe fraîchement coupée embaumait l'air et les haies d'ifs avaient été soigneusement taillées. Le vieux George et son petit-fils avaient eu de quoi faire. Même le terrain communal déjà impeccable avait été tondu une nouvelle fois, de sorte qu'il ressemblait presque à un parc municipal tant il présentait un aspect soigné.

Je doutais cependant que ce fût pour notre seul bénéfice. Les journalistes, qui s'étaient vu refuser l'accès à la cérémonie commémorative, ne voulaient pas manquer la réunion publique. Sauf que ce serait moins une réunion publique qu'une conférence de presse, pensai-je en pénétrant dans la salle des fêtes. Rupert Sutton se tenait à l'entrée, le visage en sueur, la respiration laborieuse. Il m'adressa un bref salut réticent, sachant de toute évidence que je m'étais attiré la réprobation du révérend.

Il y avait foule à l'intérieur. À l'autre bout, je découvris une petite estrade pourvue d'une table à tréteaux, de deux chaises et d'un micro. On avait également disposé des rangées de sièges pliants en bois à l'intention de la population, en prenant toutefois soin de ménager de l'espace sur les côtés et au fond pour les journalistes et les équipes de télévision.

Toutes les places étaient occupées lorsque j'arrivai, mais ayant repéré Ben dans un coin un peu moins encombré, je me frayai un passage jusqu'à lui.

« Je ne pensais pas te voir ici, commençai-je.

— Bah, je voulais entendre ce que cet abruti avait à dire. Pour savoir quel genre de baratin venimeux il allait nous servir. »

Il dominait d'une bonne tête la majorité des personnes présentes. Sa stature imposante avait beau attirer les regards de quelques journalistes, aucun ne paraissait cependant enclin à tenter sa chance pour l'interviewer. Ou peut-être ne voulaient-ils pas céder leur place.

« Y a pas l'ombre d'un flic, reprit Ben. Ils auraient au moins pu faire une apparition.

— Ils n'ont pas été invités », observai-je.

Mackenzie l'avait admis devant moi un peu plus tôt. Il ne s'en réjouissait pas, mais ses supérieurs avaient décidé de ne pas intervenir. « Réservé aux résidents de Manham. »

« C'est drôle, je ne reconnais pas certains de nos concitoyens », dit-il en regardant la forêt de caméras et de micros. Avec un soupir, il desserra le col de sa chemise. « Bon sang, on crève de chaud, ici. On s'offre une bière, après ?

— Désolé, je ne peux pas.

— T'as encore des visites à domicile ?

— Euh, non, j'ai rendez-vous avec Jenny. Tu sais, tu l'as rencontrée au pub.

— Ah oui, l'institutrice... » Il sourit. « Dis-moi, tu la vois souvent ? »

Je me surpris à rougir comme un adolescent.

« On est amis, c'est tout.

— Tiens donc. »

Je fus soulagé lorsqu'il changea de sujet après avoir consulté sa montre.

« Je me doutais bien qu'il ferait attendre tout le monde. À ton avis, qu'est-ce qu'il nous prépare ?

— On va bientôt le savoir », répondis-je au moment où une porte s'ouvrait derrière l'estrade.

Or ce ne fût pas Scarsdale qui apparut, mais Marcus Metcalf.

Le silence s'abattit aussitôt sur l'assistance tant le mari de Lyn faisait peur à voir. Le chagrin semblait l'avoir diminué. Vêtu d'un costume fripé, il avançait lentement, comme s'il souffrait d'une blessure grave. Quand je lui avais rendu visite, peu après l'annonce officielle de la mort de Lyn, il avait à peine remarqué ma présence. Il avait refusé un sédatif, ce que je pouvais comprendre : certaines douleurs ne peuvent pas être atténuées, et toute tentative dans ce sens les rend encore plus intenses. Mais en le regardant ce soir-là, je me demandai s'il n'avait pas pris quelque chose, finalement. Il paraissait sonné, sous le choc, comme s'il nageait en plein cauchemar.

Quelques secondes plus tard, Scarsdale grimpa à sa suite sur l'estrade. Leurs pas résonnèrent sur les planches. Lorsqu'ils s'approchèrent de la table, le révérend plaça une main réconfortante – possessive, plutôt, pensai-je – sur l'épaule de son voisin. J'éprouvai alors un frisson d'appréhension à la pensée que la présence du mari de la victime allait forcément donner plus de crédibilité au discours du prêtre.

Celui-ci guida Marcus Metcalf vers l'une des chaises – la plus éloignée du micro – et ne s'assit qu'après lui. Puis il tapota le micro une fois pour s'assurer qu'il fonctionnait et reporta son attention sur la salle.

« Merci à tous de... » Un faible larsen l'obligea à reculer, les sourcils froncés sous l'effet de la contrariété. Il repoussa légèrement le micro avant de poursuivre : « Merci d'être venus ce soir. Nous sommes en plein deuil, et dans des circonstances normales, je respecterais la douleur de chacun. Malheureusement, les circonstances n'ont rien de normal. »

Sa voix amplifiée résonnait avec une force inhabituelle. Près de lui, le mari de Lyn Metcalf contemplait fixement la table comme s'il n'avait pas conscience des personnes présentes.

« Je serai bref, reprit Scarsdale, mais ce que j'ai à dire nous concerne tous. Je vous demanderai juste de m'écouter jusqu'au bout avant de poser des questions. »

Il avait beau ne pas regarder les journalistes, cette recommandation leur était de toute évidence adressée.

« Deux femmes que nous connaissions ont été assassinées, enchaîna-t-il. Et même s'il nous est odieux de l'admettre, l'individu responsable de leur mort est selon toute vraisemblance un habitant du village. Manifestement, la police est incapable, ou refuse peut-être, de prendre les mesures nécessaires. En attendant, nous ne pouvons pas rester là à ne rien faire pendant que d'innocentes victimes sont tuées. »

Avec une sollicitude délibérée, presque outrée, il tendit la main vers son voisin.

« Vous êtes tous au courant du malheur qui a frappé

254

Marcus. Ainsi que sa belle-famille, à qui on a enlevé une fille et une sœur. La prochaine fois, ce sera peut-être votre épouse. Ou votre fille. Ou votre sœur. Combien de temps allons-nous tolérer ces atrocités ? Combien de femmes doivent encore mourir pour que nous réagissions ? Une ? Deux ? Plus ? »

Scarsdale s'interrompit pour observer l'assistance comme s'il espérait une réponse. N'obtenant rien de tel, il se tourna vers le mari de Lyn Metcalf pour lui glisser quelques mots à l'oreille. Le malheureux cligna des yeux comme s'il se réveillait brusquement, puis fixa d'un regard éteint la salle bondée.

« Vous avez quelque chose à dire, n'est-ce pas, Marcus ? » l'encouragea le révérend en plaçant le micro devant lui.

Son compagnon fit un effort visible pour se ressaisir. Il avait l'air hanté.

« Il... il a tué Lyn. Il a tué ma femme. Il... » Sa voix se brisa. Des larmes roulaient sur ses joues. « Il faut l'arrêter. On doit le retrouver et... et... »

Scarsdale lui posa une main sur le bras, pour le réconforter ou pour le maîtriser. Il arborait une expression de satisfaction pieuse lorsqu'il attira de nouveau le micro vers lui.

« Trop, c'est trop, déclara-t-il d'un ton posé, raisonnable. Trop... c'est... *trop !* » Il frappait lentement la table comme pour souligner l'importance de ses propos. « Le temps de la passivité est révolu. Dieu nous met à l'épreuve. Par faiblesse, par complaisance, nous avons permis à cette créature se faisant passer pour un homme de se fondre parmi nous. De frapper en toute impunité, avec un mépris indicible. Pourquoi ? Parce qu'il sait qu'il en a le pouvoir. Parce qu'il nous juge faibles et qu'il ne craint pas la faiblesse.»

Lorsqu'il assena un coup de poing sur la table, le micro tressauta.

«Eh bien, le moment est venu de lui apprendre à nous craindre et de lui montrer notre force! Manham est depuis trop longtemps victime de cet individu. Si la police ne peut pas nous protéger, alors c'est à nous de le faire. Il est de notre devoir de le débusquer!»

Une clameur enthousiaste monta de l'assistance, noyant sa voix. Quand il s'adossa à son siège, ce fut le déchaînement général. La plupart des personnes présentes se levèrent d'un bond, applaudissant et hurlant leur approbation. Alors que les appareils photo crépitaient et que les journalistes criaient leurs questions, Scarsdale, tranquillement assis au milieu de l'estrade, contemplait son œuvre. L'espace d'un instant, ses yeux croisèrent les miens. Son regard exprimait la ferveur. Et le triomphe.

Discrètement, je sortis.

«Ce type est vraiment incroyable! fulminai-je. On dirait qu'il cherche à échauffer les esprits plutôt qu'à les calmer. Qu'est-ce qui cloche chez lui, bon sang?»

Jenny jeta un morceau de pain à un canard qui s'était aventuré jusqu'à notre table. Nous nous trouvions dans un pub au bord de la Bure, l'une des six rivières qui traversaient les Broads. Aucun de nous n'avait voulu rester à Manham, et même si l'établissement ne se situait qu'à quelques kilomètres, nous avions l'impression d'avoir pénétré dans un autre monde. Des bateaux étaient amarrés au bord du cours d'eau, des enfants jouaient près de la berge et tout autour de nous les conversations allaient bon train, ponctuées d'éclats de rire. Pub anglais typique, été anglais typique. Rien à voir avec l'atmosphère oppressante que nous avions laissée derrière nous.

« Aujourd'hui, tout le monde l'écoute, murmura Jenny en donnant les dernières miettes au canard. C'est sûrement ce qu'il voulait depuis le début.

— Mais il ne voit pas ce qui se passe ? Un innocent a déjà été envoyé à l'hôpital par des crétins survoltés, et maintenant, Scarsdale encourage la création de milices ! En plus, il se sert de Marcus Metcalf pour renforcer sa crédibilité ! »

Je n'avais pas oublié comment le révérend s'était comporté avec lui durant les recherches pour retrouver Lyn. Peut-être le mettait-il déjà en condition, se préparant à exploiter l'aura tragique du mari frappé par le malheur ? Comme je regrettais de ne pas avoir parlé à Marcus à ce moment-là... Sur le coup, je n'avais pas voulu m'immiscer dans l'intimité de son chagrin, et en même temps, j'avais été retenu par une raison plus égoïste, car sa situation avait réveillé le souvenir de mon propre deuil. En restant à l'écart, cependant, j'avais donné à Scarsdale toute latitude pour exercer son influence. Et il ne s'en était pas privé.

« C'est vraiment ce qu'il essaie de faire, tu crois ? D'échauffer les esprits ? » demanda Jenny.

Elle n'avait pas voulu assister à la réunion, sous prétexte qu'elle n'avait pas l'impression d'avoir vécu assez longtemps au village pour participer à de telles assemblées. Mais j'étais persuadé que l'idée de se retrouver au milieu de la foule expliquait aussi son refus.

« En tout cas, c'est l'impression que j'ai eue, répondis-je. Remarque, ça ne devrait pas m'étonner. Le feu et le soufre, ça fait toujours plus d'effet que tendre l'autre joue. Et pendant des années, il a prêché le dimanche matin devant une église vide. Alors aujourd'hui, il ne va sûrement pas laisser passer cette occasion de crier partout : "Je vous l'avais bien dit !"

— Apparemment, il n'est pas le seul à être remonté. »

Jusque-là, je ne m'étais pas rendu compte de mon état d'énervement.

« Désolé, j'ai peur que quelqu'un fasse une grosse bêtise.

— De toute façon, tu n'y peux rien. Tu n'es pas la conscience du village. »

Elle s'était exprimée d'un ton distrait et je m'aperçus soudain qu'elle n'avait pas beaucoup parlé depuis le début de la soirée. J'observai son profil, sa joue et son nez parsemés de taches de son, le fin duvet blond le long de ses bras, éclairci par le soleil sur sa peau bronzée. Elle avait le regard perdu dans le vague, comme si elle était absorbée dans ses pensées.

« Un problème ? demandai-je.

— Non, je réfléchissais.

— À quoi ?

— Oh, des trucs sans importance. » Elle sourit, mais je la sentais tendue. « Dis, ça t'embête si on rentre ? »

Je m'efforçai de dissimuler ma surprise.

« Non, si c'est ce que tu veux.

— S'il te plaît. »

Sur le trajet du retour, nous gardâmes le silence. J'avais l'estomac noué et je m'en voulais de m'être emporté ainsi au sujet de Scarsdale. Mon petit discours avait dû la lasser, forcément. *Bravo, t'as tout gâché. Félicitations !*

La nuit tombait quand nous arrivâmes à Manham.

Au moment où je mettais mon clignotant pour tourner dans sa rue, Jenny rompit le silence :

« Non, je... je pensais que tu pourrais me montrer où tu vis. »

Il me fallut quelques secondes pour comprendre.

« OK. »

Ma réponse me parut peu naturelle. J'avais le souffle court lorsque je garai la voiture. Je déverrouillais la porte de la maison puis m'écartai pour laisser entrer Jenny. Au passage, la senteur légèrement musquée de son parfum m'étourdit.

Elle pénétra dans le petit salon. Je percevais chez elle une nervosité au moins égale à la mienne.

« Je t'offre un verre ? » proposai-je.

Elle fit non de la tête et nous restâmes quelques instants immobiles, aussi gênés l'un que l'autre. *Secoue-toi, nom d'un chien !* Mais je me sentais paralysé. Dans la pénombre grandissante, j'avais du mal à la distinguer. Je ne voyais que ses yeux brillants. Quand elle reprit enfin la parole, ce fut d'une voix mal assurée :

« Où est la chambre ? »

Au début, tendue et tremblante, Jenny se montra hésitante. Puis elle se laissa aller peu à peu, et du coup, moi aussi. Ma mémoire tenta bien de m'imposer des souvenirs de formes, de textures et d'odeurs, mais le présent finit par l'emporter, balayant tout le reste. Après, elle demeura blottie contre moi, m'effleurant le torse de son souffle léger. Je sentis ses mains se poser sur mon visage, caresser les traces humides le long de mes joues.

« David ?

— Ce n'est rien, juste...

— Je comprends. Ne t'inquiète pas. »

Non, je n'avais aucune raison de m'inquiéter. Avec un petit rire, je la serrais contre moi avant de l'obliger à lever la tête. Nous échangeâmes un long baiser et mes larmes séchèrent tandis que nos deux corps enlacés se mouvaient de nouveau.

Plus tard cette nuit-là, alors que nous reposions l'un contre l'autre, Tina, à l'autre bout du village, crut entendre quelque chose dans le jardin. Elle n'avait pas assisté non plus à la réunion qui s'était tenue à la salle des fêtes, préférant rester chez elle en compagnie d'une bouteille de vin blanc et d'une tablette de chocolat. Elle ne voulait pas aller se coucher avant le retour de son amie tant elle avait hâte de savoir comment s'était passée la soirée. Mais à la fin du film qu'elle avait loué, elle tombait de sommeil. Et elle venait d'arrêter le téléviseur quand il lui sembla percevoir un bruit insolite.

Tina n'était pas stupide, loin s'en fallait. Un assassin ayant déjà commis deux meurtres rôdait dans les parages. Elle n'ouvrit pas la porte. Au lieu de quoi, attrapant au passage le téléphone, elle éteignit la lumière et s'approcha de la fenêtre. Prête à composer le numéro de la police, elle jeta un coup d'œil au-dehors.

Rien. La nuit était éclairée par la pleine lune, le jardin et l'enclos derrière dépourvus de toute présence menaçante. Pourtant, Tina observa les alentours encore un moment avant de se convaincre que son imagination lui avait joué des tours.

Ce fut seulement le lendemain matin qu'elle découvrit une scène incongrue. Au milieu de la pelouse gisait un renard mort. On aurait presque pu le croire placé là délibérément tant son corps était disposé avec soin.

Si elle avait su pour les ailes de cygne, le colvert ou les autres créatures utilisées par le meurtrier afin d'élaborer ses œuvres, Tina n'aurait certainement pas réagi comme elle le fit.

Mais voilà, elle n'en savait rien. Alors, en digne fille de la campagne, elle ramassa la dépouille sans ciller avant de la déposer dans la poubelle. À en juger par ses blessures, l'animal avait dû se traîner jusque dans le jardin après avoir été attaqué par un chien. Ou renversé par une voiture. Elle aurait pu y faire allusion devant Jenny. Qui me l'aurait dit. Sauf que Jenny n'était pas rentrée cette nuit-là; elle se trouvait toujours chez moi, et quand Tina la revit, la conversation porta sur des sujets bien différents.

Aussi Tina ne parla-t-elle à personne du renard. Le souvenir même de l'incident ne lui revint en mémoire qu'après coup, quand sa signification ne devint que trop évidente.

Malheureusement, il était trop tard.

18

Deux événements se produisirent au cours des vingt-quatre heures suivantes. Des deux, ce fut le premier qui délia le plus les langues. En d'autres temps, cet incident serait devenu source de ragots indignés et aurait fait l'objet de moult redites avant de trouver sa place dans le folklore de Manham – un chapitre de l'histoire du village prêtant aux gloussements et aux exclamations réprobatrices durant des décennies. En l'occurrence, il devait avoir des conséquences bien plus graves que les blessures physiques occasionnées.

Lors d'un affrontement que beaucoup pensaient inévitable depuis des années, Ben Anders et Carl Brenner en vinrent aux poings.

Autant à cause de l'alcool que d'une animosité réciproque et de la pression suscitée par les drames récents. Non seulement les deux hommes ne s'étaient jamais appréciés, mais les tensions exceptionnelles dans la communauté avaient eu pour effet de raviver tous les anciens griefs, dont certains moins profonds que les leurs. Ce soir-là, c'était presque l'heure de la fermeture au Lamb. Ben s'était offert un dernier whisky après avoir bu de son propre aveu une ou deux pintes de trop. Il avait passé une sale journée à la réserve naturelle où il avait dû, en plus de gérer les crises habituelles de la saison touristique, réanimer un ornithologue amateur victime d'un malaise cardiaque provoqué par la chaleur. Quand il avait vu Carl Brenner entrer au pub « en roulant les mécaniques », ainsi qu'il le raconterait plus tard, Ben lui avait tourné le dos, déterminé à ne pas gâcher sa soirée en se laissant entraîner dans une querelle.

Mais les choses ne s'étaient pas déroulées comme il l'escomptait.

Brenner n'était pas seulement là pour prendre un verre. Remonté à bloc par l'appel aux armes de Scarsdale la veille, il avait prévu à la fois une opération de recrutement et une déclaration d'intention. Il était accompagné de Dale Brenner, un cousin au teint basané aussi différent d'aspect que semblable de caractère. Tous deux appartenaient à un groupe plus important qui, poussé par le révérend, avait pris l'initiative d'organiser jour et nuit des patrouilles au village. « Puisque les flics se remuent pas, va bien falloir qu'on coince ce salaud nous-mêmes », avait clamé Brenner, faisant écho aux sentiments du révérend, sinon à son langage.

Au début, Ben demeura silencieux pendant que les Brenner tentaient de rallier des volontaires. Et puis, enhardi par l'alcool et le sentiment de sa toute nouvelle mission, Carl commit l'erreur de le provoquer.

« Et toi, Anders ?

— Quoi, moi ?

— T'es avec nous ou pas ? »

Ben prit le temps de terminer son whisky avant de répliquer :

« Alors comme ça, vous allez coincer ce salaud ?

— Ouais, pourquoi ? Ça te pose un problème ?

— Oh, juste un. Comment vous savez que c'est pas l'un de vous ? »

De toute évidence. Carl Brenner, qui n'avait jamais brillé par sa vivacité d'esprit, ne s'était pas posé la question.

« Ou que c'est pas *toi*, d'ailleurs ? avait insisté Ben. Après tout, creuser des trous, poser des pièges, c'est bien ton rayon, non ? »

Il admit plus tard qu'il avait juste voulu le narguer, sans mesurer à quel point l'accusation était dangereuse. Du coup, il avait poussé Brenner à bout.

« Je t'emmerde, Anders ! Les flics ont compris que j'avais rien à voir là-dedans !

— Tu parles de ces mêmes flics qui se remuent pas ? Et tu voudrais que je rejoigne votre groupe ? Putain, Brenner, avait raillé Ben, méprisant. Restes-en au braconnage, t'es bon qu'à ça.

— Moi, au moins, j'ai un alibi ! Tu peux pas en dire autant, hein ? »

Ben avait pointé sur lui un index menaçant.

« Méfie-toi, Brenner.

— Pourquoi ? T'en as un ?

— Je te préviens... »

Galvanisé par la présence de son cousin. Carl Brenner n'avait pas battu en retraite comme à son habitude.

« Tu crois m'impressionner, peut-être ? J'en ai plus que marre de tes grands airs, Anders ! En plus, t'as eu rudement vite fait de défendre ton pote le docteur la semaine dernière... Où il était quand Lyn a disparu ?

— T'insinues qu'on est complices, maintenant ?

— T'as qu'à le prouver si t'y es pour rien !

— J'ai rien à te prouver, Brenner, avait rétorqué Ben, qui se sentait perdre son sang-froid. Toi et tes foutus cow-boys, vous pouvez tous aller vous faire foutre ! »

Les deux hommes s'étaient foudroyés du regard dans un silence tendu que Carl Brenner avait rompu le premier.

« Viens, on se tire », avait-il dit à son cousin, et les choses auraient pu en rester là. Mais dans une ultime tentative pour sauver la face, il avait envoyé à Ben une dernière pique. « Putain de lâche ! » avait-il craché avant de se détourner.

À ces mots, toutes les bonnes résolutions de Ben étaient passées par la fenêtre. Et de fait, Carl Brenner avait bien failli suivre le même chemin.

La bagarre n'avait pas duré longtemps. Par chance, surtout pour Ben, il y avait assez d'hommes au pub pour empêcher la situation de dégénérer sérieusement. Carl Brenner lui-même ne représentait pas une menace, mais costaud comme il l'était, Ben aurait pu s'en prendre aussi au cousin. Le temps qu'on les sépare, une table et plusieurs chaises avaient été fracassées ; quant à Carl Brenner, il ne pourrait pas se regarder dans une glace sans grimacer – et encore moins se raser – pendant plusieurs semaines. Ben souffrait de diverses ecchymoses et d'une luxation. Autant de blessures qui en valaient la peine, affirma-t-il.

Mais les véritables conséquences de cet incident ne furent connues que quelques jours plus tard.

Je n'étais pas là quand la rixe avait éclaté. Occupé par les préparatifs de mon dîner avec Jenny, qui devait passer la nuit chez moi, j'avais complètement oublié les problèmes de Manham. De fait, je fus sans doute l'une des dernières personnes à en entendre parler le lendemain matin lorsque je partis m'acquitter de la tâche sinistre qui m'attendait à la morgue.

Depuis la découverte de Lyn Metcalf, Henry me remplaçait de nouveau quand je travaillais pour la police. Je faisais de mon mieux pour assurer mes rendez-vous de l'après-midi, et pourtant, la charge de travail supplémentaire prélevait un lourd tribut sur lui. Il avait l'air épuisé, même s'il avait réduit les horaires de consultation au minimum en mon absence.

Si je me sentais coupable envers lui, je savais néanmoins que ma mission serait bientôt terminée. Encore une demi-journée au laboratoire et j'aurais fait tout ce qui était en mon pouvoir. J'attendais toujours les résultats des analyses, mais jusque-là, les restes de Lyn Metcalf m'avaient raconté la même histoire que ceux de Sally Palmer, à deux différences près : le visage de la première victime avait été réduit en bouillie alors que celui de la seconde était intact ; de plus, comme le processus de décomposition était moins avancé, les ongles de Lyn Metcalf, quoique à moitié arrachés, avaient pu être examinés. Sur certains, le labo avait trouvé des fibres de chanvre. Autrement dit, l'assassin s'était servi d'une corde pour la ligoter.

À part la plaie béante à la gorge et l'horrible mutilation au niveau du ventre, les blessures étaient pour la plupart superficielles. Seule celle du cou avait laissé une marque sur l'os. Tout comme dans le cas de Sally Palmer, elle avait été infligée par une large lame tranchante – sans doute un couteau de chasse, et sûrement celui qui avait déjà été utilisé pour le premier meurtre, sauf qu'à ce stade nous n'avions aucun moyen de le prouver. En tout cas, il n'était pas cranté. Pour moi, le mystère restait entier : pourquoi les deux femmes avaient-elles été égorgées avec une arme et le chien avec une autre ?

Cette question me préoccupait toujours lorsque je pénétrai dans la salle d'attente après le départ du dernier patient. L'après-midi avait été calme, constatai-je en voyant sur le planning moitié moins de rendez-vous qu'à l'accoutumée. Soit les habitants du village n'avaient pas envie de se plaindre de leurs petits maux dans ce contexte de tragédie, soit ils préféraient éviter le médecin pour l'instant – du moins, l'un d'eux. Depuis trois ans, jamais Henry n'avait été autant sollicité, de plus en plus de patients préférant remettre leur rendez-vous plutôt que s'adresser à moi.

J'étais cependant trop absorbé par Jenny et mon travail à la morgue pour m'en soucier.

Janice remettait de l'ordre dans la pièce quand j'arrivai, alignant les vieilles chaises dépareillées et redressant les piles de magazines aux pages cornées.

« C'est rudement tranquille, ce soir », dis-je.

Elle ramassa un puzzle par terre avant de le ranger avec les autres jouets, dans un coffre en bois.

« Ça vaut mieux qu'une salle pleine d'hypocondriaques et de nez qui coulent, non ?

— Exact », répondis-je, touché par son tact. Elle savait aussi bien que moi que ma liste de patients se réduisait comme peau de chagrin. « Où est Henry ?

— Il se repose. Les consultations de la matinée l'ont fatigué, je crois. Ah, ne faites pas cette tête-là ! Ce n'est pas votre faute. »

Je lui avais expliqué que je collaborais avec la police, sans toutefois entrer dans les détails. Je ne voyais pas comment j'aurais pu le lui cacher, et de toute façon, je n'avais pas de véritable raison de le faire : si Janice aimait bavarder, elle n'en respectait pas moins certaines limites.

« Il va bien ? demandai-je, inquiet.

— Oui, il se sentait juste un peu las. Pas seulement à cause du travail, cela dit... » Elle me jeta un regard entendu. « Ils auraient fêté leur anniversaire de mariage cette semaine. »

J'avais oublié. Compte tenu des événements récents, je n'avais pas prêté attention aux dates, mais à cette époque de l'année Henry se repliait toujours sur lui-même. Il n'en parlait jamais, pas plus que je ne le faisais moi-même lorsque mon tour arrivait. La douleur n'en était pas moins présente au fond de nous.

« Leur trentième, précisa Janice en prenant soin de ne pas élever la voix. Plus le temps passe, plus c'est difficile, je suppose. Finalement, c'est peut-être une bonne chose qu'il soit obligé de mettre les bouchées doubles. Ça l'aide à ne pas trop y penser. » Son expression se durcit. « Bon sang, c'est vraiment une honte que...

— Janice, la coupai-je, refusant d'en entendre plus.

— N'empêche, c'est comme ça. Elle ne le méritait pas. Et lui, il méritait bien mieux. »

Les mots s'étaient bousculés dans sa bouche. Elle paraissait au bord des larmes.

« Hé, ça va ? » demandai-je.

Elle hocha la tête en esquissant un sourire tremblant.

« Désolée, mais je ne supporte pas de le voir dans cet état... » Elle s'interrompit brusquement. « Et puis, cette malheureuse affaire au village, c'est usant pour tout le monde. »

De nouveau, elle se concentra sur les magazines. Je m'approchai d'elle pour la forcer à délaisser sa tâche.

« Et si vous rentriez chez vous un peu plus tôt, pour une fois ?

— C'est que... j'allais passer l'aspira...

— Je suis sûr que la poussière peut attendre un jour de plus. »

Redevenue maîtresse d'elle-même, elle laissa échapper un petit rire.

« Si vous insistez...

— J'insiste. Vous voulez que je vous raccompagne ?

— Non ! La soirée est trop belle pour s'enfermer dans une voiture. »

Je ne protestai pas. Janice n'habitait qu'à quelques centaines de mètres, et pour se rendre chez elle, il lui suffisait de longer la route principale. Après tout, il y avait un moment où les considérations de prudence risquaient d'évoluer vers la paranoïa. Posté devant la fenêtre, je la suivis néanmoins des yeux lorsqu'elle s'éloigna dans l'allée.

Après son départ, je m'approchai des magazines pour finir de les ranger. Quelques vieux exemplaires du bulletin paroissial traînaient dans la pile, abandonnés par des patients qui ne s'étaient même pas donné la peine de les jeter. J'allais les flanquer à la poubelle quand l'une des pages accrocha mon regard.

Je récupérai la revue et contemplai le visage radieux de Sally Palmer. Sous sa photo figurait un petit article sur « la célèbre romancière » de Manham, publié quelques semaines avant sa mort. Troublé par cette pensée, je commençai à le lire, et soudain, j'eus l'impression d'étouffer. Je dus m'asseoir pour le parcourir une nouvelle fois.

Puis je téléphonai à Mackenzie.

L'inspecteur consulta l'article en silence. Je l'avais joint au PC de campagne, et quand je lui avais parlé du bulletin, il était venu aussitôt. Sa nuque et le dos de ses mains étaient brûlés par le soleil, observai-je pendant qu'il lisait. Quand il eut terminé, il referma la revue d'un air impénétrable.

«Alors, qu'en pensez-vous ?» demandai-je.

Il frotta son nez rougi et pelé.

«Il pourrait s'agir d'une simple coïncidence.»

Une réponse typique d'un policier laconique. Peut-être avait-il raison, mais j'en doutais. Je lui pris le bulletin des mains pour parcourir une nouvelle fois l'article – à peine plus qu'un entrefilet, en vérité, juste de quoi remplir quelques lignes dans une période où il ne se passait pas grand-chose. La légende sous la photo disait : «La vie à la campagne donne des ailes à l'imagination de l'écrivain local.» La citation qui l'avait inspirée se trouvait à la fin :

Sally Palmer affirme que vivre à Manham l'aide à écrire ses romans. « J'adore me sentir proche de la nature. Cela permet à mon imagination de prendre son essor. Un peu comme si elle avait des ailes, en somme », déclare cet écrivain acclamé par la critique.

Je posai la revue.

«Vous croyez vraiment à une simple coïncidence si on l'a affublée d'ailes de cygne deux semaines après qu'elle a tenu ces propos ?

— J'ai juste dit que c'était possible, répliqua Mackenzie, gagné par l'exaspération. Je ne suis pas en mesure de me prononcer sur la foi d'une vulgaire feuille de chou.

— Dans ce cas, comment expliquez-vous la mutilation ? »

La question parut le mettre mal à l'aise, comme s'il était obligé d'adopter la ligne du parti sans être convaincu de son bien-fondé.

« Les psychologues ont émis l'hypothèse d'un désir refoulé de transformation. Voilà pourquoi le meurtrier lui aurait donné des ailes d'ange après l'avoir tuée. D'après eux, c'est peut-être un fanatique religieux obsédé par l'idée d'un état supérieur.

— Et que disent-ils des autres animaux ? Ou de ce qu'il a fait à Lyn Metcalf ?

— Pour le moment, ils ne sont sûrs de rien. Mais même si vous avez raison, ce machin-là ne l'explique pas non plus », ajouta-t-il en montrant le bulletin.

Je choisis mes mots avec soin.

« Bon, on touche à l'autre point que je voulais aborder avec vous. »

Il me jeta un coup d'œil méfiant.

« Je vous écoute...

— Voilà. Après vous avoir téléphoné tout à l'heure, j'ai parcouru le dossier médical de Lyn Metcalf et celui de son mari. Vous saviez qu'ils voulaient fonder une famille ? Ils envisageaient même de suivre un traitement contre la stérilité. »

Il ne lui fallut qu'un instant pour comprendre.

« Les bébés lapins. Oh, merde..., dit-il dans un souffle.

— Mais comment l'assassin pouvait-il être au courant ? »

271

Mackenzie me regarda comme s'il hésitait à me confier quelque chose.

« On a retrouvé un test de grossesse dissimulé au fond d'un tiroir dans la chambre des Metcalf, énonça-t-il lentement. Il y avait un reçu dans le sac, daté de la veille de sa disparition. »

Je me souvins de ma rencontre avec Lyn devant la pharmacie. De son expression rayonnante.

« Il a été utilisé ? demandai-je.

— Non. Quant au mari, il prétend qu'il ignorait sa présence.

— Mais si Lyn l'avait acheté, c'est qu'elle comptait s'en servir. Donc, elle devait penser qu'elle était enceinte. »

L'air fermé, Mackenzie hocha la tête.

« Et que dirait une femme enceinte à son ravisseur ? murmura-t-il. "Ne me faites pas de mal, je vais avoir un bébé." » Il se passa une main sur le visage. « Oh, Seigneur ! Et j'imagine qu'on ne peut pas déterminer si elle l'était vraiment ?

— Non, aucune chance, compte tenu de l'état du corps et de la précocité d'une éventuelle grossesse. »

De nouveau, il hocha la tête.

« Mais si elle l'était – ou si elle croyait l'être –, ça ne va pas nous faciliter la tâche.

— Pourquoi ?

— Parce que j'en déduis que les mutilations ne sont pas préméditées, répondit-il. L'assassin improvise au fur et à mesure. » Comme accablé de lassitude, Mackenzie se leva péniblement. « Et s'il ne sait pas lui-même à l'avance ce qu'il va faire, comment pourrait-on l'arrêter ? »

Resté seul, je pris la Land Rover pour aller me balader dans la campagne. Je n'avais pas de destination en tête, je voulais juste m'éloigner de Manham pendant une heure ou deux. Ce soir-là, je n'avais pas rendez-vous avec Jenny. Nous étions tous les deux un peu dépassés par la façon dont les choses avaient évolué entre nous, et après l'intensité des deux jours précédents, nous avions besoin de rester seuls un moment pour prendre du recul et réfléchir aux bouleversements récents dans notre vie. Aucun de nous ne voulait gâcher cette relation naissante en brûlant les étapes, me semblait-il. Et après tout, si nous éprouvions les mêmes sentiments, rien ne pressait...

J'aurais dû savoir qu'on ne tente pas impunément le destin.

Bientôt, j'atteignis le sommet d'une petite élévation de terrain offrant une vue imprenable sur les vastes étendues alentour. Je me garai, sortis de voiture et m'assis sur l'herbe pour regarder le soleil descendre vers les marais. La lumière teintait d'or les points d'eau et les ruisseaux formant des motifs abstraits parmi les roseaux. Durant un moment, je tentai en vain de me concentrer sur les meurtres, toute cette affaire me paraissait étrangement lointaine. Peu à peu, le crépuscule fondit les couleurs du ciel et de la terre dans une même pénombre, mais je n'avais pas envie de bouger.

Pour la première fois depuis l'accident, j'entrevoyais un avenir, la possibilité d'aller de l'avant au lieu de rester fixé sur le passé. Je pensai à Jenny, puis à Kara et Alice en cherchant au plus profond de mon cœur un soupçon de culpabilité ou de remords. Or, je ne ressentais que de l'impatience. La douleur de l'absence était encore là, en moi, et le serait toujours. Mais s'y mêlait désormais une sorte de résignation. Ma femme et ma fille avaient disparu et je ne pouvais pas les ramener à la vie. Pendant longtemps, j'avais été comme mort moi aussi. Et aujourd'hui, contre toute attente, je ressuscitais.

Je contemplai le déclin du soleil jusqu'au moment où il se réduisit à une tache éclatante à l'horizon, où le paysage marécageux se transforma en matelas sombre et uniforme absorbant la lumière. Quand je me relevai enfin, les articulations douloureuses à force d'être resté immobile, je m'aperçus que je n'avais plus besoin de réfléchir. Et que je ne voulais pas attendre le lendemain pour revoir Jenny. Je plongeai la main dans ma poche pour sortir mon téléphone, mais il ne s'y trouvait pas. Il n'était pas non plus dans la Land Rover. Je me rappelais l'avoir posé sur mon bureau à l'arrivée de Mackenzie ; distrait par notre conversation, j'avais dû l'oublier en partant.

Je faillis ne pas retourner le chercher. En même temps, je n'avais pas spécialement envie de débouler à l'improviste chez Jenny ; ce n'était pas parce que j'avais fait le point de mon côté qu'elle l'avait fait aussi. De plus, j'étais toujours le médecin du village ; même si Manham manifestait une certaine réserve à mon égard, je ne pouvais demeurer injoignable. Aussi, de retour au village, décidai-je de me rendre au cabinet pour récupérer mon portable.

Les réverbères s'allumèrent au moment où je m'engageais dans la rue principale. Juste avant de passer devant le PC de campagne installé sur la place, je vis plusieurs hommes se masser devant l'un d'eux. Une des milices de Scarsdale, pensai-je. Ils me suivirent du

274

regard quand je les croisai, baignés par une clarté jaunâtre qui faisait ressortir leur expression soupçonneuse.

Sans plus me préoccuper d'eux, je tournai dans la longue allée menant chez Henry. Le gravier crissa sous les pneus de la voiture, les phares éclaboussèrent la façade de la maison lorsque j'abordai la montée puis descendis la pente. Les fenêtres étaient sombres, ce qui ne me surprit pas dans la mesure où Henry allait en général se coucher tôt. Craignant de le réveiller, je contournai la bâtisse pour entrer par le cabinet.

J'avais sorti mes clés pour déverrouiller les portes-fenêtres de mon bureau lorsque je remarquai que la porte de la cuisine était encore ouverte. Si la lumière avait été allumée, je ne me serais sans doute pas inquiété. Mais il faisait noir dans la pièce, et je savais que jamais Henry ne serait allé se coucher sans fermer à clé.

Prudemment, je m'approchai pour jeter un coup d'œil dans la pièce. Tout semblait normal. Pourtant, au moment où ma main se portait vers l'interrupteur, je retins mon geste. Mon instinct me soufflait qu'il y avait un problème. J'envisageai d'alerter la police, mais pour leur dire quoi ? Henry avait peut-être tout simplement oublié de refermer après avoir fait un petit tour dehors. Et si le bruit se répandait que je m'étais ridiculisé, ma cote de popularité au village, déjà malmenée, en prendrait un sérieux coup.

Pour finir, je m'engageai dans le couloir.

« Henry ? » appelai-je suffisamment fort pour me faire entendre, s'il était encore éveillé, mais pas suffisamment pour le tirer du sommeil.

Pas de réponse. Son bureau se trouvait au bout du couloir, juste après l'angle. Persuadé que je réagissais de manière excessive, je m'avançai dans cette direction. La porte était entrebâillée, révélant de la lumière à l'intérieur. Je marquai une pause, guettant un signe de vie ou de mouvement. Mais les battements de mon cœur m'assourdissaient, noyant tous les autres sons. La main sur la poignée, je poussai le battant.

Brusquement, celui-ci s'ouvrit à la volée, et je fus projeté de côté quand une silhouette corpulente jaillit du bureau. Le souffle coupé, je tendais la main vers elle quand je sentis un déplacement d'air devant moi. Mes doigts se refermèrent sur un tissu épais et graisseux juste avant qu'un poids ne s'écrasât sur mon visage. Je reculai en titubant tandis que l'intrus se ruait dans la cuisine. Lorsque je l'atteignis à mon tour, la porte donnant sur le jardin se refermait déjà. Sans réfléchir, je m'élançai dehors. Puis je pensai à Henry.

Après avoir pris soin de verrouiller la porte, cette fois, je me précipitai vers son bureau. Au même moment, les lumières du couloir s'allumèrent.

« David ? Qu'est-ce qui se passe ? »

Henry, les cheveux en bataille et l'air stupéfait, sortait de sa chambre en fauteuil.

« Il y avait quelqu'un dans la maison, répondis-je. Mon arrivée l'a dérangé. »

Je commençais à ressentir le contrecoup du choc, de la soudaine poussée d'adrénaline dans mes veines. Saisi de tremblements, je pénétrai dans le bureau. L'armoire métallique était intacte, constatai-je avec soulagement. Au moins, l'intrus ne s'était pas servi dans notre stock de médicaments. Puis mon regard fut attiré par la vitrine où Henry conservait sa collection de curiosités médicales. Les portes en étaient grandes ouvertes, les instruments et les flacons renversés à l'intérieur.

Poussant un juron, Henry s'en approcha.

«Ne touchez à rien, surtout, l'avertis-je. La police aura besoin de relever les empreintes. Vous avez une idée de ce qu'on a pu voler?»

L'air incertain, il scruta le fouillis devant lui.

«Je n'en suis pas sûr...»

Mais déjà, j'avais remarqué une absence flagrante : sur l'étagère du haut manquait un vieux flacon empoussiéré dont le verre couleur émeraude était couvert de stries verticales – l'ancienne façon d'indiquer la toxicité des produits.

Jusque-là, j'étais persuadé que l'intrus avait voulu s'approvisionner en médicaments. Après tout, même Manham avait son lot de drogués. Mais à présent, il me paraissait peu probable qu'un junkie même désespéré eût jeté son dévolu sur une bouteille de chloroforme.

L'exclamation de Henry me tira de mes pensées.

«Oh, mon Dieu, David! Vous vous sentez bien?»

Il regardait fixement mon torse. J'allais lui demander pourquoi il me posait cette question lorsque, baissant les yeux à mon tour, j'eus la réponse. Je me souvins du déplacement d'air que j'avais senti au moment d'agripper le vêtement du cambrioleur. À présent, je me l'expliquais mieux.

Le devant de ma chemise était lacéré.

19

Malgré la soirée mouvementée de la veille, la journée du lendemain débuta comme toutes les autres. Plus tard, je fus frappé par ce détail. J'aurais dû savoir, par expérience, que les catastrophes ne s'annoncent pas à l'avance. Et lorsque celle-ci survint, je fus pris complètement au dépourvu.

Comme tout le monde, du reste.

Il était presque quatre heures du matin quand les policiers avaient achevé d'examiner le cabinet. Ils avaient investi les lieux comme une tornade, prenant des photos, relevant les empreintes, posant des questions. Puis Mackenzie était arrivé à son tour, les traits tirés et l'air éreinté, comme un homme arraché trop tôt à un sommeil agité.

« Bon, reprenons, docteur Hunter. D'après vous, un type s'est introduit dans la maison, a essayé de vous poignarder et s'est enfui sans que vous puissiez le voir ?

— Il faisait sombre, avais-je marmonné, fatigué et irritable moi aussi.

— Vous n'avez rien remarqué de familier chez lui ?

— Non, désolé.

— Donc, vous n'êtes pas en mesure de l'identifier ?

— Malheureusement non. Je vous le répète, il faisait trop sombre. »

De son côté, Henry s'était révélé tout aussi incapable de leur fournir des renseignements utiles. Il se trouvait dans sa chambre et ne s'était douté de rien jusqu'au moment où, ayant entendu du bruit, il en était sorti pour me voir revenir de ma poursuite avortée. Si les événements avaient pris une tournure différente, Manham aurait pu se réveiller pour apprendre un autre meurtre. Peut-être même deux.

Et à en juger par l'attitude de Mackenzie pendant qu'il m'interrogeait, il semblait penser que nous le méritions amplement.

«Et vous n'avez aucune idée de ce qu'il aurait pu emporter d'autre?»

J'avais fait non de la tête. La réserve était intacte et rien ne manquait dans le réfrigérateur où nous entreposions vaccins et médicaments à conserver au frais. Mais Henry était le seul à savoir ce qui se trouvait dans la vitrine encombrée, et tant que les techniciens de scène de crime n'en auraient pas terminé avec elle, il ne pourrait déterminer précisément ce qui avait disparu.

Mackenzie s'était pincé l'arête du nez. Une lueur de colère enflammait ses yeux injectés de sang.

«Du chloroforme! avait-il craché. Je ne sais même pas si vous avez enfreint la loi en conservant un produit de ce genre dans votre cabinet. Et d'abord. Je croyais que les médecins ne s'en servaient plus.

— C'est vrai. Mais pour Henry, c'était juste une curiosité. Il a même une vieille pompe stomacale quelque part.

— On s'en fiche, de cette pompe! Ce salaud était déjà suffisamment dangereux comme ça sans cette foutue bouteille d'anesthésique!» Il s'était interrompu. «Au fait, comment est-il entré?

— Je lui ai facilité la tâche.»

Mackenzie et moi nous étions retournés au moment où Henry franchissait le seuil. Nous nous trouvions dans mon bureau, l'une des rares pièces du rez-de-chaussée où nous ne risquions pas de contaminer d'éventuels indices puisque je la verrouillais tous les soirs. J'avais insisté pour que Henry aille se reposer un moment. L'effraction l'avait secoué, et près d'une heure d'interrogatoire n'avait pas arrangé les choses. À présent, il semblait avoir recouvré quelques forces, constatai-je, même si son teint restait terreux.

«Vous avez quoi ? s'était écrié Mackenzie. Tout à l'heure, vous avez déclaré ne pas savoir qu'il y avait quelqu'un dans la maison.

— Exact. N'empêche, c'est ma faute. J'ai réfléchi et...» Henry avait pris une profonde inspiration. «Eh bien, je... je ne me rappelle pas avoir fermé à clé la porte de la cuisine avant d'aller me coucher.

— Vous avez pourtant affirmé le contraire, tout à l'heure.

— Oui, parce que j'en étais persuadé. Je veux dire, je la ferme toujours. C'est une habitude.

— Mais vous ne l'avez pas fait hier soir.

— Je n'en suis pas sûr.» Henry s'était éclairci la gorge, en proie à un embarras visible. «Apparemment pas.

— Et la vitrine ? Elle aussi, elle était déverrouillée ?

— Je ne m'en souviens pas, avait répondu Henry d'un ton las. Les clés sont dans le tiroir de mon bureau. Il a pu les dénicher ou...»

Sa voix s'était perdue dans un murmure. Quant à Mackenzie, il semblait prendre sur lui pour ne pas exploser.

280

«Combien de personnes étaient au courant pour le chloroforme ? avait-il demandé.

— Dieu seul le sait ! Le flacon est ici depuis plus longtemps que moi. Ce n'est pas un secret.

— Donc, tous ceux qui sont entrés ici ont pu le voir ?

— Oui, avait admis Henry.

— Vous êtes dans un cabinet médical, avais-je rappelé à Mackenzie. On y conserve forcément des produits dangereux. Tranquillisants, sédatifs, et j'en passe...

— Produits que vous êtes censés mettre sous clé, avait répliqué l'inspecteur. Le fait est que ce type a pu se servir sans difficulté.

— Hé, je ne l'ai pas invité, tout de même ! s'était exclamé Henry. Vous ne croyez pas que je m'en veux assez comme ça ? J'exerce la médecine depuis trente ans et jamais une chose pareille ne s'était produite.

— Jusqu'à maintenant, l'avait coupé Mackenzie. Précisément le soir où vous oubliez de verrouiller la porte.»

Henry avait baissé les yeux.

«Pour tout vous avouer, ce n'est peut-être pas la seule fois. Ces derniers temps, il m'est arrivé de... de me relever la nuit pour découvrir la porte toujours ouverte. À deux ou trois reprises, pas plus. En général, je n'oublie pas de tout vérifier, s'était-il empressé d'ajouter. Mais... eh bien, je suis un peu distrait, en ce moment.

— Distrait, avait répété Mackenzie d'un ton neutre. N'empêche, c'est bien la première fois qu'on pénètre chez vous par effraction, non ?»

J'allais répondre que oui, bien sûr, quand j'avais remarqué l'expression tourmentée de Henry.

« À vrai dire, je... » Il avait croisé et décroisé les mains. « Je ne peux pas vous le garantir. »

Comme Mackenzie le dévisageait en silence, Henry avait haussé les épaules en signe d'impuissance.

« En fait, j'ai eu plusieurs fois l'impression que le cabinet était... remis en ordre.

— Comment ça ? Il manquait quelque chose ?

— Je l'ignore, je n'en ai jamais eu la preuve. Si ça se trouve, ma mémoire m'a joué des tours. » Il avait tourné vers moi un regard empli de honte. « Désolé, David. J'aurais dû vous en parler, mais j'espérais... Enfin, je me répétais qu'en faisant un petit effort... »

Il avait levé les mains puis les avait laissées retomber. Je ne savais pas quoi dire. Je me sentais plus coupable que jamais de lui avoir demandé de me remplacer. Son handicap mis à part, je l'avais toujours considéré comme un homme en parfaite condition physique. Mais en cette fin de nuit, j'avais décelé chez lui des signes que j'avais négligés jusque-là. Des cernes se dessinaient sous ses yeux et la peau se relâchait au niveau de ses joues et de son cou. Même en tenant compte du choc qu'il venait de recevoir, il avait l'air vieux et malade.

J'avais cherché le regard de Mackenzie pour le prier silencieusement de ne pas trop brusquer mon confrère. Les lèvres pincées, il m'avait entraîné à l'écart, abandonnant Henry devant une tasse de thé préparée par une jeune policière.

« Vous vous rendez compte de ce que ça signifie ? m'avait glissé l'inspecteur.

— Je sais, oui.

282

— Il y a peut-être eu des précédents.

— Je sais.

— Tant mieux, parce que votre ami risque bien de perdre le droit d'exercer. Ce serait déjà grave s'il s'agissait de junkies, mais là, c'est à un tueur en série qu'on a affaire. Un type qui vient peut-être s'approvisionner ici depuis un bon bout de temps ! »

Au dernier moment, je m'étais abstenu de répondre « je sais » encore une fois.

« Il aurait fallu que cet homme ait une formation médicale pour choisir tel médicament plutôt que tel autre. Et pour qu'il sache l'utiliser.

— Oh, je vous en prie ! On parle d'un assassin, docteur ! Vous croyez qu'il va s'inquiéter du dosage ? Et puis, pas besoin d'être neurochirurgien pour connaître les effets du chloroforme !

— S'il est déjà venu, pourquoi n'a-t-il pas emporté le flacon plus tôt ?

— Pour que le vol passe inaperçu, peut-être. D'ailleurs, s'il n'avait pas été dérangé ce soir, personne n'aurait été au courant, pas vrai ? »

Je n'avais pas trouvé d'arguments à lui opposer. Au fond, je me sentais aussi coupable que si j'avais commis cette négligence à la place de Henry. J'étais son associé, j'aurais dû remarquer ce qui se produisait autour de moi. Et ce qui lui arrivait.

Enfin, la police ayant achevé ses investigations, j'étais rentré chez moi. Les premiers chants de l'aube s'élevaient déjà quand ma tête s'était posée sur l'oreiller.

Une seconde plus tard, me sembla-t-il, je me réveillai.

C'était la première fois depuis plusieurs jours que le

rêve revenait. Il avait été aussi intense que d'habitude, et pourtant, il n'avait pas ravivé mon sentiment de deuil. Je me sentais triste, mais calme. Alice n'était pas là, il n'y avait que Kara. Nous avions parlé de Jenny. *Ne t'inquiète pas*, m'avait-elle dit en souriant. *C'est dans l'ordre des choses*.

J'avais presque l'impression d'une scène d'adieu – différée et néanmoins inévitable. Pourtant, le souvenir des dernières paroles de Kara, prononcées en arborant ce léger froncement de sourcils que je connaissais si bien, m'avait laissé un sentiment de malaise durable.

Méfie-toi.

Mais de quoi. Je n'en savais rien. Je méditai la question un bon moment avant de me rendre compte que je me bornais à essayer d'analyser mon subconscient.

Ce n'était qu'un rêve, après tout.

Je me levai et allai prendre une douche. Après quelques heures de sommeil seulement, j'étais aussi reposé que si j'avais dormi une nuit entière. Je partis tôt à la morgue de façon à pouvoir m'arrêter chez Henry sur le trajet. Je m'inquiétais pour lui après ce qui s'était passé dans la nuit, il avait une mine épouvantable, ce dont je me sentais responsable. S'il n'avait pas été fatigué par cette charge de travail supplémentaire que je lui avais imposée, il n'aurait peut-être pas oublié de fermer à clé la porte de derrière.

Une fois entré dans la maison, je l'appelai. N'obtenant pas de réponse, je me dirigeai vers la cuisine. Il n'y était pas. Sans doute dormait-il encore, pensai-je en m'efforçant de réprimer un frisson d'appréhension. Au moment où j'allais sortir de la cuisine, je jetai un coup d'œil par la fenêtre, pour recevoir aussitôt un immense choc. Au fond du jardin, j'apercevais l'extrémité du vieux ponton en bois cerné par le lac. Le fauteuil de Henry s'y trouvait.

Vide.

Je me précipitai dehors en criant son nom. L'accès au débarcadère, au bas de la pente, était masqué par un fouillis d'arbres et d'arbustes. Je ne pus le distinguer qu'en arrivant à la grille, et à ce moment-là seulement je ralentis, submergé par le soulagement. À quelques mètres du fauteuil inoccupé, Henry, en équilibre précaire au bord du ponton, tentait de descendre dans le dinghy. Il avait le visage rougi par l'effort et ses jambes pendaient, inertes, au-dessus du bateau.

«Nom de Dieu, Henry! Qu'est-ce que vous fabriquez?»

Il darda sur moi un regard noir.

«Je vais faire un tour en bateau. Ça ne se voit pas?»

Un grognement lui échappa quand il pesa de tout son poids sur ses bras. J'hésitai, désireux de lui venir en aide mais conscient qu'il valait mieux m'abstenir. Au moins, s'il tombait maintenant, j'étais là pour le secourir.

«Écoutez, Henry, ce n'est pas prudent...

— Je ne vous ai pas sonné, bordel!»

Je le dévisageai avec surprise. Sa mâchoire était crispée, mais ses lèvres tremblaient. Il s'obstina dans sa vaine tentative encore quelques instants, puis toute son énergie parut soudain le déserter et il se laissa choir contre un poteau en se couvrant les yeux.

«Excusez-moi, David, je ne le pensais pas.

— Vous voulez un coup de main pour remonter dans le fauteuil?

— Donnez-moi d'abord le temps de reprendre mon souffle.»

Je m'assis près de lui sur les planches du ponton.

Sous sa chemise trempée de sueur, sa poitrine se soulevait au rythme de sa respiration laborieuse.

«Vous êtes là depuis combien de temps ? demandai-je.

— Aucune idée. Un bon moment.» Il m'adressa un pâle sourire. «Sur le coup, ça m'a paru une bonne idée.

— Mais à quoi pensiez-vous, bon sang ? Vous savez bien que vous ne pouvez pas embarquer seul.

— Oui, je sais, c'est juste que...» Son visage se ferma. «Ce foutu policier... Vous avez vu comment il me toisait, hier soir ? Il me parlait comme si je n'étais qu'un... qu'un pauvre vieillard sénile ! D'accord, je me suis montré négligent ; j'aurais dû vérifier que tout était fermé à clé. Mais de là à me considérer avec une telle condescendance...»

Les lèvres pincées, il contempla fixement ses jambes.

«C'est tellement frustrant, parfois... ce sentiment d'impuissance ! Alors on se dit qu'il faut faire quelque chose, vous voyez ?»

Je contemplai l'étendue du lac devant moi. Il n'y avait pas âme qui vive dans les environs.

«Et si vous étiez tombé à l'eau ?

— Ça aurait bien arrangé tout le monde, pas vrai ?» Son sourire se teinta d'un cynisme plus typique de sa part. «Et ne me regardez pas comme ça, David, je n'ai pas l'intention de me suicider maintenant ! Je me suis déjà suffisamment illustré depuis hier, non ?»

Il se redressa en grimaçant sous l'effort.

«Aidez-moi plutôt à grimper dans ce fichu fauteuil.»

Je le soulevai par les aisselles pour lui permettre de se rasseoir. La preuve de son épuisement m'apparut clairement quand je le poussai vers la maison sans qu'il émît la moindre protestation. Bien que déjà en retard

286

sur mon programme de la matinée, je restai encore le temps de lui servir du thé et de m'assurer qu'il allait bien.

Enfin, il bâilla et se frotta les yeux au moment où je me levais pour partir.

« Bon, je ferais mieux d'aller me préparer. Mes consultations débutent dans une demi-heure.

— Pas aujourd'hui, Henry. Vous n'êtes pas en état. Vous devez absolument vous reposer. »

Il arqua un sourcil.

« Ce sont les ordres du docteur ?

— Si vous voulez.

— Et les patients ?

— Janice n'aura qu'à annuler les rendez-vous de ce matin. En cas d'urgence, ils pourront toujours appeler police secours. »

Pour une fois, il ne discuta pas. Il paraissait complètement vidé.

« Dites, David, vous... vous ne parlerez à personne de mes exploits, d'accord ?

— Bien sûr que non. »

Il hocha la tête, soulagé.

« Tant mieux. Je me sens déjà bien assez bête comme ça.

— Il n'y a pas de quoi. »

J'avais atteint la porte lorsqu'il me rappela :

« David ? » Il marqua un temps d'arrêt, l'air embarrassé. « Merci. »

Sa reconnaissance ne me rendit pas plus serein pour autant. Alors que je roulais vers la ville, je ne pouvais m'empêcher de penser à ce surcroît de travail qu'il avait dû assumer à cause de moi. Je regrettais maintenant de ne pas avoir fait cette sortie sur le lac avec lui, ou passé plus de temps en sa compagnie ; j'avais été tellement absorbé par l'enquête, et encore plus par ma relation avec Jenny, que je ne m'étais guère soucié de lui.

Mais tout allait changer, décidai-je. J'avais pratiquement terminé mes examens à la morgue. Quand j'aurais communiqué mon rapport à Mackenzie, ce serait à la police d'essayer de tirer parti de mes observations, et j'aurais ainsi la possibilité de me racheter auprès de Henry. Dès demain, me dis-je, ma vie reprendrait son cours normal.

Je ne savais pas encore à quel point je me trompais.

Après le tumulte des douze heures précédentes, ce fut presque un soulagement pour moi d'entrer dans le sanctuaire clinique qu'était le laboratoire de la morgue. Là, au moins, j'avançais en terrain connu. Les résultats des analyses étaient arrivés, confirmant ce dont je me doutais déjà : Lyn Metcalf était morte depuis environ six jours. Autrement dit, pour quelque raison malsaine, son assassin l'avait gardée prisonnière pendant presque trois jours avant de lui trancher la gorge. C'était cette blessure-là qui lui avait été fatale. Comme dans le cas de Sally Palmer, l'état de déshydratation indiquait qu'elle s'était vidée de son sang. De même, la faible quantité de fer dans le sol autour du corps prouvait que la victime avait été tuée ailleurs, puis transportée et abandonnée dans les marais.

Et comme pour Sally Palmer, les enquêteurs n'avaient trouvé sur le site aucun élément permettant d'identifier l'auteur du crime. Il ne leur avait pas été possible de relever des traces sur la terre durcie par le soleil, et à l'exception des fibres de chanvre prélevées sous les ongles de Lyn, ils ne disposaient d'aucun indice susceptible de les mettre sur la piste du meurtrier.

Mais ce ne serait bientôt plus mon problème puisque ma mission touchait à son terme. Je fis des moulages des vertèbres cervicales entaillées par le couteau sans douter un seul instant que les deux femmes avaient été égorgées avec la même arme. Ensuite, il ne me resta plus qu'à tout nettoyer. Marina me demanda si je voulais déjeuner avec elle pour célébrer la fin de notre collaboration, mais je déclinai la proposition. Je n'avais pas encore eu l'occasion de parler à Jenny, et brusquement, je mourais d'envie d'entendre sa voix.

Je l'appelai aussitôt après le départ de Marina. Comme elle ne répondit pas tout de suite, mon impatience grandit au point de devenir douloureuse.

« Désolée, dit-elle en décrochant enfin, hors d'haleine. Tina est sortie et j'étais dans le jardin.

— Alors, comment vas-tu ? » demandai-je, en proie à une soudaine nervosité.

Après tout, j'avais été beaucoup trop occupé à me regarder le nombril pour m'interroger sur les conclusions qu'elle risquait de tirer au sujet de notre relation.

« Moi, ça va, mais toi ? Tout le monde parle de ce qui s'est passé hier au cabinet. Tu n'es pas blessé, au moins ?

— Non, je vais bien. Le choc a surtout été rude pour Henry.

— Bon sang, quand j'ai appris la nouvelle, j'ai cru que... enfin, je me suis fait du souci, quoi. »

Cette éventualité ne m'était même pas venue à l'esprit. Je n'avais plus l'habitude que l'on s'inquiétât pour moi.

« Excuse-moi, Jenny, j'aurais dû te téléphoner plus tôt.

— Pas de problème. Je suis heureuse que tu n'aies rien. Tu comprends, je t'aurais bien appelé... » En décelant son hésitation, je me raidis. *C'est le moment de vérité.* « Écoute, je sais qu'on avait parlé de prendre deux ou trois jours pour réfléchir mais... Voilà, j'aimerais vraiment te voir avant. Si tu es d'accord, évidemment. »

Je sentis mes lèvres s'étirer en un grand sourire.

« Plutôt deux fois qu'une.

— Tu en es sûr ?

— Absolument certain. »

Nous éclatâmes de rire.

« C'est ridicule, non ? J'ai l'impression de réagir comme une vraie gamine, lança Jenny.

— Et moi, comme un vrai gamin. » Je consultai ma montre. Treize heures dix. Je serais de retour à Manham vers quatorze heures et mes consultations ne débutaient qu'à seize. « Je peux passer maintenant, si tu veux.

— OK. » Elle s'était exprimée d'une petite voix timide mais à son intonation, je devinais son sourire. Au même instant, les deux notes d'un carillon résonnèrent dans la maison. « Oh, une minute, on sonne. »

Elle posa le combiné. En attendant son retour, je m'accoudai à la paillasse, un sourire idiot toujours plaqué sur les lèvres. Quelles conneries, ces histoires de « prendre du recul » ! Si j'avais bien envie d'une chose, c'était plutôt de la serrer dans mes bras, là, maintenant ! Tout en patientant, j'entendais la radio en arrière-fond. Il s'écoula un certain temps avant que l'on soulève de nouveau le combiné.

« C'était le laitier ? » plaisantai-je.

Pas de réponse. Juste un souffle à l'autre bout de la ligne. Une respiration profonde et légèrement saccadée, comme après un effort physique.

« Jenny ? »

Rien. Le silence se prolongea encore quelques secondes, puis la personne à l'autre bout de la ligne raccrocha.

Interloqué, je contemplai mon mobile durant un instant avant de presser fébrilement la touche Bis. *Réponds. Je t'en prie réponds...* Mais le téléphone sonna dans le vide.

Je courais déjà vers ma voiture quand j'interrompis la communication pour prévenir Mackenzie.

20

Je n'eus aucun mal à deviner ce qui s'était passé. La maison elle-même me raconta toute l'histoire. Sur la table branlante où nous avions dîné la première fois se trouvait un sandwich bien entamé déjà desséché par le soleil. À côté, le poste de radio toujours allumé continuait de diffuser ses programmes dans l'indifférence générale. La porte de la cuisine donnant sur le jardin était ouverte en grand, le rideau de perles oscillait chaque fois qu'un policier entrait ou sortait. À l'intérieur, le paillasson en coco avait été repoussé contre un placard et le combiné du téléphone replacé sur son socle.

Il n'y avait aucune trace de Jenny.

À mon arrivée, les policiers n'avaient pas voulu me laisser entrer. Ils avaient déjà délimité un périmètre de sécurité autour de la maison, derrière lequel un groupe d'enfants et de voisins observait d'un air grave les allées et venues. Un jeune agent dont les yeux filaient sans cesse vers l'enclos et les champs me barra le passage quand j'approchai de la grille. Il refusa de m'écouter, mais à sa décharge, mon état quasiment hystérique ne jouait pas en ma faveur. Ce fut seulement lorsque Mackenzie nous rejoignit, levant les mains pour me calmer, que je reçus l'autorisation de l'accompagner.

« Ne touchez à rien, me dit-il.

— Hé, je ne suis pas un putain de novice, OK ?

— Alors arrêtez de vous conduire comme si vous en étiez un ! »

J'ouvrais déjà la bouche pour répliquer quand je me ravisai. Il avait raison. J'inspirai profondément à plusieurs reprises pour essayer de recouvrer mon calme. Mackenzie me dévisageait avec curiosité.

« Vous la connaissiez ? » me demanda-t-il.

Mêlez-vous de ce qui vous regarde, aurais-je voulu répondre. Je préférai cependant m'abstenir.

« On se fréquentait depuis quelque temps. »

Je serrai les poings en voyant deux techniciens de scène de crime chercher des empreintes sur le téléphone.

« C'était sérieux ? » reprit Mackenzie.

Je le foudroyai du regard. Au bout d'un moment, il hocha la tête.

« Excusez-moi. »

Je m'en fous, de vos excuses ! Remuez-vous, nom de Dieu ! Mais ses hommes faisaient le maximum, je le savais. Un hélicoptère tournait au-dessus de la maison et des silhouettes en uniforme ratissaient les alentours.

« Bon, racontez-moi encore une fois ce qui s'est passé », m'ordonna Mackenzie. En proie à un étrange sentiment d'irréalité, je m'exécutai. « Vous êtes sûr de l'heure à laquelle on a sonné chez elle ?

— Certain. Je venais de regarder ma montre pour estimer mon temps de trajet.

— Et vous n'avez rien entendu ?

— Non ! m'écriai-je. C'était en plein après-midi, bon sang ! Comment ce type a pu se présenter chez elle et l'emmener de force ? Tout le village grouille de flics ! Qu'est-ce qu'ils foutaient, hein ?

— Écoutez, je sais ce que vous ressentez…

— Oh, non, vous n'en savez rien ! Quelqu'un a forcément vu quelque chose ! »

Il poussa un profond soupir avant de s'adresser à moi avec une patience inhabituelle.

« On est en train d'interroger les voisins, docteur Hunter. Malheureusement, aucune des maisons adjacentes ne donne directement sur le jardin. Au fond, il y a un sentier qui traverse l'enclos. Si ça se trouve, le ravisseur l'a emprunté au volant d'une voiture ou d'une camionnette, puis il est reparti par le même chemin sans que personne le remarque. »

Je jetai un coup d'œil par la fenêtre. Le lac miroitait au loin, tout de sérénité et d'innocence. Mackenzie dut lire dans mes pensées.

« Aucune trace d'un bateau, dit-il. L'hélico cherche toujours... »

Il n'eut pas besoin de terminer sa phrase. Moins de dix minutes s'étaient écoulées entre le moment où Jenny avait ouvert la porte et l'arrivée des policiers. Mais un homme qui connaissait bien la région avait eu largement le temps de disparaître en entraînant sa victime avec lui.

« Pourquoi n'a-t-elle pas crié ? » demandai-je d'un ton plus posé. Mais le calme qui m'envahissait s'apparentait à du désespoir. « Elle s'est forcément débattue... »

Un mouvement soudain à l'entrée de la maison l'empêcha de répondre. Quelques instants plus tard, Tina fit irruption dans la cuisine, le visage blême et défait.

« Qu'est-ce qu'il y a ? Jenny est là ? »

La gorge nouée, je secouai la tête. Tina balaya la pièce d'un regard éperdu.

« C'est lui ? Il l'a enlevée ? » Je voulus dire quelque

chose, mais je m'en sentais incapable. Elle porta les mains à ses lèvres. «Oh non! Mon Dieu, non!»

Elle fondit en larmes. J'hésitai avant de lui poser une main sur l'épaule. Tina s'effondra contre moi en sanglotant.

«Monsieur?»

L'un des techniciens s'était approché de Mackenzie pour lui montrer un sachet de mise sous scellés contenant une sorte de bout de tissu crasseux.

«J'ai trouvé ça au pied de la haie, au fond du jardin, dit-il. Y a un trou là-bas assez large pour permettre de s'y faufiler.»

Mackenzie ouvrit le sachet et le huma. Puis, sans un mot, il me le tendit. L'odeur était faible mais reconnaissable entre toutes.

Du chloroforme.

Je ne participai pas aux recherches. Non seulement je voulais rester joignable en permanence, ce qui me serait impossible dans certaines zones comme les bois ou les marais, où le signal ne passait pas, mais je savais pertinemment que c'était une perte de temps. Nous n'avions aucune chance de retrouver Jenny en battant la campagne. Du moins, tant que son ravisseur ne l'aurait pas décidé.

Tina nous avait parlé du renard mort sans se douter un seul instant de la signification d'une telle découverte. Elle avait paru déroutée lorsque Mackenzie lui avait demandé si elle-même ou Jenny n'avait pas remarqué un cadavre d'animal. Au début, elle avait répondu non, avant de mentionner le renard comme si elle venait tout juste de s'en souvenir. En apprenant que cet avertissement avait été ignoré, j'en avais eu la nausée.

«Vous pensez toujours que c'était une bonne idée de passer sous silence les mutilations ?» demandai-je à Mackenzie un peu plus tard.

Il baissa les yeux sans répondre. Je savais que c'était injuste de ma part, que la décision de ne rien dire venait certainement de ses supérieurs. Mais j'avais besoin de m'en prendre à quelqu'un.

L'exclamation de Tina eut raison de ma colère. Un technicien fouillait le sac à main de Jenny, en le voyant faire, elle pâlit brusquement.

«Oh, Seigneur ! Son insuline !»

Le policier tenait la lancette de Jenny. Celle-ci ressemblait à un gros stylo, mais contenait des doses d'insuline suffisantes pour stabiliser son métabolisme.

Mackenzie m'interrogea du regard.

«Elle est diabétique, expliquai-je d'une voix tremblante, abattu par ce nouveau coup du sort. Elle a besoin de sa piqûre d'insuline tous les jours.

— Et si elle ne l'a pas ?

— Elle finira par tomber dans le coma.»

Je n'estimai pas utile de décrire la suite, mais à en juger par l'expression de l'inspecteur, il avait parfaitement compris.

Pour ma part, j'en avais assez vu. Mackenzie, manifestement soulagé quand je lui annonçai mon départ, promit de m'avertir dès qu'il aurait du nouveau. En rentrant chez moi, je ne cessais de me dire que Jenny était venue s'établir à Manham pour oublier une première agression, sans se douter un seul instant qu'elle serait victime d'une seconde encore plus violente. *Elle a choisi la campagne parce que c'est moins dangereux que la ville.* J'avais l'impression d'une terrible injustice, d'une violation de quelque loi fondamentale. Et je me sentais déchiré entre deux époques ; le passé se superposait au présent, de sorte qu'il me semblait revivre toute l'horreur de mon deuil. Sauf que j'éprouvais des émotions différentes. Autrefois, j'avais été accablé par le désespoir et le chagrin. Aujourd'hui, j'ignorais si Jenny était encore vivante, et ce qu'elle devait endurer si elle l'était. J'étais hanté par le souvenir des lacérations et mutilations observées sur les deux autres victimes, par les fibres de chanvre retrouvées sous les ongles en lambeaux de Lyn Metcalf. Ces femmes avaient été ligotées, puis elles avaient subi Dieu sait quelles atrocités avant d'être assassinées. Et Jenny s'apprêtait à connaître le même sort.

Je n'avais jamais eu aussi peur de toute ma vie.

De retour dans mon cottage, j'eus bientôt le sentiment que les murs se resserraient autour de moi. Bouleversé, je montai dans ma chambre, où les effluves du parfum de Jenny me rappelèrent encore plus douloureusement son absence. Je contemplai le lit où nous nous étions enlacés deux nuits plus tôt jusqu'au moment où je n'y tins plus. Après avoir dévalé l'escalier, je quittai la maison.

Sans réfléchir, je pris la direction du cabinet. La soirée était emplie de chants d'oiseaux et baignée par une lumière pure. Sa beauté me parut cruelle, révélatrice de l'indifférence du monde autour de moi. Au moment où je refermais la porte d'entrée, Henry sortit de son bureau. Il avait le visage creusé, marqué par la fatigue. Et à en juger par son expression, il était déjà au courant.

« David ! Je suis désolé... »

Je hochai la tête. Il semblait au bord des larmes.

« C'est ma faute ! s'exclama-t-il. L'autre soir...

— Non, vous n'y êtes pour rien.

— Quand j'ai appris la nouvelle... Bon sang, je ne sais pas quoi dire.

— Bah, il n'y a pas grand-chose à dire de toute façon... »

Il frotta le bras de son fauteuil.

« Où en est la police ? Ils doivent bien avoir une piste, non ?

— Pas vraiment.

— Mon Dieu, quelle histoire ! » Il se passa une main sur le visage avant de se ressaisir. « Bon, je vous offre un verre.

— Non, merci.

— Oh, vous allez quand même en prendre un, que vous le vouliez ou non. » Il força un sourire. « Ordre du docteur. »

Je finis par céder, avant tout parce que je ne me sentais pas la force de discuter, et nous nous rendîmes dans le salon où Henry nous servit un whisky chacun.

« Allez, cul sec, dit-il en me tendant le mien.

— Je ne...

— Buvez ! »

Cette fois, j'obéis. L'alcool me brûla l'estomac. Sans un mot, Henry s'empara de mon verre et me resservit.

« Vous avez mangé ?

— Je n'ai pas faim. »

Il parut sur le point de protester, mais manifestement, il se ravisa.

« Vous n'avez qu'à passer la nuit ici. Votre ancienne chambre est prête.

— Non, merci. »

N'ayant rien de mieux à faire, j'avalai une nouvelle gorgée de whisky.

« Je ne peux pas m'empêcher de me sentir responsable, lui confiai-je.

— Ne dites pas de bêtises, David.

— J'aurais dû deviner que quelque chose se préparait. » Et au fond, peut-être était-ce le cas, pensai-je en me remémorant l'avertissement de Kara dans mon rêve. *Méfie-toi.* Hélas, j'avais choisi de l'ignorer.

« N'importe quoi, répliqua Henry. Il y a certaines choses contre lesquelles on ne peut rien. Vous le savez aussi bien que moi. »

Il avait raison, et pourtant, je n'en conçus aucun soulagement. Je restai encore une bonne heure chez Henry, échangeant à peine quelques mots avec lui, refusant systématiquement ses propositions de me resservir. Je ne voulais pas me saouler, même si c'était tentant, car je savais que les brumes de l'alcool ne résoudraient rien. Lorsque la claustrophobie menaça de nouveau, je pris congé. Henry paraissait tellement désolé de ne pas avoir pu m'aider que j'en arrivais à le plaindre. Mais mon inquiétude pour Jenny l'emporta rapidement sur toute autre considération.

En retraversant le village, je vis la police poursuivre son enquête de voisinage dans une vaine tentative pour montrer qu'elle se démenait, et la colère me gagna à la pensée de ces hommes qui s'appliquaient à perdre un temps précieux. Je passai devant ma maison sans m'arrêter, sachant que je n'y trouverais pas plus de réconfort qu'un peu plus tôt dans la soirée. Au moment d'atteindre la sortie du village, j'aperçus un groupe d'individus sur la route. Je ralentis en reconnaissant la plupart d'entre eux. Même Rupert Sutton, enfin sorti des jupes de sa mère, était là.

Carl Brenner se tenait devant les autres.

Ceux-ci regardaient tous la voiture sans faire mine de s'écarter.

« Qu'est-ce qui se passe ? » demandai-je par la vitre ouverte.

Brenner cracha par terre. Il avait toujours le visage contusionné à la suite de ses démêlés avec Ben.

« Z'êtes pas au courant ? Y en a eu une autre. »

J'eus l'impression de recevoir un coup en plein cœur. Si une quatrième femme avait été kidnappée, cela ne pouvait signifier qu'une chose : Jenny n'était plus de ce monde. Sans paraître remarquer mon émotion Brenner poursuivit :

« La maîtresse d'école. Il l'a enlevée cet après-midi. »

Il ajouta encore quelques mots, mais je ne l'écoutais plus. Assourdi par le sang qui affluait à mes tempes, je ne pouvais penser qu'à une chose : il ne m'annonçait rien de nouveau.

« Où vous allez ? » aboya-t-il, toujours inconscient de l'impact de ses paroles.

J'aurais pu lui répondre, lui donner une explication ou en inventer une. Au lieu de quoi, en le regardant se pavaner, tout bouffi de sa nouvelle importance, j'éprouvai le désir irrépressible de décharger ma colère sur lui.

« Ça ne vous regarde pas. »

Il parut surpris.

« Vous allez voir un patient ?

— Non. »

Dérouté, Brenner fit rouler ses épaules tel un boxeur se préparant à l'attaque.

« Personne peut entrer ou sortir sans une bonne raison.

« — Ah oui ? ripostai-je. Et vous allez faire quoi ? Me traîner hors de la voiture ? »

L'un de ses compagnons prit la parole. C'était Dan Marsden, l'ouvrier agricole que j'avais soigné quand il avait été blessé par l'un des pièges de l'assassin.

« Ne le prenez pas mal, docteur Hunter, ça n'a rien de personnel.

— Ah oui ? Eh bien, ce n'est pas du tout l'impression que j'ai. »

Dans l'intervalle, Brenner avait recouvré son agressivité habituelle.

« Qu'est-ce qui cloche, *docteur* ? Vous avez un truc à cacher ? »

Dans sa bouche, le mot « docteur » sonnait comme une insulte. J'allais répliquer quand Marsden le saisit par le bras.

« Laisse tomber, Carl. La fille était une copine à lui. »

Était. J'agrippai le volant de toutes mes forces en m'efforçant d'ignorer les regards curieux braqués sur moi.

« Dégagez », ordonnai-je.

Brenner posa la main sur la portière.

« Pas avant que vous... »

J'appuyai sur l'accélérateur, l'obligeant à reculer prestement. Les hommes devant moi s'écartèrent d'un bond quand la Land Rover fonça sur eux. Je vis défiler des visages stupéfaits que je laissai derrière moi. Leurs cris de colère me poursuivirent, mais je ne ralentis pas pour autant. Enfin, quand je les eus perdus de vue, ma fureur commença à refluer, me permettant de raisonner plus clairement. Qu'est-ce qui m'avait pris de réagir ainsi ? Quel remarquable médecin je faisais ! J'aurais pu blesser quelqu'un, voire pis...

301

Durant un moment, je roulai sans but, avant de m'apercevoir que je me dirigeais vers le pub où j'étais venu avec Jenny quelques jours plus tôt. J'écrasai la pédale de frein, incapable de supporter ne serait-ce que l'idée de revoir les lieux en de telles circonstances. Lorsqu'un coup de klaxon furieux résonna derrière moi, je me garai sur le bas-côté pour laisser le véhicule me doubler. Puis je fis demi-tour.

J'avais essayé d'oublier ce qui s'était passé, mais je savais maintenant ma tentative vouée à l'échec. Et je me sentais complètement vidé en traversant de nouveau Manham. Heureusement, il n'y avait plus aucun signe de Brenner et de sa bande. Je dus prendre sur moi pour ne pas me rendre chez Jenny ou téléphoner à Mackenzie. Cela ne servirait à rien de toute façon ; s'il y avait du nouveau, je l'apprendrais bien assez tôt.

Une fois rentré chez moi, je me servis un whisky dont je n'avais pas envie, puis allai m'asseoir dehors dans la lumière du couchant. Mon humeur s'assombrissait en même temps que le paysage autour de moi. Une demi-journée s'était écoulée depuis l'enlèvement de Jenny. J'aurais aimé me convaincre qu'il y avait encore de l'espoir puisque son ravisseur n'avait pas tué tout de suite ses autres victimes. Mais cette pensée ne parvint pas à me réconforter. Pas du tout.

Si Jenny n'était pas encore morte – une hypothèse dont les implications me paraissaient terrifiantes –, nous n'avions pas plus de deux jours pour la retrouver. Et si son déficit en insuline ne l'avait pas plongée dans le coma d'ici là, ce monstre sans visage la tuerait comme il avait tué Sally Palmer et Lyn Metcalf.

Or, je ne pouvais rien faire pour l'en empêcher.

21

Au bout d'un moment, les ténèbres se firent moins denses. Elles étaient piquetées de paillettes de lumière si petites qu'au début Jenny les crut nées de son imagination. Quand elle essaya de se concentrer, les paillettes disparurent. Ce fut seulement en les regardant de biais qu'elle les vit de nouveau – de minuscules taches brillantes tel un semis d'étoiles à la limite de son champ de vision.

Lorsque ses yeux se furent accoutumés à la pénombre, elle les distingua mieux. Non, pas des paillettes. Des fissures. Des rais brillants. Bientôt, elle s'aperçut qu'il n'y en avait pas tout autour d'elle. La lumière venait d'une seule direction, face à Jenny.

Grâce à ce premier point de repère, elle parvint à donner forme et consistance à son environnement.

Elle avait repris connaissance lentement. Les élancements douloureux dans sa tête faisaient de chaque mouvement une torture. Ses pensées étaient on ne peut plus confuses, mais un terrible sentiment d'effroi l'empêchait de retomber dans l'inconscience. Elle s'était imaginée de retour sur le parking désert, sauf que cette fois, le chauffeur de taxi l'avait enfermée dans le coffre. Elle avait l'impression d'être prise au piège, de ne plus pouvoir respirer. Elle aurait voulu crier à l'aide, mais sa gorge, comme tout le reste de son corps, refusait obstinément de lui obéir.

Peu à peu, cependant, ses idées s'étaient éclaircies. Quel que fût cet endroit, il ne s'agissait pas d'un parking, avait-elle compris. Cette agression-là appartenait au passé. Pour autant, cette constatation ne lui avait procuré aucun soulagement. Où était-elle ? L'obscurité ambiante la terrorisait et la désorientait tout à la fois. Quand elle avait tenté de s'asseoir, quelque chose lui avait retenu la jambe. Elle avait d'abord essayé de se dégager, puis ses doigts s'étaient refermés sur le chanvre rugueux d'une corde nouée autour de sa cheville. En proie à une incrédulité grandissante, elle l'avait parcourue sur toute sa longueur jusqu'à un gros anneau de métal fixé dans le sol.

On l'avait attachée. Et soudain, la corde, l'obscurité, le sol dur sous ses fesses, tout s'était mis en place.

Et les souvenirs avaient afflué.

Ils s'étaient imposés à elle par bribes – un patchwork d'images décousues qui, peu à peu, s'étaient organisées en ensemble cohérent. Elle parlait au téléphone avec David. On avait sonné à la porte. Elle était allée ouvrir, elle avait vu une silhouette d'homme dehors, rendue indistincte par le rideau de perles, puis...

Oh, mon Dieu ! Non, ce n'est pas possible ! Et pourtant, elle ne rêvait pas. Elle avait hurlé, appelant David, Tina, n'importe qui. Mais personne n'avait répondu. Alors, au prix d'un immense effort, Jenny s'était obligée à se taire. *Respire. Reprends-toi.* Tremblante, elle avait commencé à évaluer la situation. Les lieux étaient frais mais pas froids, l'air imprégné d'une odeur fétide impossible à identifier. Au moins, elle portait toujours ses vêtements – short et petit haut sans manches.

C'était bon signe, s'était-elle dit. La douleur dans sa tête s'était réduite à une pulsation sourde, et à présent, elle souffrait surtout de la soif. Sa gorge sèche et enflée lui faisait mal chaque fois qu'elle avalait. Elle avait faim aussi, et cette prise de conscience en avait amené une autre, beaucoup plus effrayante.

Elle n'avait pas son insuline.

Combien de temps s'était-il écoulé depuis sa dernière piqûre, le matin même ? Elle n'en avait pas la moindre idée. Si l'heure de l'injection suivante n'était pas déjà passée, elle le serait sans doute bientôt. Or sans insuline, rien ne pourrait réguler le taux de sucre dans son sang, et elle ne savait que trop bien ce qui arriverait quand il commencerait à s'élever.

N'y pense pas, s'ordonna-t-elle. *Concentre-toi plutôt sur les moyens de sortir d'ici. Où que tu sois.*

Les bras tendus devant elle, elle avait tenté de repérer les limites physiques de sa prison dans la mesure où la corde le lui permettait. Derrière elle se dressait un mur rugueux, mais sur les trois autres côtés, ses mains n'avaient rencontré que le vide. Soudain, son pied avait heurté quelque chose. Avec un petit cri, elle s'était aussitôt écartée en chancelant. Mais comme rien ne se produisait, elle avait fini par s'accroupir et chercher l'objet à tâtons. C'était une chaussure, comprit-elle en la palpant. Une tennis, trop petite pour appartenir à un homme...

Sous le coup d'une révélation subite, elle l'avait lâchée. Non, pas une tennis, une chaussure de sport. Une chaussure de femme.

Celle de Lyn Metcalf.

Durant quelques secondes, la panique avait failli la submerger. Depuis qu'elle avait senti la corde autour

305

de sa cheville, Jenny s'efforçait de ne pas penser qu'elle était sans doute la troisième victime choisie par l'assassin. Or elle venait d'en avoir la confirmation brutale. Pour autant, elle ne pouvait se permettre de flancher. Pas si elle voulait échapper à cet enfer.

Après s'être rapprochée du mur pour donner du mou à la corde, elle avait exploré du bout des doigts le nœud autour de sa jambe. Le chanvre était aussi dur que l'anneau de métal. Quant au nœud lui-même, s'il n'était pas suffisamment serré pour lui comprimer la cheville, il ne lui permettait cependant pas de se dégager. Toutes ses tentatives pour se libérer n'avaient fait que lui écorcher la peau.

Alors elle avait appuyé son pied libre contre la cloison avant de pousser de toutes ses forces. Ni la corde ni l'anneau n'avaient cédé, mais elle n'en avait pas moins poursuivi ses efforts jusqu'au moment où son mal de tête était devenu insupportable, où des taches éclatantes avaient explosé devant ses yeux.

Elle gisait sur le sol, hors d'haleine, lorsqu'elle avait remarqué les rais lumineux. Ils révélaient forcément la présence d'une issue, ou du moins, d'une pièce au-delà de cette prison de ténèbres. Malheureusement, Jenny ne voyait pas comment l'atteindre. En rampant, elle s'approcha au maximum de la lumière puis tendit la main. Une surface solide se dressait à moins de trente centimètres d'elle. Elle la parcourut lentement du bout des doigts, éprouvant la texture inégale de planches brutes.

Les rais lumineux provenaient des fentes et des fissures entre elles. L'un d'eux, un peu plus large que les autres, l'attirait inexorablement. Elle s'étira encore un peu, tressaillant lorsque ses cils effleurèrent le bois rugueux, puis colla un œil contre l'interstice.

De l'autre côté, elle distingua partiellement une longue pièce envahie par les ombres. Un sous-sol ou une cave, à première vue, d'où l'humidité de l'air. Les murs de pierre semblaient anciens. Sur les étagères s'alignaient des bocaux et des boîtes de conserve, tous poussiéreux, tous vieux. En face d'elle se détachait un établi en bois garni d'un étau et de divers outils. Ce ne fut cependant pas cette vision qui lui coupa le souffle.

Pendus au plafond tels des mobiles macabres se trouvaient des corps d'animaux mutilés.

Ils étaient des dizaines. Renards, oiseaux, lapins, hermines, taupes, et même ce qui ressemblait à un blaireau. Ils oscillaient en un va-et-vient nauséeux, agités par un léger courant d'air, telles des algues ondoyant dans la mer. Certains étaient accrochés par le cou ; d'autres, attachés par les pattes arrière, exhibaient juste un trou à la place de la tête. De nombreux cadavres, parmi les plus petits, se réduisaient maintenant à des carcasses pourries, et semblaient la fixer de leurs orbites vides.

Réprimant un cri, Jenny s'écarta des planches. Elle s'expliquait mieux l'origine de l'odeur infecte, à présent. Soudain, les petits cheveux sur sa nuque se hérissèrent lorsqu'une idée terrifiante lui traversa l'esprit. Elle se redressa et explora lentement l'air au-dessus d'elle. Ses doigts effleurèrent quelque chose de doux. De la fourrure. Elle retira aussitôt sa main, puis se força à la lever de nouveau. Cette fois, il lui sembla reconnaître un assemblage de plumes.

D'autres cadavres d'animaux étaient suspendus là aussi.

Un gémissement s'échappa de ses lèvres et elle se jeta à terre, où elle rampa jusqu'à se retrouver contre le mur. Là, les bras croisés sur la poitrine, elle éclata en sanglots. Peu à peu, cependant, ses larmes se tarirent. Elle s'essuya les yeux et le nez en se traitant de mauviette. Pleurer n'arrangerait rien. Quant aux créatures accrochées au-dessus de sa tête, elles étaient mortes. En aucun cas elles ne pouvaient lui faire de mal.

Puisant dans ses ressources de volonté, elle s'approcha de la cloison de planches et, de nouveau, colla un œil contre la fissure. La pièce derrière demeurait inchangée et il n'y avait toujours personne à l'intérieur. Elle remarqua néanmoins un détail auquel elle n'avait pas prêté attention la première fois tant le spectacle des dépouilles d'animaux l'avait choquée. Derrière l'établi se trouvait une niche d'où provenait le peu de lumière pénétrant dans la cave – une faible lueur artificielle. Au milieu, elle distingua un escalier dont les marches s'élevaient vers un point invisible.

La sortie.

Jenny fixa l'escalier d'un regard avide puis recula et, les paumes pressées contre la cloison en bois, essaya de la repousser. Toujours à genoux, elle la frappa des deux mains, de toutes ses forces. Sous l'impact, une douleur fulgurante se propagea le long de ses bras et des échardes s'enfoncèrent dans sa chair. Mais la paroi n'avait pas bougé d'un pouce.

Elle se sentait cependant mieux après cette première tentative. Alors elle recommença, encore et encore, refoulant un peu plus à chaque coup la peur qui menaçait de la paralyser. Enfin, hors d'haleine, elle s'éloigna jusqu'au moment où la corde se détendit suffisamment pour lui permettre de s'asseoir. Une crampe immobilisait sa jambe entravée, son mal de tête et sa sensation de soif avaient empiré, et pourtant, elle éprouvait une certaine satisfaction. Elle s'y raccrocha en refusant de considérer le peu de progrès accompli. Le rempart de planches n'était pas infranchissable. Avec le temps, elle parviendrait sûrement à le vaincre. *Sauf que tu ne sais pas combien de temps tu as devant toi...*

Chassant résolument cette pensée, elle récupéra la corde et s'attaqua au nœud.

22

Le lendemain matin, aux informations, j'appris qu'un suspect avait été arrêté.

J'avais passé presque toute la nuit assis dans un fauteuil, espérant et redoutant tout à la fois un appel de Mackenzie. Mais mon téléphone n'avait pas sonné. À cinq heures, je m'étais levé et douché. J'étais resté dehors un bon moment, à regarder sans vraiment le voir le monde revenir à la vie autour de moi. Au bout d'une heure environ, j'étais rentré. Je ne voulais pas écouter la radio, sachant déjà quels en seraient les titres. Peu à peu, pourtant, le silence de la maison m'était devenu insupportable et au moment du journal de huit heures, j'avais capitulé et allumé.

Mais même alors, je ne pensais rien découvrir de nouveau. Je voulus me préparer un café, et tandis que je remplissais le percolateur, le jet du robinet avait noyé la voix du présentateur durant quelques secondes. Soudain, distinguant les mots « arrestation » et « suspect », j'avais coupé l'eau.

« ... et la police confirme qu'un homme de la région, dont l'identité n'a pas été révélée, a été appréhendé hier soir dans le cadre de l'enquête sur l'enlèvement de l'institutrice Jenny Hammond... »

Déjà, le présentateur passait à la nouvelle suivante. *Et Jenny ?* aurais-je voulu hurler. Pourquoi ne l'avait-on pas mentionnée ? Je m'aperçus soudain que j'agrippais toujours le percolateur. Je le lâchai pour me ruer sur le téléphone. *Allez, réponds*, priai-je en composant le numéro de Mackenzie. Au bout de plusieurs sonneries, juste au moment où je croyais que la messagerie allait se déclencher, il décrocha.

« Vous l'avez retrouvée ? lançai-je sans lui laisser le loisir de prononcer un mot.

— Docteur Hunter ?

— *Vous l'avez retrouvée ?*

— Non. Écoutez, je ne peux pas vous parler pour l'instant. Je vous rappellerai...

— Ne raccrochez pas ! Qui est le suspect ?

— Je n'ai pas le droit de vous répondre.

— Oh, bon sang !

— Vu qu'il n'a pas été inculpé, on ne peut pas divulguer son identité. Vous connaissez la chanson, ajouta-t-il d'un ton contrit.

— Il a avoué ?

— On est toujours en train de l'interroger. »

Autrement dit, non.

« Pourquoi ne m'avez-vous pas prévenu ? Vous deviez me tenir au courant s'il y avait du nouveau !

— Il était tard. J'avais prévu de vous avertir ce matin.

— Quoi ? Vous pensiez peut-être que vous alliez me *déranger* ?

— Je sais que vous vous inquiétez, docteur Hunter, mais il s'agit d'une enquête criminelle et...

— Je suis au courant. J'y ai participé, vous vous rappelez ?

— Quand je serai en mesure de vous donner des

informations, je le ferai. En attendant, on interroge un suspect, c'est tout. »

Je m'efforçai de refouler ma colère. Mackenzie n'était pas du genre à se laisser impressionner par des menaces.

« À la radio, ils ont parlé d'un homme de la région, déclarai-je en essayant de garder mon calme. Alors je peux vous garantir que tout le village saura bientôt de qui il s'agit, que ça vous plaise ou non. Et moi aussi, tôt ou tard, je le découvrirai. Mais d'ici là, je vais passer des heures à me torturer pour tenter de démêler le vrai du faux. » Brusquement, je n'eus plus l'énergie de discuter. « Je vous en prie, inspecteur. J'ai besoin de savoir. »

Il hésita. Je n'ajoutai rien afin de lui laisser le temps de prendre sa décision. Enfin, je l'entendis soupirer.

« Une minute. »

Les bruits à l'autre bout de la ligne me parurent étouffés, comme s'il avait plaqué une main sur le combiné. Sans doute allait-il se placer dans un endroit plus discret. Lorsqu'il reprit la communication, il chuchotait.

« Tout ça est strictement confidentiel, OK ? » Je ne pris même pas la peine de répondre. « C'est Ben Anders. »

Je m'attendais à un nom connu, mais certainement pas à celui-là.

« Docteur Hunter ? Vous êtes là ?

— Ben Anders ? répétai-je, abasourdi.

— Sa voiture a été aperçue près de chez Jenny Hammond la nuit précédant sa disparition.

— C'est tout ?

— Bien sûr que non ! On a aussi trouvé dans son

coffre du matériel pour fabriquer des pièges. Fil de fer, cisailles, piquets en bois...

— Il s'en sert probablement pour son travail. Il est gardien dans une réserve naturelle, ne l'oubliez pas.

— Alors pourquoi sa voiture était-elle garée devant la maison de la victime ? »

J'avais toujours du mal à encaisser le choc. Peu à peu, cependant, mon cerveau recommençait à s'activer.

« Qui l'a vue ? demandai-je.

— Je ne peux pas vous répondre.

— Vous avez été renseigné, pas vrai ? Par un coup de fil anonyme, je parie.

— Qu'est-ce qui vous fait dire ça ? s'enquit-il d'un ton méfiant.

— Je sais qui en est l'auteur, affirmai-je avec conviction. Carl Brenner. Rappelez-vous, je vous ai raconté que Ben le soupçonnait de braconner. Eh bien, ils se sont bagarrés l'autre soir. Et Brenner a reçu une bonne raclée.

— Ça ne prouve rien, s'entêta Mackenzie.

— N'empêche, vous devriez interroger Brenner. Je ne peux pas croire que Ben soit mêlé à tout ça.

— Pourquoi ? riposta Mackenzie. Parce que c'est un de vos copains ?

— Non, parce que je suis presque sûr qu'on a voulu le piéger.

— Oh, et vous pensez que cette idée ne nous a pas traversé l'esprit ? Figurez-vous que Brenner a un alibi en béton, contrairement à Anders. À propos, vous saviez que votre copain avait fréquenté Sally Palmer ? »

La question me réduisit au silence.

« Ils ont eu une liaison autrefois, poursuivit Mackenzie. Juste avant votre arrivée au village, en fait.

313

— Je l'ignorais, murmurai-je, abasourdi.

— Peut-être a-t-il oublié de vous le dire. Tout comme il a dû oublier de mentionner qu'il a été arrêté pour avoir agressé une femme il y a quinze ans... »

Pour la seconde fois, je me retrouvai à court de mots.

« On s'intéressait déjà à lui avant d'avoir ce tuyau, poursuivit-il. Malgré les apparences, on n'est pas complètement débiles, voyez-vous... Bon, vous m'excuserez, mais j'ai une matinée chargée. »

Un déclic à l'autre bout de la ligne m'informa qu'il avait coupé la communication. De mon côté, je raccrochai aussi. Je ne savais plus quoi penser. Avant cette conversation, je n'aurais pas douté un seul instant de l'innocence de Ben. Et je restais persuadé que le coup de téléphone anonyme avait été passé par Brenner. Cet individu était suffisamment stupide pour vouloir se venger de son vieil ennemi par n'importe quel moyen, au mépris des conséquences.

Pourtant, les propos de Mackenzie m'avaient profondément ébranlé. Jamais je n'aurais deviné que Ben avait eu une liaison avec Sally, et encore moins qu'il avait des antécédents de violence. D'accord, il n'avait aucune raison de m'en parler, et vu les circonstances, je comprenais qu'il eût gardé le silence. En attendant, j'en arrivais à me demander jusqu'à quel point je le connaissais. Le monde est rempli de gens convaincus que leur meilleur ami ne peut pas être un assassin, et pour la première fois de ma vie, je me dis que j'étais peut-être l'un d'eux.

Mais ce qui m'inquiétait par-dessus tout, c'était la possibilité que la police fût en train de perdre un temps précieux à interroger un innocent. En un éclair, je pris ma décision. J'attrapai mes clés de voiture et me ruai

314

hors de la maison. Si Brenner avait menti afin de faire accuser Ben, je devais le mettre au courant des implications d'un tel acte pour Jenny. Il fallait que je sache ce qu'il en était réellement pour, le cas échéant, tenter de le ramener à la raison. S'il refusait...

S'il refusait, je préférais ne pas penser à la suite des événements.

Le soleil tapait déjà dur lorsque je traversai le village où, me sembla-t-il, la présence de la police et surtout de la presse s'était renforcée. Journalistes, photographes et ingénieurs du son traînaient en groupes maussades et désœuvrés, frustrés par l'échec de leurs tentatives répétées pour interviewer des habitants obstinément muets. La disparition de Jenny les avait attirés telles des mouches, et cette idée m'était intolérable. Au moment où je passais devant l'église, je vis Scarsdale dans le cimetière. Sur une impulsion, je me garai et descendis de voiture. Le révérend donnait ses instructions à Tom Mason en lui agitant sous le nez un index osseux. Lorsqu'il se rendit compte de ma présence, il s'interrompit, le visage plissé par la contrariété.

« Docteur Hunter, dit-il froidement en guise de salut.

— J'aurais un service à vous demander », annonçai-je tout à trac.

Une lueur de satisfaction brilla dans ses yeux.

« Ah oui ? Comme quoi, il y a un début à tout ! »

Je le laissai savourer son triomphe ; il y avait plus en jeu que son orgueil ou le mien. Enfin, il consulta ostensiblement sa montre.

« Eh bien, désolé, je ne peux pas vous parler dans l'immédiat, reprit-il. Je dois recevoir un coup de fil au sujet d'une interview pour la radio. »

En d'autres circonstances, son petit ton supérieur m'aurait hérissé ; en l'occurrence, j'y prêtai à peine attention.

« C'est très important.

— Dans ce cas, vous ne verrez pas d'inconvénient à patienter un moment, j'imagine. » Il inclina la tête quand une sonnerie de téléphone s'échappa d'une porte ouverte sur le côté de l'église. « Veuillez m'excuser. »

Je faillis l'attraper par les revers de sa veste miteuse pour le secouer sans ménagement. Je fus même tenté de le planter là moi aussi. Mais j'avais besoin de lui pour en appeler à la bonne volonté de Brenner. Après notre altercation de la veille, il y avait toutes les chances pour que celui-ci refusât de m'écouter si j'allais le trouver seul. Aussi me résignai-je à attendre le retour de Scarsdale.

Le cliquetis régulier d'un sécateur finit par s'insinuer dans ma conscience. Je tournai la tête pour découvrir Tom Mason occupé à tailler l'herbe autour d'un massif proche en feignant de n'avoir rien entendu de notre échange. Je me rendis compte un peu tard que je ne l'avais même pas salué.

« Bonjour, Tom », dis-je d'un ton aussi naturel que possible. Je cherchai du regard son grand-père. « George n'est pas là ?

— Il peut pas se lever. »

J'ignorais que George Mason était malade – preuve supplémentaire, s'il en était besoin, de ma négligence envers nos patients.

« C'est son dos ? »

Il hocha la tête.

« Bah, ça devrait aller mieux dans quelques jours. »

Sa réponse me donna des remords. Henry avait

toujours soigné George Mason et son petit-fils, mais c'était à moi qu'incombait la charge des visites à domicile. Et le vieux jardinier faisait tellement partie du décor à Manham que j'aurais dû remarquer son absence. Combien de personnes avais-je ainsi laissées tomber, ces derniers temps ? Et encore maintenant, d'ailleurs, puisque par ma faute Henry devrait encore une fois assumer seul les consultations de la matinée...

Mais mon inquiétude pour Jenny l'emportait sur toute autre considération. La nécessité d'agir m'obsédait tandis que la voix pompeuse de Scarsdale me parvenait par la porte ouverte. Je sentais l'impatience me monter à la tête. La lumière du soleil dans le cimetière me paraissait trop éclatante, l'air presque écœurant tant il était chargé de parfums. Une pensée encore confuse tenta de s'immiscer dans mon esprit, qui s'évanouit dès lors que j'entendis le révérend raccrocher. Quelques instants plus tard, il émergeait de son bureau, l'air particulièrement content de lui.

« Alors, docteur Hunter... Comme ça, vous vouliez me demander un service ?

— Je vais voir Carl Brenner et j'aimerais que vous veniez avec moi.

— Tiens donc. Et pourquoi ?

— Parce qu'il y a une chance pour qu'il vous écoute.

— À quel propos ? »

Je jetai un coup d'œil en direction du jardinier qui, tout à sa tâche, s'était éloigné de nous.

« Les policiers ont arrêté un suspect, mais à mon avis, ils ont été aiguillés sur une fausse piste. Par Carl Brenner.

— Cette "fausse piste" ne conduirait-elle pas à Ben Anders, par hasard ? » Mon expression dut suffire à

317

l'éclairer sur ce point, car il esquissa un sourire suffisant. «Désolé de vous décevoir, mais ce n'est pas franchement une nouvelle. On l'a vu au moment de son interpellation. Ce n'est pas le genre de chose qui passe inaperçu...

— Peu importe l'identité du suspect en question. Je suis persuadé que Brenner a menti à la police.

— Et pour quelle raison, à votre avis ?

— Il a une dent contre Ben. L'occasion était trop belle pour lui.

— Mais vous n'êtes sûr de rien, n'est-ce pas ?» Il pinça les lèvres en une moue réprobatrice. «Quant à Anders, c'est un de vos amis, il me semble.

— S'il est coupable, il mérite d'être puni. S'il ne l'est pas, la police est en train de perdre son temps.

— C'est à elle d'en juger, pas au médecin du village.

— S'il vous plaît, dis-je en m'efforçant de réprimer mon exaspération.

— Je regrette, docteur Hunter, je ne pense pas que vous mesuriez la gravité de votre requête. Vous me demandez d'intervenir dans une enquête criminelle, ni plus ni moins.

— Je vous demande de prendre en considération la vie d'une innocente! m'exclamai-je. S'il vous plaît, répétai-je d'un ton radouci. Ce n'est pas pour moi que je sollicite votre aide. Il y a quelques jours seulement, Jenny Hammond était assise dans votre église quand vous évoquiez la nécessité d'agir. Elle est peut-être encore en vie, mais elle ne le restera pas longtemps. Il n'y a pas... je ne peux pas...»

Ma voix se brisa. Scarsdale m'observait avec attention. Incapable de poursuivre, je secouai la tête et me détournai.

«Qu'est-ce qui vous fait croire que Carl Brenner m'écoutera ?»

Je me donnai le temps de me ressaisir avant de l'affronter de nouveau.

«C'est vous qui avez instauré les patrouilles. Il sera sensible à votre autorité.

— Cette troisième victime... Vous la connaissez ?»

Je me bornai à hocher la tête. Alors qu'il continuait de me dévisager, je remarquai dans ses yeux une expression que je n'avais encore jamais vue : la compassion. Très vite, cependant, elle céda la place à sa condescendance habituelle.

«Très bien, docteur, je vous accompagne.»

Je n'étais jamais allé chez les Brenner, mais leur maison, située à environ un kilomètre et demi du village, constituait une sorte de curiosité locale difficile à ignorer. On y accédait par un chemin de terre creusé d'ornières tout l'été et transformé en bourbier le reste de l'année. Les champs alentour, autrefois rendus cultivables par assèchement des marais, étaient laissés à l'abandon. Au milieu, entourée de gravats et de détritus en tout genre, se dressait la maison elle-même, une haute bâtisse délabrée qui ne semblait comporter ni surfaces planes ni angles droits. Des extensions avaient été ajoutées au fil des années – des constructions de bric et de broc qui s'accrochaient aux murs telles des sangsues. Une plaque de tôle ondulée tenait lieu de toiture. Juste à côté, apportant au décor une touche de modernité incongrue, se trouvait une énorme antenne satellite.

Scarsdale n'avait pas dit un mot durant le court trajet. Dans l'habitacle confiné, l'odeur aigre de renfermé qui émanait de lui était plus perceptible que jamais. La Land Rover avança en cahotant sur la piste à peine carrossable. À notre approche, un chien se précipita vers nous en aboyant comme un fou, mais il garda ses distances lorsque nous descendîmes de voiture. Je frappai à la porte d'entrée, faisant tomber une pluie d'écailles de peinture. Une femme à l'air usé – la mère de Carl – ouvrit presque aussitôt.

Les cheveux gris terne, le teint cireux, elle se distinguait en outre par sa maigreur effrayante, comme si la vie avait aspiré toute son énergie – ce qui était probablement le cas vu le genre de famille que cette veuve avait dû élever seule. Malgré la chaleur, elle portait par-dessus sa robe fanée un gilet tricoté à la main dont elle arracha machinalement quelques peluches en nous dévisageant sans souffler mot.

« Je suis le docteur Hunter, dis-je, estimant que Scarsdale n'avait pas besoin d'être présenté. Carl est là ? »

La question ne provoqua aucune réaction chez elle. Je m'apprêtais à la poser de nouveau quand Mme Brenner croisa les bras.

« Il est encore au lit, lança-t-elle d'un ton à la fois agressif et nerveux.

— On doit lui parler. C'est urgent.

— Il supporte pas qu'on le réveille. »

Scarsdale s'avança d'un pas.

« Ce ne sera pas long, madame Brenner. Et je vous assure que c'est de la plus haute importance. »

La façon dont le révérend avait pris le contrôle de la situation suscita en moi une pointe d'exaspération que je m'efforçai de réprimer. L'essentiel après tout, c'était de pouvoir entrer.

À contrecœur, la maîtresse de maison s'effaça pour nous laisser passer.

«Attendez-moi dans la cuisine. Je vais le chercher.»

Scarsdale pénétra le premier à l'intérieur. Je m'engageai à sa suite dans un couloir encombré empestant les vieux meubles et la friture. L'odeur de graisse s'intensifia à mesure que nous approchions de la cuisine où deux adolescents, un garçon et une fille, se disputaient devant leurs assiettes vides. Scott Brenner, assis près d'eux, son pied bandé posé sur un tabouret bas, regardait le petit téléviseur installé dans un coin en sirotant une tasse de thé à moitié vide.

À notre arrivée, les deux jeunes se turent.

«Bonjour, Scott», dis-je d'une voix mal assurée.

Incapable de me rappeler les prénoms de sa sœur et de son frère, conscient de m'introduire dans le foyer de Carl pour l'accuser d'avoir menti, je commençais à avoir des doutes sur le bien-fondé de cette visite. Mais je les chassai presque aussitôt. À tort ou à raison, je devais aller jusqu'au bout de mon entreprise.

Le silence se prolongeait. Scarsdale se tenait au centre de la pièce, aussi immobile qu'une statue. Le garçon et la fille nous dévisageaient toujours. Scott contemplait fixement ses jambes.

«Comment va le pied? demandai-je pour briser la glace.

— Bah, pas trop mal.» Scott y jeta un coup d'œil, puis haussa les épaules. «Ça brûle un peu.

— Quand avez-vous changé le pansement pour la dernière fois?» m'enquis-je en voyant le bandage crasseux.

Ses joues s'empourprèrent.

«Je sais pas...

— Mais vous l'avez changé, n'est-ce pas ? » Il ne répondit pas. « C'était une vilaine blessure, vous ne devriez pas la laisser comme ça.

— C'est que... je peux aller nulle part, répliqua-t-il, visiblement troublé.

— Vous auriez pu demander à une infirmière de passer. Ou alors, Carl aurait pu vous emmener au cabinet. »

Son visage se ferma.

« Nan, il est trop occupé. »

Oh, je m'en doute, pensai-je. Cela dit, j'aurais eu mauvaise grâce de m'ériger en donneur de leçons ; l'état de Scott n'était que trop révélateur de mes défaillances en tant que médecin du village. Enfin, nous entendîmes quelqu'un descendre l'escalier, puis Mme Brenner nous rejoignit dans la cuisine.

« Melissa, Sean, fichez le camp ! ordonna-t-elle aux adolescents.

— Pourquoi ? protesta la fille.

— Parce que c'est comme ça ! Allez, ouste ! »

Le frère et la sœur finirent par obéir, les épaules voûtées et la mine boudeuse. Leur mère s'approcha de l'évier et ouvrit le robinet.

« Il descend ? demandai-je.

— Quand il sera prêt. »

De toute évidence, sa collaboration s'arrêtait là. Dans la cuisine, on n'entendait désormais plus que l'eau frappant les parois de l'évier et le cliquetis des couverts et des assiettes que la maîtresse de maison entrechoquait furieusement en les lavant. Je guettai en vain un mouvement à l'étage.

« Alors je fais quoi, moi ? » lança Scott en observant sa jambe d'un air inquiet.

Je dus fournir un gros effort pour me concentrer de nouveau sur lui. J'avais conscience du regard de Scarsdale. L'impatience en moi le disputa à l'appel du devoir jusqu'au moment où, enfin, je cédai.

« Laissez-moi jeter un coup d'œil à la plaie. »

Celle-ci, plus propre que ne le laissait craindre la grisaille du bandage, était en bonne voie de cicatrisation. Scott Brenner avait toutes les chances de recouvrer l'usage de son pied. Les points de suture ressemblaient à l'œuvre d'une élève infirmière particulièrement maladroite, mais les bords se refermaient bien. J'allai chercher ma sacoche dans la voiture, puis nettoyai la blessure et refis le pansement. J'avais presque fini quand un bruit de pas pesants dans l'escalier annonça l'arrivée de Brenner.

Je me redressai au moment où il entra dans la pièce. Il portait un jean sale et un T-shirt moulant qui soulignait la puissance de son torse musculeux. Il me gratifia d'un regard mauvais avant d'adresser un salut de la tête presque respectueux à Scarsdale. On aurait dit un écolier grognon affrontant un proviseur sévère.

« Bonjour, Carl, commença Scarsdale. Nous sommes désolés de vous déranger. »

En percevant l'intonation réprobatrice du révérend, Brenner parut prendre conscience de son apparence.

« Je viens de me lever, précisa-t-il sans nécessité, d'une voix encore ensommeillée. Je suis rentré tard hier soir. »

À en juger par l'expression de Scarsdale, il ne lui en tiendrait pas rigueur. Pour cette fois.

« Le docteur Hunter a quelque chose à vous demander. »

Brenner ne tenta même pas de masquer son hostilité quand il se tourna vers moi.

« Qu'est-ce que j'en ai à fou... » Il se ressaisit promptement. « Je m'en fiche, de ce qu'il veut. »

En digne pacificateur, Scarsdale leva les mains pour le calmer.

« Je me rends bien compte que nous avons fait intrusion chez vous. Carl, mais le docteur pense que c'est important. Alors j'aimerais que vous l'écoutiez. »

Le révérend me jeta un coup d'œil pour me signifier que son rôle s'arrêtait là. Lorsque je pris la parole, j'avais une conscience aiguë de la présence de Scott et de sa mère.

« Vous savez que Ben Anders a été arrêté, n'est-ce pas ? » commençai-je.

Avant de répondre, Carl Brenner s'appuya contre la table et croisa les bras.

« Et alors ?

— Vous étiez au courant ?

— Pourquoi je le serais ?

— La police a reçu un coup de fil anonyme à son sujet. C'était vous ? »

Il émanait de lui une aura d'agressivité presque palpable, semblable à une onde de chaleur.

« En quoi ça vous regarde ?

— Si c'est bien vous, dites-moi juste que vous l'avez vraiment vu. »

Ses yeux s'étrécirent.

« Vous m'accusez, docteur ?

— Je ne veux pas que la police parte sur une fausse piste.

— Pourquoi ce serait une fausse piste, d'abord ? Ce

type est une belle ordure, il est grand temps que tout le monde s'en rende compte ! »

Visiblement mal à l'aise, Scott changea de position dans son fauteuil.

« Je sais pas, Carl, peut-être qu'il est pas...

— Toi, on t'a pas sonné ! le rabroua son frère. Alors ferme-la.

— Il ne s'agit pas seulement de Ben Anders ! m'exclamai-je tandis que Scott baissait la tête. Vous êtes inconscient ou quoi ? »

Les poings serrés, Brenner s'écarta de la table.

« Vous vous prenez pour qui, bordel ? fulmina-t-il. Vous avez refusé de nous parler hier soir quand on vous a fait barrage, et aujourd'hui, vous débarquez chez moi pour demander des comptes ?

— Je veux juste connaître la vérité.

— Parce que maintenant, vous me traitez de menteur ?

— Vous jouez avec une vie humaine, nom de Dieu ! »

Un rictus de dément déforma ses traits.

« Super. Je serais trop heureux qu'on le pende, ce salaud !

— Je ne parlais pas de lui ! m'écriai-je. Et la fille, hein ? Qu'est-ce qui va lui arriver ? »

À ces mots, son affreux sourire disparut. Manifestement, il n'y avait pas pensé. Il haussa les épaules, mais il se tenait désormais sur la défensive.

« De toute façon, elle est sûrement déjà morte », marmonna-t-il.

Lorsque j'avançai d'un pas vers lui, Scarsdale me posa une main sur le bras pour me retenir. Au prix d'un immense effort, je tentai une dernière approche.

« Il les garde prisonnières pendant trois jours avant de les tuer, dis-je en essayant de conserver mon calme. Comme ça, il a tout le temps de leur faire ce qu'il veut. On en est au deuxième jour et les flics attendent toujours les aveux de Ben Anders. Parce qu'un homme a prétendu l'avoir vu devant chez elle. »

Je dus m'interrompre.

« S'il vous plaît, insistai-je au bout d'un moment. S'il vous plaît, si vous l'avez dénoncé à tort, dites-leur. »

Les autres me contemplaient d'un air hébété. En dehors des enquêteurs, personne ne savait que les victimes n'avaient pas été assassinées tout de suite. Mackenzie serait fou de rage quand il apprendrait que j'avais dévoilé cette information, mais je m'en fichais. Toute mon attention restait concentrée sur Brenner.

« J'y suis pour rien », maugréa-t-il.

Pourtant, le doute se lisait sur son visage et son regard était devenu fuyant.

« Carl ? risqua sa mère.

— J'ai dit que j'y étais pour rien, OK ? » riposta-t-il, de nouveau emporté par la colère. Puis il se tourna vers moi. « Vous avez posé votre question, alors maintenant, foutez le camp ! »

J'ignore ce qui se serait passé si Scarsdale n'avait pas été là. Il s'interposa rapidement entre nous.

« Ça suffit ! » ordonna-t-il. Et d'ajouter à l'intention de Brenner : « Je comprends votre émotion, Carl, mais je vous saurais gré de ne pas utiliser ce genre de langage devant moi. Ou devant votre mère. »

S'il n'apprécia pas la remontrance, Brenner se plia néanmoins à l'autorité du révérend, qui s'adressa ensuite à moi :

«Vous avez votre réponse, docteur Hunter. Je ne vois aucune raison de rester ici plus longtemps. »

Les yeux fixés sur Brenner, je ne bougeai pas d'un pouce, désormais convaincu qu'il avait accusé Ben par pure méchanceté. Sa mine renfrognée me donnait envie de lui faire avouer la vérité à coups de poing.

« S'il lui arrive quelque chose, grondai-je d'une voix méconnaissable, si elle meurt à cause de vos mensonges, je vous jure que je vous tuerai de mes propres mains. »

La menace alourdit encore l'atmosphère pesante. Je sentis Scarsdale me prendre par le bras pour m'entraîner vers la porte.

« Venez, docteur Hunter. »

En passant devant Scott Brenner, je marquai une pause. Livide, il leva vers moi des yeux écarquillés par la stupeur, puis le révérend me poussa dans le couloir.

Nous retournâmes vers la Land Rover en silence. Ce fut seulement en m'engageant sur la route du village que je recouvrai l'usage de la parole.

« Il ment.

— Si j'avais su que vous perdriez votre sang-froid, jamais je ne vous aurais accompagné ! rétorqua Scarsdale avec fougue. Vous avez vraiment manqué d'élégance.

— D'élégance, vous dites ? m'écriai-je, stupéfait. Ce type a piégé un innocent sans se soucier des conséquences de ses actes !

— Vous n'avez pas la preuve de ce que vous avancez.

— Oh, je vous en prie ! Vous étiez là, vous l'avez entendu !

— J'ai entendu deux hommes se quereller, c'est tout.

— Vous plaisantez ? Vous croyez toujours que Brenner n'a pas alerté la police ?

— Ce n'est pas à moi d'en juger.

— J'en suis conscient. Je voudrais juste que vous m'aidiez à convaincre les flics de s'entretenir avec Carl Brenner. »

Il ne répondit pas tout de suite. Et lorsqu'il le fit, ce fut d'une manière indirecte :

« Vous avez dit tout à l'heure que les victimes n'étaient pas mortes tout de suite. Comment le savez-vous ? »

J'hésitai par habitude, mais à présent, je ne me souciais plus vraiment de dissimuler la véritable nature de mes activités.

« J'ai examiné les corps. »

Sa tête pivota vers moi.

« Quoi ?

— Autrefois, j'étais une sorte d'expert dans ce domaine. Avant de m'installer à Manham », précisai-je.

Il lui fallut un petit moment pour assimiler l'information.

« Donc, vous avez participé à l'enquête ?

— Oui, à la demande de la police.

— Je vois. » Ma réponse ne lui plaisait pas, c'était évident. « Et vous avez choisi de garder le secret sur cette collaboration.

— Il s'agit d'un travail délicat. Je ne tenais pas à l'ébruiter.

— Évidemment ! Après tout, nous ne sommes que des péquenots. J'imagine que notre ignorance a dû vous amuser... »

Deux taches rouges coloraient ses joues. Il n'était pas seulement contrarié, il écumait littéralement de rage. Au début, l'intensité de sa réaction me dérouta, puis je compris : il s'était plu à exercer une influence importante dans le village, peut-être même s'était-il imaginé en leader de Manham. Or il venait de découvrir qu'un autre avait joué un rôle clé dans l'affaire et détenait des informations auxquelles lui-même n'avait pas eu accès. C'était un rude coup pour son orgueil. Pis, pour son ego.

« Pas du tout, répondis-je.

— Ah non ? C'est tout de même bizarre que vous m'en parliez seulement maintenant, au moment où vous sollicitez mon intervention. Eh bien, je le reconnais, je me suis montré naïf. Mais je peux vous assurer qu'on ne me prendra plus pour un idiot.

— Personne ne vous prend pour un idiot. Si je vous ai offensé, j'en suis désolé, mais il y a plus en jeu que nos intérêts personnels.

— Très juste. Et à partir de maintenant, vous pouvez être sûr que je laisserai tout cela aux "experts". » Il avait prononcé ce dernier mot d'un ton ironique chargé d'amertume. « Après tout, je ne suis qu'un vulgaire homme d'Église.

— Écoutez, j'ai absolument besoin de votre aide. Je ne peux pas...

— Je crois que nous n'avons plus rien à nous dire, docteur Hunter. »

Le reste du trajet s'effectua en silence.

23

Ce fut le bruit qui réveilla Jenny. Au début, elle se sentit désorientée par l'obscurité. Elle ne se rappelait pas où elle se trouvait ni pourquoi elle ne voyait rien. Elle ne fermait pas les rideaux le soir, de sorte que même par les nuits les plus sombres, il ne faisait jamais complètement noir dans sa chambre. Peu à peu, cependant, elle prit conscience de la dureté du sol et de l'odeur fétide, et soudain, les souvenirs affluèrent.

De nouveau, elle tira sur la corde. À force de s'acharner dessus, elle avait les ongles à moitié arrachés, et lorsqu'elle les suça, le goût du sang lui imprégna la bouche. Malheureusement, malgré tous ses efforts, le nœud n'avait pas cédé d'un pouce. Découragée, elle abandonna. À présent, d'autres désagréments commençaient à se faire sentir. La faim, et surtout la soif. Avant de s'endormir, elle avait découvert dans le périmètre qui lui était accessible une minuscule flaque formée par l'eau qui suintait du sol et des murs de sa prison. Comme il n'y en avait pas assez pour boire directement, elle avait ôté son haut et s'en était servi pour absorber l'humidité. Lorsqu'elle avait pressé le tissu contre ses lèvres, le liquide lui avait paru éventé et saumâtre, mais elle l'avait savouré avec bonheur.

Depuis, elle avait repéré deux autres flaques

semblables qu'elle avait pareillement vidées. Cela n'avait cependant pas suffi à étancher sa soif. Elle avait rêvé d'eau, pour se réveiller la gorge plus desséchée que jamais, et peu à peu, elle s'était sentie gagnée par une étrange léthargie. C'étaient les premiers signes d'un déficit en insuline, elle le savait, mais elle ne voulait pas y songer. Pour s'occuper, elle entreprit une nouvelle fois d'explorer le sol autour d'elle en espérant que les flaques se seraient reconstituées pendant son sommeil.

À cet instant, le bruit résonna dans le silence. Il provenait de la pièce derrière les planches.

Il y avait quelqu'un dans la cave.

Elle attendit en retenant son souffle. Quiconque s'activait de l'autre côté n'était manifestement pas là pour la secourir. Une lumière plus vive s'insinuait désormais par les fissures entre les planches, remarqua-t-elle. Le martèlement du sang dans ses tempes noya tous les autres sons quand elle s'en approcha. À tâtons, le plus silencieusement possible, elle colla de nouveau son œil à la même fente qu'auparavant.

Après l'obscurité de sa prison, la clarté lui agressa la rétine. Elle cilla pour chasser les larmes qui lui brouillaient la vue. Une ampoule nue, suspendue au bout d'un long fil, brillait juste au-dessus de l'établi, projetant un halo de lumière sur le bois et laissant tout le reste, y compris les animaux morts accrochés au plafond, dans l'ombre.

Le bruit se répéta, et soudain, Jenny vit un homme émerger de l'obscurité. De son poste d'observation proche du sol, elle ne le distinguait qu'en partie. Elle aperçut un jean et ce qui ressemblait à une veste militaire lorsqu'il alla se placer devant l'établi éclairé. En tout cas, il émanait de sa silhouette une impression de force, de corpulence. Et quelques secondes plus tard, il se dirigea vers sa cellule.

Jenny s'écarta précipitamment des planches. Les pas se rapprochèrent, puis s'arrêtèrent. Paralysée par la terreur, elle scruta les ténèbres. Un grincement sonore s'éleva dans la cave juste avant qu'un rai lumineux vertical n'apparût. Celui-ci se mua en flot de clarté éblouissante quand la cloison de planches, montée sur des charnières, s'écarta. Jenny se couvrit les yeux, aveuglée, au moment où une forme sombre se dressait devant elle.

« Debout. »

La voix, réduite à un chuchotement, était impossible à identifier. Toujours tétanisée, Jenny ne bougea pas.

Soudain, l'inconnu fit un geste rapide dans sa direction, et aussitôt, elle éprouva une douleur aiguë. Avec un petit cri, elle plaqua une main sur son bras. Il était humide. Abasourdie, elle contempla ses doigts ensanglantés.

« Debout ! »

La paume toujours pressée sur l'entaille, Jenny se redressa tant bien que mal et s'adossa au mur en gardant la tête détournée. *Ne le regarde pas. S'il pense que tu l'as reconnu, il ne te laissera pas partir.* Pourtant, comme mus par une volonté propre, ses yeux se dirigèrent non pas vers le visage de l'inconnu, mais vers le couteau de chasse qu'il serrait et dont la lame incurvée pointait vers elle. *Oh, mon Dieu, non, je vous en prie...*

« Déshabille-toi. »

Tout recommençait, comme avec le chauffeur de

taxi. Sauf que cette fois, elle ne pouvait espérer le moindre secours.

« Pourquoi ? » demanda-t-elle dans un souffle, en s'en voulant de trahir ainsi sa faiblesse.

Elle n'eut pas le temps d'anticiper le mouvement du couteau. Déjà, une sensation de brûlure intense se propageait sur sa joue. Elle y porta la main et un liquide tiède lui coula entre les doigts. Aussitôt après, elle ressentit un élancement fulgurant, propre à lui couper le souffle.

« Enlève tes fringues. »

Oui, elle avait déjà entendu cette voix qui se répercutait dans sa tête comme au fond d'un puits. *Ne t'évanouis pas. Surtout, ne t'évanouis pas.* La douleur de sa blessure l'aida à se concentrer. Elle chancela mais ne perdit pas l'équilibre. La respiration de son agresseur se précipita quand il tendit lentement son arme vers elle. La pointe lui piqua le bras, puis la lame elle-même se posa sur sa peau nue. Jenny ferma les yeux en la sentant glisser telle une plume jusqu'à son épaule, le long de sa clavicule et sur le creux de sa gorge, où elle s'arrêta un instant avant d'aller se loger sous son menton. La pression de la pointe s'accentua alors pour l'obliger à lever la tête le plus haut possible, à exposer son cou. Enfin, le couteau disparut.

« Enlève-les, j'ai dit. »

Elle rouvrit les yeux en prenant soin de ne pas regarder l'homme en face d'elle. Ses bras pesaient des tonnes, lui sembla-t-il, quand elle attrapa son haut humide pour le faire passer par-dessus sa tête. L'espace d'un instant béni, elle se retrouva dans le noir, puis elle dut affronter de nouveau la pièce nauséabonde.

Pour la première fois, elle examina les lieux. Sa cellule, fermée par des cloisons de planches, ne constituait qu'une petite partie de la cave. Dans la pénombre au-delà de l'ampoule nue s'entassaient de vieux meubles, des outils et des détritus – un bric-à-brac trop vaste pour être appréhendé d'un seul coup d'œil. Tout au fond, baigné par une faible clarté venant d'une source invisible, se dressait l'escalier entraperçu plus tôt.

Et à ce décor sinistre venaient s'ajouter les cadavres d'animaux mutilés.

Il y en avait partout, constata-t-elle, réduits à de petits tas de poils, d'os et de plumes oscillant au gré des courants d'air. Elle n'eut cependant pas le loisir de s'apitoyer sur leur sort, car déjà l'homme se postait devant elle, lui masquant la lumière. Incapable de détacher son regard du couteau, elle acheva de se dévêtir en toute hâte pour éviter une autre blessure. Tremblante, elle baissa son short le long de ses cuisses et le laissa tomber autour de sa cheville entravée. Elle ne portait plus que son slip, à présent, et gardait la tête obstinément baissée afin de ne pas croiser les yeux de l'inconnu, dont elle avait encore plus peur que d'un chien enragé.

« Tout, ordonna-t-il d'une voix rauque.

— Qu'est-ce que vous allez faire ? murmura-t-elle, consciente d'être pitoyable.

— Obéis ! »

Jenny s'exécuta gauchement. Il se baissa et, d'un coup de couteau, fendit slip et short pour les dégager de la corde. Quand il avança les doigts vers elle pour lui effleurer les seins d'un geste presque hésitant, elle étouffa un cri, se mordit la lèvre et détourna la tête en refoulant ses larmes. De nouveau, elle se retrouva face aux dépouilles accrochées au plafond.

Alors, sans réfléchir, elle lui gifla la main.

Le contact imprima en elle un souvenir tactile : rugosité de la peau couverte de poils, dureté de l'os en dessous. Sur le moment, l'homme ne réagit pas. Puis son bras se détendit pour lui assener un coup violent au visage. Jenny fut projetée contre le mur puis glissa sur le sol.

Immobile devant elle, il respirait plus fort, et elle se raidit dans l'attente d'une nouvelle attaque qui ne vint pas. Avec soulagement, elle l'entendit s'éloigner. Sa joue la brûlait à l'endroit où il l'avait frappée, mais au moins, ce n'était pas du même côté que la coupure. *Veinarde*, songea-t-elle confusément. *Veinarde et complètement idiote*.

Un déclic résonna soudain dans le silence et une vive clarté l'aveugla. Une main en visière au-dessus de ses yeux, elle s'aperçut qu'il avait allumé une lampe de bureau fixée à l'établi. Toujours éblouie, Jenny perçut le raclement des pieds d'une chaise sur le sol, puis le grincement du siège quand l'homme y prit place.

« Debout. »

Elle obéit en s'efforçant d'ignorer les élancements dans son corps. D'une certaine façon, pourtant, son bref sursaut de révolte avait produit un changement subtil dans ses émotions. La peur était toujours là, bien sûr, mais s'y mêlait désormais la colère. Jenny y puisa suffisamment de forces pour pouvoir se redresser en adoptant une attitude de défi. Quelles que fussent les épreuves auxquelles elle serait confrontée, se disait-elle, elle conserverait un semblant de dignité. Brusquement, il lui paraissait crucial de s'y raccrocher.

D'accord. Fais ce que t'as à faire et qu'on en finisse.

Nue, frissonnante, elle se demanda ce qui allait se passer. Mais rien ne se produisit. D'autres sons s'élevaient maintenant dans l'ombre. *Qu'est-ce qu'il fabrique ?* Elle risqua un rapide coup d'œil en direction de son tortionnaire, juste le temps d'apercevoir sa silhouette assise en face d'elle, les jambes largement écartées.

Il se masturbait, comprit-elle enfin.

Peu à peu, les sons se précipitèrent. L'homme poussa un cri étranglé, ses bottes raclèrent le ciment puis s'immobilisèrent. Jenny observait une immobilité totale, osant à peine respirer tandis qu'il reprenait son souffle.

Au bout d'un moment, il se leva. Jenny entendit un léger bruissement et baissa les yeux quand il s'avança dans sa direction. Il s'arrêta près d'elle, si près qu'elle pouvait sentir son odeur. Il lui tendit une sorte de ballot.

« Mets ça. »

Elle s'apprêtait à s'exécuter quand son regard fut de nouveau attiré par le couteau. *Pose-le*, songea-t-elle. *Vas-y, pose-le rien qu'une seconde. On verra alors qui est le plus courageux des deux.* Il n'en fit rien, bien sûr. Serrant toujours son arme, il lui fourra le ballot dans les mains. En découvrant qu'il s'agissait d'une robe, Jenny sentit renaître une étincelle d'espoir ; il allait peut-être la laisser partir, finalement... Quand elle reconnut le vêtement, cependant, ses illusions s'envolèrent.

C'était une robe de mariée, toute de dentelle et de satin blanc jaunis par le temps. Sur le tissu sale s'étalaient des taches brunes séchées. Un hoquet d'horreur lui échappa.

Du sang.

Elle lâcha la tenue. Aussitôt, la lame fendit l'air pour venir tracer une ligne pourpre sur son bras.

« Ramasse-la ! »

Il lui sembla qu'une autre qu'elle se baissait pour obéir. Elle glissa un pied dans l'encolure avant de s'apercevoir qu'avec la corde autour de sa cheville, elle ne parviendrait pas à l'enfiler. Mais au moment où elle allait lui demander de la libérer, Jenny se ravisa. *C'est exactement ce qu'il veut.* Son instinct le lui soufflait. *Il n'attend qu'un prétexte.*

Cette certitude lui rendit quelques forces, alors même que la pièce se mettait à tanguer autour d'elle. Lorsqu'elle fit passer la robe par-dessus sa tête, une odeur nauséabonde l'assaillit, mélange de naphtaline, de sueur et d'un soupçon de parfum. Durant un instant, le visage recouvert par les lourds plis du vêtement, elle se sentit claustrophobe ; et si l'homme profitait de ce qu'elle était prise au piège pour l'attaquer au couteau ? Paniquée, elle se contorsionna pour se libérer et aspira de grandes goulées d'air.

Mais il n'était plus là. Retranché dans l'obscurité derrière la lumière, il manipulait un objet sur l'établi. Jenny baissa les yeux vers la robe empesée. Le sang de ses coupures avait déjà imprégné le tissu, ajoutant de nouvelles taches aux anciennes. Le modèle n'en était pas moins ravissant, taillé dans un satin épais avec des incrustations de dentelle formant une fleur de lis sur le devant. *Une femme a porté cette robe un jour*, se dit-elle. *Le jour le plus heureux de sa vie.*

Une sorte de crépitement métallique rappelant un

réveil que l'on remonte attira soudain son attention. Toujours dissimulé dans l'ombre, l'homme posa un petit coffret en bois près de la lampe. Ce fut seulement quand il souleva le couvercle que Jenny identifia l'objet.

C'était une boîte à musique agrémentée en son centre d'une minuscule ballerine posée sur un socle. Sous les yeux de Jenny, la figurine commença à tourner tandis que des notes cristallines mais fausses s'élevaient dans la puanteur ambiante. Le mécanisme endommagé n'empêchait cependant pas de reconnaître la mélodie. *Au clair de la lune.*

« Danse. »

Arrachée à son hébétude, Jenny sursauta.

« Quoi ?

— Danse ! »

L'ordre lui paraissait tellement irréel qu'il aurait pu tout aussi bien être formulé dans une autre langue. Seule la vue de la lame s'élevant vers elle l'incita à se mouvoir. Comme ivre, elle se mit à se balancer d'un pied sur l'autre en une parodie de chorégraphie. *Ne pleure pas, surtout ne lui montre pas ta faiblesse*, se dit-elle. Mais les larmes coulaient toujours sur ses joues sans qu'elle pût les retenir.

Elle sentait toujours le regard de l'homme fixé sur elle. Soudain, il se dirigea vers l'escalier, et Jenny s'immobilisa en le voyant disparaître en haut des marches. Elle crut qu'il allait partir sans refermer la cloison de planches, mais au bout de quelques secondes seulement, des pas résonnèrent de nouveau, lents et mesurés, plus déterminés qu'avant. *Il cherche à te faire peur*, se dit-elle. *C'est encore un de ses petits jeux tordus, comme la robe.*

Quand la silhouette se matérialisa au bas des marches, Jenny s'empressa de baisser les yeux et de recommencer à se balancer au rythme de la mélodie. L'homme traversa lentement la cave, et encore une fois, la chaise émit un grincement sous son poids. Se sachant observée, Jenny avait du mal à coordonner ses mouvements. *Tu prends ton pieds, c'est ça ?* songea-t-elle dans une tentative désespérée pour raviver sa colère – le seul moyen pour elle d'endiguer sa peur.

La musique ralentissait, devenant de plus en plus discordante à mesure que le ressort se détendait. Lorsque les dernières notes résonnèrent, l'homme craqua une allumette. La petite flamme jaune chassa brièvement les ténèbres qui l'engloutirent quelques secondes plus tard. Mais entre-temps, Jenny avait aperçu le visage au-dessus.

Brusquement, tout se mit en place.

Dans l'intervalle, la musique s'était arrêtée. Jenny entendit son ravisseur remonter le mécanisme en même temps que lui parvenaient des odeurs de soufre et de tabac.

Anéantie par une nouvelle vague de stupeur et de désespoir, elle continua de se mouvoir comme un automate au son de la mélodie.

24

La police relâcha Ben Anders dans la journée. Mackenzie m'appela pour m'en informer.

« J'ai pensé que vous aimeriez le savoir », dit-il.

Il s'exprimait d'un ton las, monocorde, comme s'il n'avait pas dormi de la nuit. Ce qui était probablement le cas.

Désireux de fuir ma maison vide, je m'étais réfugié dans mon bureau au cabinet. Je ne savais pas trop ce que m'inspirait cette nouvelle. J'étais content pour Ben, bien sûr. En même temps. J'éprouvais un curieux sentiment de déception, je n'avais jamais vraiment cru à sa culpabilité, mais inconsciemment, je devais néanmoins avoir quelques doutes. Ou alors, je me disais que tant que la police interrogeait un suspect, n'importe lequel, il restait encore un petit espoir de retrouver Jenny. À présent, il s'était envolé.

« Que s'est-il passé ? demandai-je.

— Rien. On a la preuve qu'il ne pouvait pas se trouver chez elle l'après-midi où elle a disparu, c'est tout.

— Ce n'est pas ce que vous pensiez ce matin.

— Ce matin, on ne le savait pas, répliqua-t-il. Au début, il ne voulait pas nous dire où il était. Depuis, il l'a fait et on a vérifié ses déclarations.

— Je ne comprends pas... S'il avait un alibi, pourquoi n'en a-t-il pas parlé tout de suite ?

— Posez-lui donc la question ! riposta Mackenzie avec humeur. Il vous répondra peut-être. En ce qui nous concerne, il est hors de cause. »

Je me frottai les yeux.

« Alors, où en est-on ?

— On va suivre d'autres pistes, bien entendu. On examine toujours les indices recueillis chez elle et...

— Épargnez-moi les conneries officielles, bon sang ! Je veux juste la vérité ! » Comme il m'opposait un silence, je pris une profonde inspiration. « Désolé, inspecteur. »

Il soupira.

« On fait le maximum. Je ne peux malheureusement pas vous en dire plus.

— Vous avez d'autres suspects ?

— Pas encore.

— Et Brenner ? » Au dernier moment, je décidai de ne pas mentionner ma visite matinale chez lui. « Je reste persuadé qu'il est l'auteur du coup de fil anonyme concernant Ben Anders. Ça vaut peut-être la peine de l'interroger, non ? »

Cette fois, Mackenzie ne parvint pas à dissimuler son impatience.

« Je vous le répète, Carl Brenner a un alibi. Si c'est bien lui qui nous a envoyés sur une fausse piste, il le paiera plus tard. Pour l'instant, on a d'autres priorités. »

Le désespoir que je m'efforçais de maîtriser menaçait désormais de me submerger.

« Je peux vous aider ? demandai-je sans grand espoir.

— Pas pour le moment. » Il hésita. « Écoutez, reprit-il, on a le temps. Les autres femmes n'ont été tuées qu'au bout de trois jours. Il n'y a aucune raison de penser qu'il va changer de méthode. »

C'est censé me rassurer peut-être ? eus-je envie de crier. Même si Jenny était encore vivante, nous savions tous les deux que ses heures étaient comptées. Et je n'osais pas imaginer ce qu'elle endurerait dans l'intervalle.

Quand Mackenzie eut raccroché, je m'assis et me pris la tête entre les mains. Un instant plus tard, on frappait à la porte et je me redressai en voyant Henry sur le seuil.

« Des nouvelles ? » s'enquit-il.

Je fis non de la tête, notant machinalement à quel point il avait l'air épuisé. Ce qui n'avait rien d'étonnant : depuis la disparition de Jenny, je ne feignais même plus de m'intéresser à mes patients.

« Ça va, Henry ?

— Bien, oui. Je suis en pleine forme ! » Incapable cependant de maintenir plus longtemps une façade sereine, il esquissa un faible sourire avant de hausser les épaules. « Ne vous en faites pas pour moi, je me débrouille. Je vous assure... »

J'en doutais. Malgré ses efforts pour me prouver le contraire, toute son attitude trahissait sa fatigue. Pourtant, je ne pouvais penser qu'à Jenny et à ce qui risquait de lui arriver dans les prochaines vingt-quatre heures. Tout le reste me paraissait secondaire.

Devinant que je n'étais pas d'humeur à bavarder, Henry s'éclipsa. Je voulus parcourir une nouvelle fois les rapports que j'avais rédigés sur Sally Palmer et Lyn Metcalf au cas où un détail m'aurait échappé, mais ils entraînèrent mon imagination dans une direction que je faisais tout pour éviter. Aussi finis-je par éteindre mon ordinateur. Alors que je contemplais l'écran noir, j'eus le sentiment très net de négliger un point important, il était là, sous mon nez, et pourtant je ne parvenais pas à le cerner.

En fin de compte, la nécessité d'agir m'incita à me lever. Muni de mon téléphone portable, je m'élançai vers ma voiture. Je ne voyais qu'un seul endroit où me rendre.

Mais même quand j'eus démarré, l'idée de passer à côté de l'évidence continuait de m'obséder.

Ben Anders habitait à la sortie du village une imposante maison qui appartenait autrefois à ses parents. Après leur mort, il y avait vécu avec sa sœur jusqu'au moment où elle s'était mariée et établie ailleurs. Il disait souvent que c'était trop grand pour lui, qu'il devrait vendre et acheter un logement plus petit, mais jusque-là, il n'avait pas mis ses projets à exécution. Après tout, c'était son foyer.

Je n'y étais allé que deux ou trois fois pour boire un dernier verre après la fermeture du Lamb, et au moment de me garer devant le portail en bois massif entouré d'un haut mur de pierre, je m'étonnai de n'avoir jamais visité les lieux en plein jour. Ce qui en disait sans doute long sur la profondeur de notre amitié...

Je ne savais même pas s'il était chez lui. Et maintenant que j'étais arrivé, j'espérais presque qu'il n'y serait pas. Je voulais l'entendre me donner sa version des faits, mais je n'avais pas vraiment réfléchi à ce que, moi, j'allais lui dire.

Chassant résolument mes doutes, je frappai à sa porte. Si la maison, construite en briques claires, n'était pas belle à proprement parler, elle n'en dégageait pas moins une impression de solidité rassurante. Jardinet devant bien entretenu. Fenêtres blanches, porte vert foncé. J'attendis, puis frappai de nouveau. N'obtenant toujours aucune réponse à ma troisième tentative, je me détournai. Je n'avais cependant pas l'intention de partir. D'une part, parce que j'appréhendais de retourner à mon attente angoissée et d'autre part, parce que étrangement l'endroit ne me semblait pas vide.

Une allée faisait le tour de la bâtisse. Je m'y engageai, pour découvrir un peu plus loin une tache sombre par terre. Du sang. Je l'enjambai. Derrière, le jardin ressemblait à un vaste champ soigneusement fauché, bordé au fond par une rangée d'arbres fruitiers sous laquelle était assise une silhouette.

Ben ne parut pas surpris de me voir. Une bouteille de whisky était posée sur la table près de lui – de simples tréteaux soutenant une planche de bois brut au bord de laquelle se consumait une cigarette. À en juger par le niveau de la bouteille et le teint rougeaud de Ben, il buvait depuis un bon bout de temps. Il se resservit au moment où je le rejoignais.

« Y a des verres dans la maison, si tu veux te joindre à moi.

— Non, merci.

— Je te proposerais bien un café, mais très franchement, ça me fait chier de me lever. » Il attrapa la cigarette, l'examina puis l'écrasa. « La première depuis quatre ans, m'informa-t-il. C'est vraiment dégueulasse.

— J'ai frappé.

— J'ai entendu, mais j'ai cru que c'étaient encore ces putains de journalistes. Y en a déjà deux qui se sont pointés ici cet après-midi. Sûrement tuyautés par un flic trop bavard... » Il me gratifia d'un sourire tout de guingois. « J'ai eu du mal à les convaincre que je préférais rester seul, mais bon, ils ont fini par comprendre.

— C'est ça, le sang sur l'allée ?

— Ils voulaient pas se résigner à mon "sans commentaires", ouais. » S'il soignait son élocution, il n'avait cependant pas l'air trop ivre. « Quelle bande de connards, ajouta-t-il, la mine assombrie.

— Ce n'était peut-être pas une bonne idée de cogner sur des journalistes.

— Qui t'a parlé de cogner ? Je les ai raccompagnés jusqu'à la sortie, c'est tout. » Une ombre voila son regard. « Écoute, David, je suis désolé pour Jenny. » Il soupira. « Désolé... Ça paraît dérisoire, hein ? »

Je n'étais pas prêt à recevoir ses condoléances.

« La police t'a libéré à quelle heure ? demandai-je.

— Vers deux ou trois heures.

— Pourquoi ?

— Pourquoi quoi ?

— Pourquoi t'ont-ils libéré ? »

Il m'observa par-dessus son verre.

« Parce que je n'avais rien à voir avec sa disparition.

— Alors pourquoi tu restes assis là, à te saouler ?

— T'as déjà été interrogé dans le cadre d'une enquête criminelle ? » Il laissa échapper un petit rire. « "Interrogé"... mon cul, ouais ! Ils questionnent pas, ils affirment. "On sait que vous étiez là-bas, votre voiture a été aperçue, où avez-vous emmené la fille, qu'est-ce que vous lui avez fait ?" C'est pas marrant, crois-moi. Même quand ils te laissent partir, t'as l'impression que c'est par charité. »

Il leva son verre comme pour porter un toast.

« Et après, t'es de nouveau un homme libre. Sauf que maintenant, les gens te regardent en se disant : "Y a pas de fumée sans feu." Et qu'ils se méfieront toujours de toi.

— Mais tu n'es pour rien dans ce qui est arrivé à Jenny. »

Je vis les muscles de sa mâchoire se contracter, mais lorsqu'il reprit la parole, ce fut d'une voix calme :

« Non. Pareil pour les autres, d'ailleurs. »

Je n'avais pas eu l'intention de le questionner, mais c'était plus fort que moi. Il soupira et haussa les épaules pour soulager sa tension.

« C'était une erreur. Quelqu'un a cru reconnaître ma bagnole devant chez Jenny. Sauf que c'était pas possible.

— Puisque tu avais un alibi, pourquoi ne pas l'avoir dit tout de suite ? Pourquoi faire semblant d'avoir quelque chose à cacher ? »

Il avala une autre gorgée de whisky.

« Parce que j'avais vraiment quelque chose à cacher, David. Mais pas ce qu'ils croyaient.

— Eh bien, j'espère que c'était important ! m'écriai-je d'une voix tremblante de colère. Merde, Ben, les flics ont perdu des heures avec toi ! »

Ben accepta le reproche sans broncher.

« Je fréquente une femme, David, avoua-t-il enfin. Tu la connais pas. Elle habite... Elle vit pas ici. J'étais avec elle. »

Je devinai sans peine le reste.

« Elle est mariée, c'est ça ?

— Jusque-là, elle l'était. Mais maintenant que les flics ont téléphoné à son mari pour lui demander si sa femme acceptait de confirmer qu'elle était au lit avec moi, je doute qu'elle le reste encore longtemps. »

Cette fois, je gardai le silence.

« Je sais, je sais. J'aurais dû leur dire plus tôt, lâcha-t-il. Putain, je regrette de pas l'avoir fait ! Non seulement je me serais épargné des heures de torture, mais je serais pas là ce soir à me pinter... Le problème, c'est que quand les flics viennent te chercher chez toi pour te coller en cellule, t'as du mal à réfléchir, tu vois ? »

Il se frotta le visage d'un geste empreint de lassitude.

« Tout ça parce que quelqu'un s'est trompé en croyant reconnaître ma bagnole...

— Il ne s'agit pas d'une simple méprise, Ben. C'est Carl Brenner qui t'a dénoncé. »

À la seule mention du nom, il redressa brusquement la tête, une lueur de doute dans le regard.

« Merde, j'ai dû prendre un coup de vieux, dit-il au bout d'un moment. Tu te rends compte, j'ai même pas pensé à lui ! »

La tension entre nous se dissipait peu à peu, comme si, d'un commun accord, nous l'avions attribuée au stress.

« Je suis allé chez lui, racontai-je. Brenner n'a pas avoué, mais je mettrais ma main à couper que c'est lui.

— Mouais, ça m'étonne pas qu'il t'ait rien dit. En tout cas, je te remercie pour tes efforts.

— Je ne l'ai pas fait pour toi. Je voulais que la police se concentre sur Jenny, pas qu'elle se fourvoie dans une impasse.

— Je comprends. » Il contempla son verre puis le reposa sans l'avoir porté à ses lèvres. « Et qu'est-ce qu'il t'a raconté d'autre, ton copain l'inspecteur ?

— Que Sally et toi aviez eu une liaison. Et que tu avais agressé une femme il y a quinze ans. »

Un petit rire amer s'échappa de ses lèvres.

« Tout finit toujours par te revenir à la figure, hein ? C'est vrai, Sally et moi, on s'est vus pendant quelque

347

temps. On s'en est pas caché, mais on l'a pas crié sur tous les toits non plus. Tu connais le village... De toute façon, ça s'est vite terminé entre nous, et après, on est restés amis. Fin de l'histoire. Quant à l'autre... disons que c'était juste une erreur de jeunesse. »

Mon expression dut l'alarmer, car il ajouta aussitôt :

« Va pas te faire des idées, j'ai jamais agressé personne. J'avais dix-huit ans quand j'ai commencé à fréquenter une femme plus âgée. Et mariée.

— Décidément...

— OK, c'est une mauvaise habitude et j'en suis pas spécialement fier. Mais à l'époque, je croyais que le monde m'appartenait, tu comprends ? J'étais jeune, je me prenais pour un cadeau du ciel. Et puis, quand j'ai voulu rompre, elle l'a pas accepté. Elle m'a menacé, on s'est engueulés... Là-dessus, j'ai découvert qu'elle avait porté plainte contre moi pour tentative de viol. »

Il haussa les épaules.

« Heureusement, elle a fini par retirer sa plainte. Mais on se débarrasse pas de la boue comme ça... Et au cas où tu voudrais savoir pourquoi t'étais pas au courant de cette histoire, je suis pas du genre à étaler ma vie privée partout. Voilà, j'ai pas à m'en excuser.

— Je ne te l'ai pas demandé.

— Parfait. » Il se redressa et vida le reste du whisky dans l'herbe. « Voilà, je t'ai dit tous mes sales petits secrets. Maintenant, je vais pouvoir réfléchir à ce que je ferai à ce fumier de Brenner.

— Tu ne vas rien faire du tout, Ben. »

Il se fendit d'un sourire mauvais qui trahissait les effets du whisky.

« À ta place, je parierais pas là-dessus.

— Si tu t'attaques à lui, ça n'arrangera rien. Il y a plus en jeu qu'une simple vendetta. »

Son visage s'empourpra.

« D'après toi, je devrais passer l'éponge ?

— Pour le moment, oui. Après... » À la pensée de ce qu'impliquait ce « après », je sentis mon estomac se nouer. « Quand ils auront mis la main sur le ravisseur de Jenny, tu pourras faire tout ce que tu veux. »

Sa colère le déserta d'un coup.

« T'as raison, j'ai parlé trop vite. » Il paraissait songeur, à présent. « Va pas t'imaginer que je te dis ça sous le coup de la rancœur, mais t'as pensé aux raisons qui avaient pu pousser Brenner à me balancer ?

— En plus de t'expédier derrière les barreaux, tu veux dire ?

— Tout juste. Il cherchait peut-être à se couvrir, par exemple.

— Ça m'a traversé l'esprit, oui. Mais tu n'es pas le seul à avoir un alibi. Mackenzie m'a affirmé que celui de Brenner tenait la route. »

Ben reporta son attention sur son verre vide.

« Il a précisé ce que c'était, cet alibi ?

— Non.

— Je te le donne en mille que sa famille a témoigné pour lui. Ils se serrent tous les coudes comme des putains de voleurs. C'est, entre autres, pour ça qu'on n'a jamais réussi à le coincer. Pour ça, et aussi parce qu'il est rusé, le salaud. »

Peu à peu, je sentais s'accélérer les battements de mon cœur. Carl Brenner était un chasseur, un braconnier connu pour son comportement agressif et antisocial. Et compte tenu du plaisir que semblait prendre le tueur à piéger et à mutiler les animaux tout comme les femmes, il correspondait parfaitement au profil. Mackenzie n'avait rien d'un idiot, mais sans indices ni mobile, il n'avait aucun motif de soupçonner Brenner plus qu'un autre.

Du moins, tant que celui-ci avait un alibi.

Ben ajouta quelque chose, sauf que je ne l'écoutais plus. Mon cerveau fonctionnait à plein régime.

«À quelle heure Brenner part-il à la chasse, d'habitude?» demandai-je.

25

Jenny avait perdu toute notion du temps. Les tremblements convulsifs qui l'avaient saisie après le départ de son tortionnaire se calmaient peu à peu, et elle se sentait gagnée par une somnolence inquiétante, bien différente d'une fatigue normale. Elle n'avait toujours aucune idée du nombre d'heures écoulées depuis son enlèvement, mais elle avait sûrement manqué deux, voire trois piqûres d'insuline. Son taux de sucre devait monter en flèche et le contrecoup du choc n'arrangeait rien.

Du choc et de la perte de sang.

Dans l'obscurité, elle n'avait aucun moyen d'évaluer la quantité de sang qu'elle avait perdue. Une croûte se formait déjà sur la plupart des coupures à l'exception de la dernière. La pire. Son T-shirt, transformé en bandage ensanglanté, lui entourait le pied droit. Le tissu lui semblait poisseux au toucher, à présent. C'était peut-être bon signe, se disait-elle ; avec un peu de chance, la blessure ne saignait plus autant. Mais Dieu qu'elle lui faisait mal !

C'était arrivé après qu'elle avait enlevé la robe de mariée. Quand la boîte à musique avait égrené ses ultimes fausses notes pour la troisième fois, Jenny avait cessé de danser. Étourdie, elle avait encore tangué quelques secondes, ses jambes la soutenant à peine.

Puis, toujours vêtue de la robe souillée, elle s'était effondrée en luttant pour ne pas perdre connaissance. Tandis que sa vue se brouillait, elle avait eu vaguement conscience de mouvements autour d'elle, mais ils devenaient de plus en plus indistincts. Un certain temps s'était écoulé, jusqu'au moment où on l'avait poussée du pied.

Quand elle avait rouvert les yeux, c'était le couteau qu'elle avait vu.

Elle avait levé la tête vers l'homme qui le tenait. Elle n'avait plus aucune raison d'éviter son regard, puisque de toute façon, elle n'en sortirait jamais vivante.

Néanmoins, elle avait senti son estomac se nouer en lisant sur les traits de son bourreau la confirmation de sa sentence.

De nouveau, il lui avait donné un petit coup de pied.

« Enlève-la. »

Prenant appui sur le mur, elle s'était redressée laborieusement pour se défaire de la robe. L'homme la lui avait arrachée des mains avant de se poster devant elle. Jenny avait baissé la tête, consciente de sa nudité. Son cœur cognait douloureusement dans sa poitrine. Elle percevait l'odeur de son agresseur, la caresse de son souffle. *Oh mon Dieu ! Qu'est-ce qu'il veut ?* Elle ne pouvait détacher les yeux du couteau qui pendait au bout de son bras. *Pose-le. Juste une seconde. Une chance, c'est tout ce que je demande.* Au lieu de quoi, il lui avait placé la lame devant le visage, puis l'avait avancée vers elle. Jenny avait tressailli quand la pointe lui avait piqué le bras.

« Bouge pas. »

Elle s'était forcée à demeurer immobile tandis que la lame courait sur sa peau, multipliant les petites entailles. Chaque fois, une goutte de sang apparaissait – une perle rouge foncé qui grossissait puis roulait sur sa chair. La douleur était vive, mais l'attente encore plus insupportable. Jenny sentait grandir l'excitation de son tortionnaire, dont la respiration s'accélérait. Il s'était encore rapproché. Elle avait laissé échapper un cri étouffé quand, de l'une de ses grosses bottes, il lui avait écrasé les orteils. Et cette fois, elle avait cédé à la panique.

« Ne me touchez pas ! » avait-elle hurlé en tentant de s'échapper. Mais la corde autour de sa cheville l'avait stoppée net dans son élan, et elle s'était affalée sur le sol. Au moment où elle se retournait, l'homme s'était dressé devant elle. L'expression de son regard l'avait glacée. Il n'y avait rien d'humain dans ses yeux, rien d'autre que de la pure démence.

« Je t'avais dit de pas bouger. » Il s'exprimait d'un ton dangereusement calme. « T'aurais pas dû essayer de t'enfuir, avait-il ajouté en se baissant pour lui attraper sa cheville libre. Je peux pas te laisser faire.

— Non ! Non, je ne voulais pas... »

Il ne l'écoutait pas, tout occupé qu'il était à lui caresser le pied avec sa lame. Quand il l'avait pressée contre le gros orteil, un sourire extatique lui était venu aux lèvres.

« Le premier petit cochon est allé au marché..., avait-il chantonné avant de s'intéresser à l'orteil suivant. Le deuxième petit cochon est resté à la maison pour manger du rosbif... »

Il avait ainsi effleuré le troisième, puis le quatrième.

« Celui-là n'a rien eu. Et le dernier petit cochon... »

Jenny avait deviné ce qui allait arriver une seconde avant le passage à l'acte. Une douleur fulgurante s'était propagée dans toute sa jambe lorsque le couteau avait frappé. Elle avait hurlé en s'efforçant de dégager son pied, mais l'homme ne l'avait pas lâché tout de suite. L'orteil sectionné gisait sur le sol tel un caillou ensanglanté.

« Le dernier cherchera plus à courir partout. »

En le voyant debout devant elle, la lame maculée de sang, elle avait cru qu'il allait en finir. Des supplications lui étaient montées aux lèvres, qu'elle avait refoulées par orgueil. À présent, elle s'en réjouissait ; cela n'aurait servi à rien, de toute façon, sinon à ravir son tortionnaire.

Celui-ci avait fini par partir en prenant soin de remettre en place la cloison de planches. Restée dans le noir, Jenny n'avait aucune idée du temps qui s'était écoulé depuis ce moment terrible. Quelques minutes, peut-être, ou des heures, voire des jours... L'atroce sensation de brûlure au niveau de son pied se réduisait maintenant à des élancements sourds, et chaque fois qu'elle avalait, sa gorge parcheminée lui semblait incrustée d'éclats de verre. Pourtant, elle avait de plus en plus de mal à rester éveillée. Elle tenta une nouvelle fois de s'attaquer à la corde qui l'entravait, pour renoncer presque aussitôt ; elle n'en avait plus la force. Dans l'obscurité, elle n'aurait su dire si sa vision se brouillait, mais elle était certainement déjà en hyperglycémie. Et sans insuline, son état ne ferait qu'empirer.

Du moins, si elle restait en vie assez longtemps pour s'en apercevoir.

Pourquoi ne l'avait-il pas violée ? se demanda-t-elle soudain. Pour une raison inexplicable, il ne l'avait pas agressée alors que de toute évidence, le désir le disputait à la haine en lui. Elle ne se berçait cependant pas d'illusions. Le visage entrevu à la lueur de l'allumette ne lui avait pas laissé le moindre espoir ; elle n'avait aucune pitié à attendre. D'autant qu'elle n'était pas la première à séjourner dans ce réduit. Les coupures, la robe, la danse – tous ces éléments semblaient faire partie d'un rituel incompréhensible.

Et d'une façon ou d'une autre, elle n'y survivrait pas.

26

L'après-midi touchait à sa fin lorsque j'arrivai chez les Brenner. L'air paraissait brumeux, comme si un léger voile de nuages commençait à envahir le ciel jusque-là d'un bleu limpide. Je me garai à l'entrée du chemin, les yeux fixés sur la bâtisse décrépite. Elle semblait encore plus miteuse que dans mon souvenir. Je ne décelai aucun signe de vie à l'intérieur. Je restai à l'observer encore quelques instants, avant de m'apercevoir que j'essayais juste de gagner du temps. Après avoir passé la première, j'engageai la Land Rover sur la piste cahoteuse.

Depuis que j'avais pris ma décision, le plus difficile pour moi consistait à maîtriser mon impatience. Tout me poussait à agir sans tarder, à me rendre sur-le-champ chez les Brenner. En même temps, je savais pertinemment que le succès de mon entreprise reposait sur l'absence de Carl. Ben m'avait conseillé de patienter encore quelques heures afin d'augmenter la probabilité que notre homme fût au Lamb ou parti à la chasse. « Il braconne, m'avait-il rappelé. Donc, il sort tôt le matin ou tard le soir. C'est pour ça qu'il était encore au lit quand t'es passé chez lui. Il avait dû faire le tour de ses pièges jusqu'au lever du jour. »

Mais je ne supportais plus d'attendre. Chaque heure qui passait réduisait les chances de retrouver Jenny vivante. Finalement, j'avais opté pour la solution la plus simple : j'avais téléphoné chez les Brenner et, sans décliner mon identité, j'avais demandé si Carl était là. La première fois, sa mère avait décroché. Quand elle m'avait répondu qu'elle allait le chercher, j'avais raccroché.

« Et tu vas faire quoi si leur téléphone mémorise les numéros et qu'il te rappelle ? avait lancé Ben.

— Bah, peu importe. Je peux toujours dire que je veux lui parler. De toute façon, je doute qu'il accepte. »

Carl n'avait cependant pas rappelé. J'avais laissé s'écouler un petit moment, puis composé de nouveau le numéro. Cette fois, c'était Scott qui avait décroché. Non, Carl était sorti, avait-il déclaré, et il ne savait pas quand il rentrerait. Je l'avais remercié avant de couper la communication.

« Souhaite-moi bonne chance », avais-je dit à Ben en me levant pour partir.

Il avait proposé de m'accompagner, mais j'avais refusé. Même si je souhaitais la présence d'un allié, je me doutais que la sienne nous attirerait des ennuis. En temps normal, les Brenner et lui formaient un mélange explosif, alors en y ajoutant une demi-bouteille de whisky, c'était la déflagration assurée. Or, ce que j'avais en tête passait par la persuasion, pas par un affrontement direct.

J'avais également envisagé d'informer Mackenzie de mes projets, avant d'y renoncer. Je n'avais rien de plus pour étayer mes soupçons que lorsque je m'étais entretenu avec lui un peu plus tôt. Et il m'avait déjà signifié clairement qu'il n'approuvait pas mon intervention. Il ne ferait rien sans preuves.

Raison pour laquelle je devais me rendre chez les Brenner.

Pourtant, je me sentais de moins en moins sûr de moi. Et lorsque je me garai devant la maison, presque toutes mes certitudes s'étaient envolées. Comme lors de ma première visite, le chien surgit au détour de la bâtisse en aboyant après la voiture. Mais cette fois, il s'enhardit : peut-être parce que j'étais seul, il ne battit pas en retraite. C'était un grand bâtard à l'oreille déchirée qui, les poils hérissés, se planta entre la maison et moi. Je sortis ma trousse de la Land Rover et la tint devant moi pour prévenir une attaque. Il se raidit quand je me dirigeai vers lui, et je me figeai sans qu'il cessât pour autant de grogner.

« Jed ! »

Sur un dernier regard mauvais, l'animal trottina jusqu'à la porte d'entrée où venait d'apparaître Mme Brenner. Une expression hostile se lisait sur son visage étroit.

« Qu'est-ce que vous voulez ? »

J'avais déjà préparé ma réponse.

« J'aimerais réexaminer le pied de Scott. »

Elle me considéra d'un œil soupçonneux. Ou peut-être ma nervosité me poussa-t-elle à l'interpréter comme tel.

« Vous l'avez déjà examiné, non ?

— Je n'avais pas tout ce qu'il me fallait. Je voudrais m'assurer qu'il n'y a aucun risque d'infection. Mais si je dérange... »

Quand je fis mine de retourner vers ma voiture, elle soupira.

« Non, c'est bon. Entrez. »

Tout en m'efforçant de ne pas trahir mon soulagement – et mon appréhension –, je la suivis à l'intérieur.

Scott se trouvait dans le salon, vautré devant la télé sur un canapé crasseux. Sa jambe blessée reposait sur les coussins.

« Le docteur est revenu te voir », l'informa sa mère lorsque nous entrâmes dans la pièce.

Il se redressa, l'air surpris. Et coupable, me sembla-t-il.

« Carl est pas encore rentré, ajouta Mme Brenner.

— Ça ne fait rien, affirmai-je. Comme j'étais dans le coin, je me suis dit que je pourrais jeter un coup d'œil à votre pied, Scott. J'ai apporté un pansement antibactérien. »

Je m'efforçais de paraître détendu, mais ma voix sonnait terriblement faux à mes oreilles.

« C'est vous qui avez téléphoné en demandant Carl, tout à l'heure ? lança Mme Brenner, dont l'animosité était de nouveau palpable.

— Oui, on a été coupés. J'appelais de mon portable.

— Pourquoi vous vouliez lui parler ?

— Je tenais à m'excuser », prétendis-je. Surpris de la facilité avec laquelle j'avais menti, j'allai m'asseoir sur une chaise près de Scott. « Mais pour le moment, il y a plus urgent. Vous permettez que j'inspecte la plaie ? »

Scott tourna la tête vers sa mère puis haussa les épaules.

« Allez-y. »

Je commençai à défaire le bandage, conscient du regard de Mme Brenner toujours immobile sur le seuil.

« Vous ne m'offririez pas une tasse de thé, par hasard ? » demandai-je sans lever les yeux.

Durant un instant, je crus qu'elle allait refuser. Puis,

avec un soupir sonore, elle se rendit à la cuisine. Après son départ, le silence se prolongea, seulement troublé par le bourdonnement du téléviseur et le bruissement du bandage que j'ôtais. La bouche sèche, je risquai un coup d'œil en direction de Scott. Il m'observait d'un air vaguement inquiet.

« Rappelez-moi ce qui s'est passé, dis-je.

— J'ai marché dans un piège.

— Où était-ce, déjà ? »

Il baissa les yeux.

« M'en souviens pas. »

J'achevai d'enlever la bande et le pansement. Dessous, les points étaient toujours aussi vilains.

« Vous avez eu une sacrée chance de ne pas perdre votre pied. En attendant, si ça s'infecte, il y a toujours un risque. »

Il ne courait plus aucun danger, mais je voulais l'ébranler.

« C'était pas ma faute, protesta-t-il. J'ai pas marché dedans exprès !

— Possible. N'empêche, si les nerfs ont été touchés, vous boiterez toute votre vie. Vous auriez dû consulter plus tôt. » Je levai la tête vers lui. « À moins que Carl ne vous l'ait interdit ? »

De nouveau, ses yeux évitèrent les miens.

« Pourquoi il aurait fait ça ?

— Tout le monde sait qu'il braconne, Scott. Il n'avait sûrement pas envie que la police lui pose des questions parce que son frère s'était blessé avec un piège.

— Je vous le répète, c'était pas un des nôtres.

— Si vous le dites... », lançai-je comme si c'était le cadet de mes soucis. J'examinai ostensiblement la

360

blessure en faisant jouer son pied d'avant en arrière.
« Pourtant, vous n'en avez pas parlé aux policiers...

— Si, je leur ai dit quand ils sont venus m'interroger », riposta-t-il, sur la défensive.

Je ne précisai pas que j'en avais moi-même informé Mackenzie.

« Et Carl, il en pensait quoi ?

— Comment ça ?

— Avant l'arrivée de la police, il vous a fait la leçon ? »

Il retira brusquement son pied.

« Qu'est-ce que ça peut vous foutre ?

— Carl a menti, pas vrai » ? répliquai-je en m'efforçant de conserver un ton posé.

Scott me foudroya du regard. Je savais que j'étais allé trop loin, mais je ne voyais pas comment m'y prendre autrement.

« Dehors ! Dégagez d'ici, vous entendez ? »

Je me levai.

« OK. Mais demandez-vous pourquoi vous vous obstinez à couvrir quelqu'un qui préfère vous laisser attraper la gangrène plutôt que vous emmener à l'hôpital.

— C'est des conneries !

— Ah oui ? Alors, pourquoi s'est-il adressé à moi, vu la gravité de votre blessure ?

— Vous étiez plus près.

— Surtout, il savait que l'hôpital signalerait l'incident à la police. Ce soir-là, même quand j'ai dit que vous aviez besoin de points de suture, il a refusé de vous conduire aux urgences. »

Je m'interrompis brusquement en voyant son expression. Je reportai mon attention sur les points malhabiles, et soudain, je compris.

« Il ne vous y a jamais conduit, c'est ça ? Ce qui explique pourquoi on ne vous a pas changé votre pansement. Vous n'êtes pas allé à l'hôpital. »

La colère de Scott s'était évanouie d'un coup. De nouveau, il évitait mon regard.

« Il a dit que tout irait bien.

— Qui a fait les points ? Lui ?

— Non. Dale, mon cousin. » Il semblait honteux d'avoir été percé à jour. « Il était dans l'armée, avant. Ce genre de trucs, ça le connaît. »

Dale Brenner, le cousin que j'avais aperçu la veille en compagnie de Carl au niveau du barrage routier.

« Et il est revenu examiner la plaie ? »

L'air malheureux, Scott fit non de la tête. Je le plaignais, mais pas assez pour mettre un terme à mes questions.

« Il donne souvent un coup de main à Carl ? Pour le braconnage, par exemple ? »

Il acquiesça à contrecœur. Je sentais que je touchais au but. Deux hommes. Deux chasseurs, dont l'un avait reçu une formation militaire.

Deux couteaux différents.

« Et pour quoi encore ?

— Rien, prétendit-il d'un ton peu convaincant.

— Ils vous ont mis en danger, Scott. Vous le savez, non ? Qu'est-ce qui est plus important pour eux que le risque d'une amputation pour vous ? »

Il s'agitait, à présent. Je me rendis compte avec stupeur qu'il était au bord des larmes. Je ne pouvais cependant pas reculer.

« Je veux pas qu'ils aient des emmerdes à cause de moi, dit-il dans un murmure.

— Des emmerdes, ils en ont déjà. Et ils n'ont pas eu autant de considération pour vous.»

Je m'apprêtais à pousser mon avantage plus loin lorsque mon instinct me souffla de lâcher prise et de laisser Scott prendre seul sa décision.

«Ils piègent des oiseaux, admit-il enfin. Des espèces rares. Et aussi des animaux, genre des loutres, quand ils en ont l'occasion. Carl pensait qu'il existait peut-être un marché pour les bestioles vivantes comme pour les œufs. Il y a des collectionneurs que ça intéresse, vous savez.

— Ils marchent ensemble dans la combine?

— Ouais, mais c'est surtout Carl qui pose les pièges. Il les planque dans le vieux moulin au milieu des marécages.»

Mon cerveau s'emballait. Le moulin en question était complètement délabré, isolé et abandonné depuis des lustres. Du moins l'avais-je cru jusque-là.

J'entrepris de refaire le pansement.

«Alors, c'est là-bas que vous vous êtes blessé», dis-je en me rappelant leurs explications quand ils étaient entrés au Lamb ce soir-là.

Il hocha la tête.

«Quand les flics se sont lancés à la recherche de ces nanas. Carl a eu la trouille qu'ils aillent fouiner de ce côté-là. En général, il veut pas que je l'accompagne. Il dit que je devrais m'occuper de mes affaires et pas m'occuper des siennes. Mais comme Dale était absent cette semaine-là, j'ai dû l'aider à déménager son matériel.

— Pour le cacher où?

— Un peu partout. Dans des endroits différents. Y en a une bonne partie ici, dans la remise. Ma mère était pas trop contente, mais c'était que pour deux ou trois jours, le temps que les flics fouillent le moulin. Et puis, là-dessus, je me suis bousillé le pied et Carl a été obligé de tout ramener lui-même. » Il paraissait complètement abattu. « Il était fou de rage. Mais je l'avais pas fait exprès, bon sang !

— Donc, c'était bien un de ses pièges ? »

Il secoua la tête.

« D'après lui, c'était un coup du dingue qui tuait les femmes. »

Je gardai les yeux obstinément fixés sur son pied.

« Donc, tout son matériel se trouve là-bas ?

— Ouais. Il peut pas le mettre ailleurs. Dale prendra jamais le risque de refaire un déménagement, vu le nombre de flics qui traînent dans les parages.

— Carl est retourné au moulin quand même ?

— Tous les jours. Faut pas que les bêtes meurent s'il veut les vendre. » Il haussa les épaules, « Mais je sais pas s'il va continuer encore longtemps. Il a pas beaucoup de clients et...

— Alors, vous avez fourni un alibi à Carl ? »

La perplexité se peignit sur ses traits.

« Hein ? »

Quand je terminai de lui bander le pied, mes mains tremblaient.

« Eh bien, quand les policiers vous ont interrogés au sujet des disparues, il ne pouvait tout de même pas leur répondre qu'il était sorti braconner, pas vrai ? »

Scott se fendit d'un sourire.

« Ben non, évidemment ! On a raconté qu'on était restés ici tout le temps. » Son sourire vacilla. « Vous lui répéterez pas ce que j'ai dit, surtout ?

— Non. »

Je lui en avais déjà trop confié. Je me souvins des propos que j'avais tenus à son frère un peu plus tôt. *Il les garde prisonnières pendant trou jours avant de les tuer.* À présent, Carl savait la police au courant de son mode opératoire. Grâce à moi, Jenny n'avait peut-être plus la moindre chance.

Mon Dieu ! Qu'est-ce que j'ai fait ?

Je me levais pour rassembler mes affaires quand la mère de Scott m'apporta une tasse de thé.

« Désolé, madame Brenner, il faut que j'y aille. »

Elle pinça les lèvres en une moue contrariée.

« Ben, je croyais que vous vouliez du thé...

— Désolé. »

Déjà, je quittais la pièce. Scott me regarda d'un air hésitant, comme s'il regrettait de m'avoir parlé. J'avais hâte de sortir de cette maison avant le retour de Carl Brenner. Je balançai ma trousse dans la Land Rover, puis tournai la clé de contact et démarrai, conscient de la présence sur le seuil de Mme Brenner.

Dès que je fus hors de vue, je saisis mon téléphone portable. Mais lorsque j'essayai de joindre Mackenzie, le signal disparut.

« Allez, allez ! »

J'émergeai du chemin de terre battue et m'engageai sur la route en direction du vieux moulin. Quand le signal reparut, je rappelai Mackenzie.

Pour tomber sur son répondeur. *Merde, merde !*

« La famille de Carl Brenner a menti au sujet de son alibi, dis-je sans préambule. Il était... »

Mackenzie décrocha.

« Ne me dites pas que vous êtes allé le voir...

— Pas lui, son frère, mais...

— Je vous avais ordonné de ne pas vous approcher de chez eux !

— Écoutez-moi, bordel ! Avec son cousin, Carl piège des oiseaux et d'autres animaux pour les vendre. Le cousin s'appelle Dale Brenner, c'est un ancien militaire. Ils enferment leurs proies dans un moulin en ruine à environ deux kilomètres du village. C'est là que Scott a marché dans un piège.

— Attendez. » Maintenant que j'avais toute son attention, il s'activait. J'entendis des voix étouffées en arrière-fond.

« OK, je vois où ça se trouve. Mais on a déjà fouillé le coin.

— Ils ont tout déplacé quand vous avez organisé les recherches pour retrouver Lyn Metcalf. C'est à ce moment-là que Scott s'est blessé. Carl craignait tellement les questions de la police qu'il ne l'a même pas emmené aux urgences.

— On savait déjà qu'il braconnait, s'obstina Mackenzie.

— Mais vous ne saviez pas que sa famille avait menti pour le protéger. Ni qu'il avait organisé un trafic d'animaux avec un ancien militaire et qu'au moins l'un de ces deux hommes n'avait pas d'alibi. Il faut que je vous fasse un dessin ou quoi ? »

Le juron que je l'entendis marmonner à l'autre bout de la ligne m'informa que ce ne serait pas nécessaire.

« Où êtes-vous, docteur Hunter ?

— Je sors de chez Brenner. »

Je préférai ne pas lui dire que j'étais en route pour le moulin.

« Où est Carl ?

— Aucune idée.

366

— OK. Bon, je suis au PC. Rejoignez-moi le plus vite possible. »

C'était dans la direction opposée.

« Pourquoi ? Je vous ai tout dit.

— J'ai besoin de détails. Et je ne voudrais pas que quelqu'un prenne des initiatives précipitées, vous saisissez ? »

Je ne répondis pas. Je continuai de rouler, le combiné collé à l'oreille, chaque seconde me rapprochant un peu plus de l'endroit où Jenny était retenue captive.

« Vous m'avez entendu, docteur Hunter ? »

La voix de Mackenzie avait claqué comme un coup de fouet. Au prix d'un effort de volonté presque surhumain, je relâchai peu à peu la pédale d'accélérateur.

« Je vous ai entendu, oui. »

Je fis demi-tour.

Le ciel avait pris une couleur maladive. Une fine pellicule de nuages s'était formée devant le soleil, conférant à la lumière une nuance jaunâtre. Pour la première fois depuis des semaines, la brise apportait un soupçon de fraîcheur à peine perceptible. Quelque part dans les environs, la pluie menaçait, mais pour le moment cette promesse d'humidité ne faisait que rendre la chaleur plus étouffante.

Même en roulant toutes vitres baissées, j'étais en nage lorsque j'atteignis le poste de commandement autour duquel régnait une activité encore plus importante que d'habitude. Mackenzie, posté devant une table au milieu d'un groupe d'agents en civil et en uniforme, étudiait une carte quand je le rejoignis. Les policiers en uniforme portaient aussi des gilets pare-balles. L'inspecteur se tut à mon approche.

Lorsqu'il s'adressa à moi, son expression n'avait rien d'amical.

« Je ne vous félicite pas pour ce que vous avez fait, lança-t-il en avançant sa mâchoire d'un air agressif. J'apprécie l'aide que vous nous avez apportée au début de cette affaire, mais c'est une enquête criminelle, docteur Hunter. On ne peut pas laisser des civils s'en mêler.

— Vous n'avez pas voulu m'écouter quand je vous ai averti au sujet de Brenner. J'aurais dû réagir comment, à votre avis ? »

Il réprima de justesse une repartie cinglante.

« Le commissaire veut vous parler. »

Il me conduisit vers les hommes restés près de la table et me présenta. L'un d'eux, grand et maigre, dégageant une indéniable aura d'autorité, me tendit la main.

« Commissaire Ryan. Si j'ai bien compris, docteur Hunter, vous avez de nouvelles informations à nous communiquer ? »

Je lui rapportai ma conversation avec Scott Brenner en m'efforçant de m'en tenir aux faits. À la fin de mon récit, Ryan se tourna vers Mackenzie.

« Vous connaissez ce Carl Brenner, je suppose ?

— On l'a déjà interrogé. C'est vrai, il correspond au profil de l'assassin, mais il a un alibi pour les deux disparitions. Sa famille l'a couvert.

— Il y a autre chose », déclarai-je. Mon cœur cognait douloureusement dans ma poitrine, mais je devais les mettre au courant. « Brenner sait que les victimes ont été gardées en vie pendant trois jours. Je le lui ai dit.

— Oh, merde, lâcha Mackenzie dans un souffle.

— Je voulais lui faire comprendre que l'enjeu allait bien au-delà de ses démêlés avec Ben Anders. »

Une tentative de justification pitoyable, j'en avais conscience. Les policiers me regardaient maintenant avec un mélange de dégoût et d'hostilité. Ryan me gratifia d'un hochement de tête sévère.

« Merci d'être venu, docteur Hunter, énonça-t-il d'un ton glacial. Désolé, mais nous avons du travail. »

Déjà, il se détournait. Mackenzie m'entraîna à l'écart, réprimant son indignation jusqu'au moment où nous fûmes hors de portée de voix.

« Qu'est-ce qui vous a pris de tout raconter à Brenner ?

— J'étais sûr que vous n'interrogiez pas le bon suspect ! Et croyez-moi, je m'en veux déjà bien assez comme ça. »

Une partie de sa colère le déserta quand il se rendit compte de ma sincérité.

« De toute façon, ça ne changera peut-être rien, ajouta-t-il. Tant que son frère ne vend pas la mèche. Carl Brenner ignore qu'il est suspect. »

Ces paroles ne me réconfortèrent pas.

« Vous allez fouiller le moulin ? demandai-je

— Dès qu'on en aura la possibilité. On ne peut pas lancer l'offensive sans préparation alors qu'on doit faire face à une éventuelle prise d'otage.

— Elle n'implique que Brenner et son cousin !

— Sans doute armés, docteur. Et l'un d'eux a reçu une formation militaire. On doit d'abord planifier toute l'opération. » Il soupira. « Écoutez, je sais que c'est dur pour vous. Mais on connaît notre boulot, d'accord ? Faites-moi confiance.

— Je vous accompagne. »

Le visage de Mackenzie se ferma.

« Pas question.

— Je resterai près des voitures. Je ne vous gênerai pas.

— Laissez tomber.

— Elle est diabétique, nom de Dieu ! » Des têtes se tournèrent vers nous. Je m'obligeais à baisser la voix. « Je suis médecin. Elle aura besoin d'insuline le plus vite possible. D'autant qu'elle est peut-être blessée, ou dans le coma.

— On demandera une ambulance et des urgentistes.

— Il faut que je sois là, insistais-je. Je vous en prie ! »

Mais déjà, il se dirigeait vers le poste de commandement. Soudain, il se retourna, comme si une pensée venait de lui traverser l'esprit.

« Ne vous avisez pas d'aller là-bas seul, docteur Hunter. Dans l'intérêt de votre petite amie, mieux vaut éviter tout risque de distraction. »

Il n'eut pas besoin d'ajouter ce que nous pensions tous les deux. *Vous avez fait suffisamment de conneries comme ça.*

« D'accord.

— J'ai votre parole ? »

Je pris une profonde inspiration.

« Oui. »

Son expression s'adoucit légèrement.

« Tâchez de rester calme. Je vous appellerai dès qu'on aura du nouveau. »

Sur ces mots, il disparut à l'intérieur du PC.

27

Jenny avait dix ans cet été-là quand ses parents l'avaient emmenée en Cornouailles. Ils avaient campé près de Penzance, et le dernier jour, son père avait suivi la route côtière jusqu'à une jolie petite baie. Jenny n'en avait jamais su le nom, mais elle se rappelait parfaitement le fin sable blanc et les falaises en arrière-fond où nichait une multitude d'oiseaux. En cette magnifique journée, ils avaient apprécié la fraîcheur délicieuse de la mer. La fillette qu'elle était alors avait joué au bord de l'eau et sur la plage, puis s'était étendue au soleil pour se plonger dans le roman qu'elle avait acheté – *Les Chroniques de Narnia*, de C.S. Lewis, dont la lecture en vacances lui donnait le sentiment d'être une adulte.

Ils avaient passé toute la journée dans cet endroit paradisiaque. Peu à peu, les autres familles étaient parties, laissant les Hammond seuls. Le soleil avait entamé sa descente vers les flots, projetant des ombres de plus en plus longues. Jenny, qui rêvait de prolonger ces instants à tout jamais, redoutait le moment où ses parents allaient s'étirer et annoncer qu'il était temps de plier bagage. L'après-midi avait cédé la place au crépuscule, mais ils ne semblaient pourtant pas décidés à s'en aller, comme s'ils étaient aussi réticents que leur fille à rompre le charme.

Enfin, le soir venu, ils avaient enfilé des pulls en se moquant de la mère de Jenny, qui claquait des dents après avoir insisté pour se baigner une dernière fois. La baie était orientée à l'ouest, leur offrant une vue panoramique sur le coucher de soleil – un superbe spectacle tout d'or et de violet auquel ils avaient assisté en silence jusqu'à la tombée de la nuit. Lorsque les dernières lueurs avaient disparu à l'horizon, le père de Jenny avait donné le signal du départ.

Ils avaient alors pris le chemin du retour dans la pénombre grandissante, laissant à Jenny le souvenir impérissable du jour le plus parfait de son enfance.

Allongée sur le sol de sa cellule, elle en évoquait les images en essayant de retrouver la sensation du soleil sur sa peau et du sable lui coulant entre les doigts. Il lui semblait percevoir les effluves de l'huile solaire maternelle, parfumée à la noix de coco, et le goût piquant du sel sur ses lèvres. La baie était toujours là-bas, en Cornouailles, et Jenny en arrivait presque à croire que cette version plus jeune d'elle-même existait aussi quelque part, à jamais associée au bonheur de cette journée sans fin.

La douleur de son orteil amputé s'était ajoutée à celle de ses autres blessures pour former des vagues de souffrance qui déferlaient en elle. En même temps, elle avait l'impression de se tenir à l'écart, de l'observer à distance plutôt que de la ressentir dans son corps. Elle alternait les phases de conscience et d'inconscience, parvenant de plus en plus difficilement à faire la distinction entre le délire pur et la réalité brutale. À un certain niveau, elle savait que ce n'était pas bon signe, qu'elle sombrait inexorablement dans le coma. Mais après tout, peut-être était-ce le meilleur moyen d'échapper au sort qu'on lui réservait. *Hé, toujours voir le côté positif des choses*. De toute façon, elle allait mourir, non ?

Alors mieux valait en finir avant le retour de son tortionnaire.

Jenny se demanda où étaient ses parents en ce moment même et quelle serait leur réaction quand ils apprendraient la nouvelle. Elle avait de la peine pour eux, bien sûr. Et peut-être encore plus pour David. Mais elle ne pouvait rien y changer. Même sa peur était devenue diffuse, comme diluée. Son émotion la plus vive, celle qui la consumait de l'intérieur, restait la colère. Une colère sans bornes contre cet homme prêt à anéantir sa vie aussi facilement que s'il éparpillait une poignée de poussière.

Lors d'un bref moment de lucidité, elle s'acharna une fois de plus sur le nœud autour de sa cheville, mais elle n'avait presque plus de forces. Ses doigts gourds refusaient de lui obéir et ses tremblements rendaient la manœuvre particulièrement malaisée. Exténuée, elle se rallongea et céda à un nouvel accès de délire. Elle se vit en possession du couteau dont s'était servi son ravisseur – une lame semblable à une épée, immense et brillante –, avec lequel elle tranchait la corde avant de s'envoler vers la lumière du jour et la liberté.

Puis le rêve s'acheva, et elle se retrouva à même le sol couvert de saletés et de sang.

Au début, elle crut que le raclement provenait d'une autre hallucination. Même la lumière qui se déversait sur elle faisait naître dans son esprit des images de ciel bleu, d'arbres et d'herbe. Ce fut seulement quand on la gifla en pleine figure, rouvrant du même coup la coupure sur sa joue, qu'elle reprit conscience de la situation. Elle sentit quelqu'un l'attraper par les épaules pour la soulever et la secouer sans ménagement.

« David... ? » murmura-t-elle en essayant de distinguer la silhouette penchée vers elle.

Mais peut-être ne prononça-t-elle pas son nom, car le son qui franchit ses lèvres se réduisit à une plainte assourdie. Sa tête fut projetée de côté lorsqu'une main brutale la gifla de nouveau.

« Réveille-toi ! Réveille-toi, j'ai dit ! »

Elle tenta de fixer son regard sur le visage en face d'elle. *Oh, non. Pas David.* En découvrant les traits de son agresseur, convulsés par la fureur et la déception, elle faillit éclater en sanglots. Elle ne mourrait pas à temps ? Finalement... C'était tellement injuste ! Déjà, elle dérivait de nouveau vers l'inconscience. Elle se rendit à peine compte qu'il la relâchait, même quand sa tête heurta la terre battue, lui causant un faible choc.

Soudain, une sensation de froid intense la fit revenir à elle. Durant un instant, elle crut que son cœur s'était arrêté de battre. Elle lutta pour reprendre son souffle, le diaphragme contracté par un violent spasme. Elle réussit à inspirer une première fois, puis une seconde, en clignant des yeux pour chasser les gouttes accrochées à ses cils. L'homme tenait un seau vide d'où s'échappaient encore des filets d'eau.

« Pas encore ! Meurs pas tout de suite, t'as compris ? »

Il laissa retomber le seau pour attraper Jenny par le pied. Quelques gestes rapides lui suffirent à défaire le nœud de la corde, puis il força sa victime toujours haletante à se redresser et, la traînant plus qu'il ne la soutenait, l'emmena jusqu'à l'autre bout de la cave, où il la jeta rudement derrière une cloison de brique. La vue toujours brouillée, Jenny distingua un robinet rouillé fixé au mur. Puis elle remarqua un autre détail qui réussit à s'insinuer dans sa conscience embrumée par le manque d'insuline. Près de l'endroit où elle gisait se trouvait une bouche d'évacuation, et, frappée d'horreur, Jenny comprit en un éclair ce qui allait s'écouler par là.

Il l'avait amenée sur les lieux de sa mise à mort.

Quand il revint, il était cette fois chargé d'un gros sac. Il le renversa près d'elle, libérant un petit tas de plumes, et Jenny découvrit les yeux jaunes terrifiés d'une chouette.

L'homme lui souriait, à présent.

« Un oiseau plein de sagesse pour la maîtresse d'école... »

Le couteau à la main, il se baissa pour saisir l'oiseau par les pattes. Celles-ci étaient entravées, remarqua Jenny, mais elles s'agitèrent brusquement lorsque l'homme les attrapa. L'espace d'un instant, le volatile parut s'accrocher au bras de son tortionnaire. Ce dernier lâcha la lame, qui claqua sur le ciment, avant de précipiter de toutes ses forces l'oiseau contre le mur. Le corps inerte retomba dans un léger jaillissement de plumes. L'homme contempla la blessure sur sa paume, où le bec avait déchiré la chair. *Bien faits*, songea Jenny tandis que la pièce se mettait à ondoyer autour d'elle. Puis, au moment où il lécha la plaie, leurs yeux se rencontrèrent. *Pas tout de suite. Attends encore un peu. Après, je me fous de ce que tu me feras*, pensa-t-elle en voyant la lueur meurtrière dans le regard fixé sur elle.

Mais déjà, il approchait.

« T'es du côté de la chouette, pas vrai ? Pauvre chouette. Pauvre petite chouette... »

Il s'immobilisa en l'observant d'un air songeur. Soudain, il inclina la tête, comme aux aguets. À travers le brouillard qui obscurcissait sa vision, Jenny distingua la surprise sur les traits de son agresseur. Un instant plus tard, le bruit perça le cocon qui l'enveloppait et elle l'entendit aussi : un choc sourd au-dessus d'eux.

Il y avait quelqu'un en haut.

28

Cent cinquante ans plus tôt, le moulin faisait la fierté de Manham. À l'époque, il comptait parmi une centaine de pompes à eau dont on se servait pour assécher les marécages dans les Broads. Aujourd'hui, ce n'était plus qu'une carcasse dépouillée de toute trace de sa gloire passée. Ne subsistait de ses aubes qu'un trou dans la maçonnerie, et la nature avait repris ses droits tout autour. Au fil des années, un fouillis d'arbustes avait émergé du sol détrempé, de sorte que la tour en ruine était presque entièrement dissimulée par la végétation.

Mais pas inutilisée pour autant.

Je parvins à assembler les pièces du puzzle plus tard, lorsque Mackenzie m'eut tout raconté. Le plan de la police consistait à lancer trois offensives simultanées – sur le moulin, sur la maison des Brenner et sur le cottage de Dale –, afin de surprendre les deux hommes sans leur donner la moindre chance, ni à eux ni à leur famille, de se prévenir. Même si l'organisation de toute l'opération prenait un certain temps, la police pensait néanmoins que c'était le meilleur moyen de retrouver Jenny vivante. Du moment que tout se passait comme prévu, bien entendu.

J'aurais pu leur dire que ce n'était jamais le cas.

Mackenzie accompagnait les équipes d'intervention chargées de donner l'assaut sur le moulin. Voitures et fourgonnettes remplies de policiers en gilet pare-balles se mirent en route au crépuscule, assistées d'une unité de tireurs d'élite et d'une ambulance prête à transporter Jenny ou tout autre blessé à l'hôpital. Dans la mesure où le seul accès au moulin était un sentier étroit à moitié bouché par la végétation, il fut convenu de laisser les véhicules à la lisière des bois et d'approcher à pied de la cible.

Les officiers restèrent sous le couvert pendant que les hommes de terrain allaient se poster près des portes et des fenêtres à l'arrière. En attendant qu'ils eussent pris position, l'inspecteur étudia le bâtiment à moitié effondré. Il en émanait une profonde impression d'abandon, et dans la lumière déclinante, les briques semblaient absorber la pénombre. Enfin, la radio de Mackenzie grésilla et une voix lui annonça que les hommes étaient prêts. Mackenzie jeta un coup d'œil au responsable des équipes tactiques.

« On y va. »

À ce moment-là, je n'avais aucune idée de ce qui se passait. Je n'avais conscience que de la torture imposée par l'attente. Mackenzie avait raison, bien sûr ; j'avais assisté à suffisamment d'opérations policières manquées pour savoir qu'il fallait les planifier avec soin. Mais cette pensée ne me rendait pas les choses plus faciles.

Même si j'avais voulu rester au poste de commandement, je n'y étais pas le bienvenu. De toute façon, je ne me sentais pas la force de patienter au milieu de ces visages austères en essayant de deviner la tournure des événements. Aussi retournai-je dans la Land Rover, d'où j'appelai Ben. Il avait insisté pour être tenu au courant. Mes mains tremblaient tellement que j'eus du mal à composer le numéro.

« Bon, pourquoi tu viendrais pas chez moi ? suggéra-t-il. Tu m'aideras à finir le whisky, OK ? Vaut mieux que tu sois pas tout seul. »

Sensible à sa sollicitude, je déclinai néanmoins la proposition. L'alcool était la dernière chose dont j'avais envie. La compagnie aussi, à vrai dire. Après avoir coupé la communication, je contemplai la vue derrière le pare-brise. Le ciel au-dessus de Manham avait viré au gris acier et des nuages encore plus sombres s'amoncelaient à l'horizon. Cette fois, la pluie était imminente. Comme si elle s'était mise au diapason des événements, la vague de chaleur touchait à sa fin.

Brusquement, je sortis de la voiture, déterminé à supplier encore une fois Mackenzie de me laisser les accompagner. Mais je m'arrêtai avant d'avoir atteint le poste de commandement. Je savais déjà ce qu'il allait me répondre et je risquais de ne pas aider Jenny en m'imposant maintenant.

Enfin, j'entrevis la solution. Si je ne pouvais pas aller au moulin avec eux, rien ne m'empêchait de me poster à proximité ; pour cela, je n'avais pas besoin de l'autorisation de Mackenzie. Et j'emporterais de l'insuline. Au moins, c'était mieux que de ne rien faire du tout. J'avais déjà perdu Kara et Alice, l'idée de rester inactif me paraissait inconcevable.

Je n'avais pas d'insuline dans ma sacoche, mais Henry et moi en conservions un stock au cabinet. Je me rendis aussitôt à Bank House et me garai devant la maison sans couper le moteur de la Land Rover. Bien que les consultations de l'après-midi fussent terminées,

Janice était encore là. Elle parut surprise de me voir entrer en trombe.

« Docteur Hunter ? Je ne pensais pas que... Je veux dire, il y a du nouveau ? »

Trop pressé pour répondre, je fis non de la tête. Déjà, je me ruais vers le bureau de Henry pour ouvrir le réfrigérateur.

« David ? lança-t-il en franchissant le seuil dans son fauteuil. Mais qu'est-ce que vous faites ?

— Je cherche l'insuline. » Je fouillai fébrilement parmi les boîtes et les flacons. « Où est-ce qu'elle est, bon sang ?

— Calmez-vous. Et racontez-moi ce qui s'est passé.

— C'est Carl Brenner et son cousin. Ils ont enfermé Jenny au vieux moulin. La police va donner l'assaut.

— Carl Brenner ? » Il lui fallut quelques secondes pour enregistrer l'information. « Mais pourquoi avez-vous besoin d'insuline ?

— Je fonce là-bas. »

Le produit était là, sous mes yeux. Je m'en emparai avant de déverrouiller la réserve pour y prendre une seringue.

« Ils n'ont pas prévenu les secours ? » s'étonna Henry.

Comme je gardais le silence en scrutant les étagères à la recherche de seringues jetables, il reprit :

« David, réfléchissez un peu. Ils seront forcément accompagnés par des urgentistes disposant de tout l'équipement nécessaire. Vous croyez que votre présence va servir à quelque chose ? »

La question me stoppa net dans mon élan, et toute l'énergie qui m'avait animé jusque-là me déserta d'un coup. La tête vide, je contemplai l'insuline et les seringues dans ma paume.

« Je ne sais pas », répondis-je d'une voix éraillée.

Henry soupira.

« Rangez ça, David. »

J'hésitai encore quelques instants avant de suivre ses conseils.

« Asseyez-vous, dit-il en me prenant par le bras. Vous avez une mine épouvantable. »

Je le laissai me conduire vers un fauteuil, où je refusai cependant de m'asseoir.

« Je ne peux pas, expliquai-je. Il faut que je fasse quelque chose.

— Écoutez, je sais que c'est dur. » Il me regardait avec inquiétude. « Mais parfois, on doit se résigner à laisser les autres agir.

— Je veux être sur place, murmurai-je, la gorge nouée, en sentant mes yeux s'embuer. Quand ils la retrouveront. »

Henry garda le silence un moment.

« David... Vous n'avez sans doute pas envie d'entendre ça, mais... vous ne croyez pas que vous devriez vous préparer au pire ? »

Ces mots me firent l'effet d'un coup de poing dans l'estomac.

« Vous tenez à elle, c'est évident, poursuivit-il. Pourtant...

— Ne dites rien. »

Il hocha la tête.

« Je comprends. Je vais vous servir un verre, d'accord ?

— Non ! Je... je ne peux pas attendre. C'est au-dessus de mes forces.

— Bon sang, j'aimerais trouver les mots justes. Je suis désolé.

— Donnez-moi quelque chose à faire. N'importe quoi.

— Eh bien, il n'y a qu'une visite inscrite sur le planning et...

— Qui est-ce ?

— Irene Williams, mais ça n'a rien d'urgent. Vous feriez mieux de rester ici... »

J'étais déjà sur le seuil. Je sortis sans emporter le dossier de la patiente, à peine conscient du regard soucieux dont me gratifiait Janice. J'avais besoin de m'activer, d'oublier au moins pour un temps mon impuissance à aider Jenny. Je tentai de ne pas y penser en me dirigeant vers le petit pavillon mitoyen où vivait Irene Williams, une septuagénaire bavarde qui attendait avec une bonne humeur stoïque une opération de la hanche. Si en général j'appréciais nos échanges, je ne me sentais pas capable ce soir-là de parler de la pluie et du beau temps.

« Vous êtes rudement silencieux, docteur. Vous avez perdu votre langue ? demanda-t-elle quand je lui rédigeai une ordonnance.

— Je suis fatigué, c'est tout. »

Je m'aperçus soudain que je lui avais prescrit de l'insuline au lieu de ses habituels analgésiques. Je déchirai la feuille avant d'en rédiger une autre.

Elle gloussa.

« Oh, je sais bien ce qui vous tracasse... »

Comme je la regardais, médusé, elle m'adressa son plus beau sourire tout en fausses dents – le seul signe de jeunesse dans son visage flétri.

« C'est une gentille fille qui vous manque, reprit-elle. Ça vous rendrait plus joyeux. »

Je dus prendre sur moi pour ne pas m'enfuir en courant.

De retour dans la Land Rover, j'appuyai mon front contre le volant, les yeux fixés sur ma montre. Les aiguilles semblaient avancer au ralenti. De toute façon, il était encore trop tôt pour avoir des nouvelles. En ce moment même, la police devait briefer les équipes tactiques et peaufiner les derniers détails de l'opération.

Je vérifiai néanmoins mon téléphone portable. Le signal était faible, mais pas au point d'empêcher la réception d'appels ou de messages. Or il n'y avait rien. Abattu, je contemplai le village devant moi. Et brusquement, je me rendis compte à quel point je détestais Manham, ses façades incrustées de silex, son absence de reliefs et ses terres détrempées, ses habitants rongés par la méfiance et la rancœur. Je détestais l'idée qu'un pervers eût réussi à se fondre parmi eux jusqu'au moment où sa folie meurtrière s'était déclarée. Surtout, je détestais ce village pour m'avoir offert puis repris Jenny. *Regarde bien, David, C'est à ça qu'aurait pu ressembler ta vie.*

Pourtant, ma colère disparut presque aussi vite qu'elle était apparue, me laissant nauséeux et fébrile. Des nuages noirs semblables à des ecchymoses assombrissaient le ciel. Je n'avais plus qu'à rentrer chez moi pour attendre le coup de téléphone fatidique, mais cette seule perspective m'oppressait.

Soudain, un souvenir traversa mon esprit ; il me restait peut-être quelque chose à faire, après tout. Quand j'étais allé trouver Scarsdale dans le cimetière, Tom Mason m'avait parlé des douleurs lombaires dont souffrait son grand-père – un problème récurrent chez le vieil homme, le prix d'une vie entière courbé sur les massifs des autres. Lui rendre visite maintenant me permettrait d'occuper quelques minutes supplémentaires, de me changer les idées en attendant l'appel de Mackenzie. Avec un soulagement proche du désespoir, je décidai de me rendre chez les Mason.

Ceux-ci vivaient en bordure de la forêt près du lac, dans ce qui était autrefois la maison de gardien de Manham Hall. Depuis des générations, dans la famille Mason, on était jardinier de père en fils, et tout jeune, George avait travaillé au manoir jusqu'à sa démolition après la guerre. Aujourd'hui, de l'ancienne propriété, seul subsistait le cottage entouré de quelques âcres de cultures conquis de haute lutte sur la végétation envahissante.

La surface gris acier du lac était visible entre les arbres lorsque je me garai dans la cour et allai frapper à la porte. Celle-ci comportait un large panneau de verre dépoli que je sentis vibrer sous mes doigts. N'obtenant pas de réponse, je frappai de nouveau. Pendant que j'attendais, un grondement de tonnerre résonna dans l'air. Je levai les yeux vers le ciel, surpris par la vitesse à laquelle la luminosité avait décliné. Les nuages d'orage amoncelés au-dessus de nous avaient mis prématurément un terme à la journée. Il ferait bientôt nuit.

Un autre détail me frappa soudain, quoiqu'un peu tard : aucune lumière ne brillait dans la maison, signe qu'il n'y avait personne. Seuls le grand-père et le petit-fils l'habitaient, Tom ayant perdu ses parents quand il était petit. Peut-être George s'était-il suffisamment rétabli pour reprendre le travail ? Je retournai vers la

Land Rover, mais m'arrêtai au bout de quelques pas. Un calme irréel, annonciateur de la tempête, régnait sur la campagne. Je balayai la cour du regard, envahi par un curieux malaise – le sentiment troublant d'un événement imminent. Pourtant, je ne voyais rien de particulier.

Je sursautai lorsqu'une grosse goutte de pluie s'écrasa sur mon bras nu. Juste après, le ciel fut illuminé par un éclair éblouissant. Durant quelques secondes, une clarté blanche baigna le paysage alentour. Dans le silence impressionnant qui suivit, je pris conscience d'un son plus proche d'une vibration que d'un véritable bruit. Il fut noyé un instant plus tard par un coup de tonnerre retentissant, mais j'étais sûr de ne pas avoir rêvé. Ce bourdonnement sourd, à peine perceptible, ne m'était hélas que trop familier.

Des mouches.

Au moment même où le jour se faisait enfin dans mon esprit, Mackenzie, à plusieurs kilomètres de là, entouré de cages remplies d'oiseaux et d'animaux terrifiés, écoutait un sergent hors d'haleine lui confirmer ce qu'il savait déjà.

« On a tout fouillé, inspecteur, déclara l'homme. Il n'y a personne ici. »

29

Il me fallut quelques instants pour situer l'origine du bourdonnement : il provenait de la maison, dont les fenêtres sombres semblaient me dévisager sans rien me révéler. Je m'approchai de la première pour jeter un coup d'œil à l'intérieur ; je distinguai une cuisine dans la pénombre, mais pas grand-chose d'autre. La suivante me révéla un salon où un téléviseur éteint faisait face à deux fauteuils élimés.

Je me dirigeai vers la porte, levai la main pour frapper une nouvelle fois, puis la laissai retomber. Si quelqu'un avait dû répondre, ce serait déjà fait. Je demeurai quelques instants immobile, incertain de la conduite à tenir.

Pourtant, j'avais bel et bien entendu des mouches. Et cette certitude-là, je ne pouvais pas l'ignorer. Comme mue par une volonté propre, ma main se porta vers la poignée. Si la serrure était verrouillée, je n'insisterais pas. Je tournai le bouton.

Le battant s'écarta.

J'hésitai un instant, sachant que je ne devrais même pas être là. Puis je perçus l'odeur – fétide, vaguement sucrée et ô combien familière.

J'ouvris la porte en grand, pour découvrir un couloir plongé dans l'obscurité. La puanteur, reconnaissable entre toutes, m'assaillit avec force. La bouche sèche, je sortis mon téléphone pour appeler la police. Cette fois, plus question de nier l'évidence ; quelque chose, ou plutôt *quelqu'un*, était mort ici. J'avais déjà commencé à composer le numéro quand je constatai l'absence de signal. Cette maison se trouvait dans une zone non couverte. Je pestai tout bas en me demandant depuis combien de temps je ne captais plus rien et si Mackenzie avait tenté de me joindre.

Ce qui me donnait une raison supplémentaire d'entrer. De toute façon, même si je n'avais pas eu besoin d'accéder à une ligne fixe, je ne pouvais plus faire demi-tour.

Au milieu des relents pestilentiels, je m'avançai dans le couloir en essayant de mieux cerner l'atmosphère à l'intérieur. À première vue, tout paraissait en ordre, mais je m'aperçus rapidement qu'une épaisse couche de poussière recouvrait tout.

« Ohé ! appelai-je. Il y a quelqu'un ? »

Silence. Avisant une porte sur ma droite, je l'ouvris. Elle donnait sur la cuisine entrevue par la fenêtre. Des plats sales s'empilaient dans l'évier, des restes moisissaient dans les assiettes. Mon intrusion dérangea quelques grosses mouches, pas assez nombreuses cependant pour expliquer le bourdonnement perçu plus tôt.

Le salon, avec ses fauteuils poussiéreux et son téléviseur éteint, me parut tout aussi abandonné. Nulle part je ne vis de téléphone. En sortant de la pièce, je me dirigeai vers l'escalier recouvert d'une vieille moquette usée jusqu'à la trame et dont le sommet restait invisible dans la pénombre. La main sur la rampe, je marquai une pause au bas des marches.

Je n'avais aucune envie de monter. Mais au point où j'en étais, je ne pouvais pas non plus m'en aller. Il y avait un interrupteur à ma droite ; je le pressai et sursautai quand l'ampoule grilla. Lentement, je gravis les degrés, plus que jamais conscient de l'odeur nauséabonde à laquelle s'associaient maintenant des relents de goudron écœurants qui réveillèrent un souvenir confus dans ma mémoire. Je n'avais toutefois pas le temps de m'appesantir sur ce détail. De l'escalier partait un autre corridor donnant lui-même sur une salle de bains vide et deux portes. La première ouvrait sur une chambre occupée par un matelas à une place posé à même le plancher nu ; l'odeur de goudron s'accentua devant l'autre. Je tournai la poignée mais le battant résista, et durant une fraction de seconde, je le crus verrouillé. Jusqu'au moment où il céda sous ma poussée.

Un véritable nuage de mouches déferla sur moi. Je fis de grands gestes pour les chasser, à moitié étouffé par la puanteur ambiante. Je pensais pourtant m'être presque habitué à cette pestilence, depuis le temps, mais la chaleur la rendait encore plus insupportable. Peu à peu, les insectes cessèrent leur ballet frénétique et retournèrent vers la forme allongée sur le lit. Les mains plaquées sur la bouche et le nez, je m'en approchai.

Ma première réaction fut le soulagement. La décomposition avancée du corps ne permettait pas de déterminer s'il s'agissait d'un homme ou d'une femme, mais de toute évidence, il gisait là depuis déjà un certain temps. Sûrement plus de deux jours, en tout cas. *Merci, mon Dieu*, pensai-je, saisi de faiblesse.

Les mouches qui recouvraient le cadavre ne

s'agitaient presque plus, calmées par la pénombre au-dehors. Si j'étais arrivé un peu plus tard, ou si les éclairs n'avaient pas choisi ce moment pour les déranger, je n'aurais peut-être jamais entendu leur bourdonnement révélateur. La fenêtre était entrouverte, constatai-je. L'interstice n'était pas suffisant pour aérer la pièce, mais il avait permis aux insectes attirés par l'odeur de putréfaction d'entrer pour pondre leurs œufs sur la dépouille.

Celle-ci était étendue de tout son long, la tête calée sur des oreillers et les bras pendant de chaque côté du lit. Sur la vieille table de chevet en bois se trouvaient un verre vide et un réveil aux aiguilles immobiles, ainsi qu'une montre d'homme et un petit flacon de comprimés délivrés sur ordonnance. Il faisait trop sombre pour lire l'étiquette, mais soudain, un nouvel éclair illumina la chambre, isolant certains détails comme un stroboscope : papier peint défraîchi à motif floral, photo encadrée au-dessus du lit... Je distinguai aussi les caractères sur le flacon. C'était du Coproxamol, un analgésique, prescrit à George Mason.

Celui-ci souffrait sans doute du dos, mais ce n'était pas la raison de son absence au village ces derniers jours. Je me souvins de ce que Tom Mason m'avait dit dans le cimetière quand je lui avais demandé des nouvelles de son grand-père. *Il peut pas se lever.* À combien de temps au juste remontait la mort de George ? Et comment était-il possible qu'à Manham, personne n'eût remarqué son absence ?

En sortant, je pris soin de ne rien toucher même si, selon toute vraisemblance, il s'agissait du cadre d'une tragédie domestique plutôt que d'une scène de crime.

Quelqu'un serait néanmoins chargé de déterminer la cause du décès et les raisons pour lesquelles Tom Mason n'avait pas signalé la mort de son aïeul. Ce n'était pas la réaction d'un esprit sain, mais le chagrin poussait parfois à faire des choses bien étranges. Et Tom ne serait pas le premier à se réfugier dans le déni.

Au moment où je sortais dans le couloir, l'odeur de goudron m'assaillit de nouveau. De la pièce derrière moi me parvenait juste assez de lumière pour me permettre de distinguer les traînées noires sur le chambranle. Une bande de papier journal froissé, enduite de la même matière, adhérait toujours au bas de la porte dont je me rappelai la résistance lorsque j'avais essayé d'entrer. Quand j'effleurai la substance du bout des doigts, elle me parut poisseuse.

Du bitume.

Brusquement, je compris ce qui m'avait toujours chiffonné. Au parfum des fleurs et de l'herbe coupée dans le cimetière se mêlait une autre émanation plus faible. Sur le moment, j'étais trop préoccupé pour y prêter vraiment attention, mais à présent, je m'expliquais mieux son origine – du bitume, adhérant aux vêtements de Mason ou à ses outils après qu'il eut scellé la chambre de son grand-père.

Ce même bitume que j'avais retrouvé dans l'entaille sur la vertèbre de Sally Palmer.

Je fis un effort pour me calmer et tenter de réfléchir. Il me paraissait inconcevable que Tom Mason fût l'assassin. Il était trop placide, trop simple d'esprit pour avoir planifié – et commis – de telles atrocités.

Depuis le début, cependant, nous savions que le tueur se cachait au vu et au su de tous. Mason y avait parfaitement réussi, travaillant tranquillement dans le cimetière ou le terrain communal, se fondant si bien dans le décor qu'on ne le voyait plus vraiment. Toujours dans l'ombre de son aïeul, cet homme taciturne ne s'était jamais fait remarquer.

Jusqu'à aujourd'hui.

N'étais-je cependant pas en train de tirer des conclusions précipitées ? me demandai-je. Quelques minutes plus tôt, j'étais encore persuadé de la culpabilité de Carl Brenner. À la réflexion, cependant, Mason correspondait tout à fait au profil du tueur, lui aussi. Sans compter que Brenner ne conservait pas le corps de son aïeul chez lui. Et n'avait pas essayé de masquer l'odeur en se servant du même produit que celui qu'on avait découvert sur le cadavre d'une victime.

Mes mains tremblaient lorsque, oubliant l'absence de réseau, je repris mon téléphone pour appeler Mackenzie. Je poussai un juron en me précipitant dans l'escalier. Même s'il me fallait le joindre de toute urgence, je devais d'abord m'assurer que Jenny n'était pas là. Je parcourus la maison enténébrée, ouvrant toutes les portes pour jeter un coup d'œil à l'intérieur, mais sans découvrir le moindre signe de vie. Ni aucun téléphone.

De retour près de la Land Rover, je sortis de nouveau mon portable, au cas où un quelconque changement atmosphérique aurait permis la réception du signal. Toujours rien. Un roulement de tonnerre résonna au-dessus de ma tête quand je démarrai. L'obscurité était presque totale, à présent, et de grosses gouttes s'écrasaient sur mon pare-brise. Comme la cour n'était pas assez large pour faire demi-tour, je commençai à reculer. Les phares balayèrent les arbres en face de moi, et durant un instant, j'aperçus un petit flash de lumière.

Si la voiture n'avait pas été automatique, j'aurais certainement calé en enfonçant la pédale de frein. Je scrutai les bois devant moi, cherchant en vain ce qui avait pu attirer mon attention. La bouche sèche, j'avançai de quelques mètres en direction du reflet entrevu quelques secondes plus tôt. Enfin, au milieu des troncs, l'objet brilla de nouveau.

C'était le rectangle jaune d'une plaque d'immatriculation.

Je m'aperçus alors que le chemin par lequel j'étais arrivé se prolongeait au-delà de la cour et s'enfonçait dans la forêt. Bien qu'à moitié bouché par la végétation, il semblait toujours utilisé. En tout cas, le véhicule garé au bout était trop loin pour me permettre de le distinguer. Sans cet éclair fugace, je ne l'aurais sans doute pas vu du tout.

J'aurais dû prévenir Mackenzie sur-le-champ, mais ce chemin semblait m'inviter à le suivre. Il se situait sur une propriété privée, à plusieurs kilomètres des lieux où les deux corps avaient été trouvés. Personne n'avait dû venir fouiller les parages. Or, il y avait forcément une raison pour que cette voiture fût garée là. J'hésitai encore un instant, incapable de me décider. Enfin, je passai la première et m'engageai sous le couvert.

Presque aussitôt, les branchages se refermèrent sur la Land Rover, m'obligeant à ralentir. Je voulus éteindre mes phares pour éviter d'attirer l'attention plus que je ne l'avais déjà fait, mais sans eux, je ne voyais rien du tout. Quand je les rallumai, j'eus l'impression que le chemin disparaissait au-delà de leurs faisceaux. La pluie tombait désormais à verse. Je mis les essuie-glaces et plissai les yeux pour percer l'obscurité derrière le pare-brise tandis que la voiture bringuebalait sur la piste inégale. Enfin, mes phares éclairèrent de nouveau la plaque d'immatriculation et le véhicule lui-même.

C'était une camionnette, garée près d'un bâtiment bas niché au milieu des arbres.

J'arrêtai la Land Rover puis coupai les phares, plongeant le paysage dans les ténèbres. Je fouillai la boîte à gants à la recherche de ma torche électrique en priant pour que les piles ne fussent pas usées. Lorsque je poussai le bouton, la lumière apparut aussitôt. Les oreilles bourdonnantes, j'ouvris la portière et examinai rapidement les alentours. Personne ne surgit de l'ombre ; je ne vis que des arbres, et au-delà, les eaux noires du lac. La pluie me trempa en quelques secondes quand j'allai sortir la clé anglaise de la boîte à outils rangée à l'arrière de la voiture. À peine rassuré par son poids dans ma main, je marchai vers l'édifice.

La camionnette qui stationnait devant était vieille et couverte de rouille. Un simple bout de ficelle servait à fermer les portes arrière, qui s'écartèrent en grinçant quand je l'eus dénoué. À l'intérieur s'entassaient divers outils de jardinage – bêches, râteaux et même une brouette. En découvrant un rouleau de fil de fer, je compris que Carl Brenner avait dit la vérité : ce n'était pas lui qui avait posé le piège dans lequel était tombé son frère.

Ni les autres, du reste.

Au moment où je me détournais, ma lampe éclaira un objet particulier au milieu du fouillis d'outils – un couteau pliant qui n'avait pas été refermé. La lame crantée, semblable à une scie miniature, était couverte de taches sombres.

J'eus aussitôt la certitude que c'était l'arme responsable de la mort de Bess, la chienne de Sally Palmer.

Je sursautai violemment quand un éclair zébra le ciel. Il fut suivi par un coup de tonnerre fracassant qui fit vibrer l'air autour de moi. Je vérifiai l'écran de mon portable, mais comme je m'y attendais, il n'y avait toujours pas de réseau. Abandonnant le véhicule, je m'approchais du bâtiment quand je sentis quelque chose me retenir la jambe. Je baissai les yeux pour découvrir des rangs de barbelés rouillés s'enfonçant parmi les broussailles et sur lesquels se détachaient des formes sombres. Intrigué, je braquai ma lampe sur les plus proches, et en voyant briller un fragment d'os, je lâchai un hoquet de stupeur. Des corps d'oiseaux et de petits animaux, accrochés aux pointes, pourrissaient à l'air libre.

Par dizaines.

Toujours cinglé par la pluie, je suivis la clôture qui se prolongeait encore sur quelques mètres avant de s'affaisser dans l'herbe. Je l'enjambai pour contourner la construction – une sorte de bloc carré, sans aucune caractéristique particulière, dépourvu de portes et de fenêtres. Par endroits, des plaques de ciment s'étaient détachées des murs, exposant l'armature de montants en bois. Mais ce fut seulement en atteignant l'autre côté, où s'ouvraient une porte et une fenêtre étroite, que je reconnus le bâtiment. C'était un ancien abri antiaérien. Je savais que quelques maisons à la campagne possédaient encore ces témoignages extravagants datant du début de la Seconde Guerre mondiale et qui, pour la plupart, n'avaient jamais servi.

Mais de toute évidence, quelqu'un avait trouvé une utilisation à celui-là.

Je m'approchai de la porte le plus discrètement possible. À ma grande surprise, le battant métallique coloré en rouge terne par la rouille n'était pas verrouillé ; il céda à la première poussée, libérant une bouffée d'air malodorant.

À l'intérieur, ma lampe électrique me révéla une seule pièce totalement vide à l'exception de feuilles mortes recroquevillées sur le sol. Je balayai de mon faisceau les murs nus, jusqu'à ce qu'il éclairât une deuxième porte presque invisible dans un coin.

Un brusque grincement derrière moi m'amena à faire volte-face juste à temps pour voir le battant métallique se refermer. Je tentai en vain de le rattraper. Le claquement résonna dans le silence avec une force terrifiante ; je venais d'annoncer mon arrivée à quiconque se trouvait sur place.

De toute façon, je n'avais d'autre solution que de continuer. Sans plus me préoccuper de faire du bruit, je me dirigeai vers la seconde porte. Elle donnait sur un escalier étroit, baigné par la lumière maladive d'une ampoule électrique.

J'éteignis ma lampe et commençai à descendre.

À l'odeur de renfermé se mêlaient désormais les miasmes de la mort, mais je refusais de songer à leur éventuelle signification. Les marches décrivaient une spirale, et au détour de la dernière courbe, je débouchais dans une longue cave basse de plafond qui paraissait beaucoup plus grande que la structure à l'étage, comme si cette dernière reposait sur des fondations plus anciennes. L'extrémité de la pièce disparaissait dans l'obscurité. Une ampoule nue pendait au bout d'un long fil juste au-dessus d'un établi, révélant à sa faible clarté une profusion d'ombres et de formes indistinctes tout autour.

Le spectacle qui s'offrait à moi me paralysa de stupeur.

Des cadavres d'animaux et d'oiseaux étaient accrochés partout au plafond. Renards, lapins, canards, tous soigneusement disposés comme pour une sorte d'exposition macabre. Certains n'étaient plus que des carcasses momifiées, d'autres montraient des signes de putréfaction plus récents. Tous étaient mutilés. Privés de leur tête ou de leurs membres, ils se balançaient avec une lenteur hypnotique sous l'effet d'un léger courant d'air.

Je m'obligeais à en détourner les yeux pour inspecter le reste de la cave. Une lampe de bureau posée sur l'établi, orientée vers un réduit obscur entouré de planches, illuminait à l'intérieur une corde dont une extrémité traînait par terre et l'autre était nouée à un anneau de métal. Sur la table elle-même voisinaient quantité de vieux outils et d'étaux conférant une dimension encore plus sinistre à ce décor, au milieu duquel je découvris soudain un objet complètement déplacé.

Drapée sur une chaise se trouvait une robe de mariée dont le devant s'ornait d'un délicat motif de fleur de lis en dentelle. Le tissu était trempé de sang.

Cette vision m'arracha à mon hébétude.

« Jenny ! » hurlai-je.

En réponse, je perçus un mouvement dans l'obscurité au fond de la cave. Une silhouette s'en détacha, puis le petit-fils de George Mason émergea devant moi.

Il avait l'air aussi inoffensif que d'habitude, et pourtant, une indéniable impression de danger émanait de lui. Il était grand, constatais-je, beaucoup plus grand et large d'épaules que moi. Des taches sombres maculaient son jean et sa veste militaire.

Comme s'il fuyait le mien, son regard demeurait fixé sur mon torse. Il avait les mains vides, mais j'aperçus sous sa veste un étui à couteau.

Je serrai plus fort la clé anglaise.

«Où... où est-elle ? bredouillai-je.

— Vous auriez pas dû venir, docteur Hunter», répondit-il d'une voix où perçait une note de regret.

Lentement, il porta la main à l'étui et parut aussi surpris de le découvrir vide que je l'avais été un peu plus tôt.

«Qu'est-ce que vous lui avez fait ? insistai-je en avançant vers lui.

— À qui ?»

Il fouillait du regard le sol alentour, cherchant manifestement son arme. Lorsque je braquais la lampe de bureau droit sur lui, il leva une main pour se protéger les yeux. Au même moment, la lumière éclaira les recoins derrière lui et je distinguai une silhouette nue à moitié dissimulée par un mur.

Ma gorge se contracta.

«Arrêtez ça», dit Mason en cillant.

Je me ruai sur lui, brandissant la clé, prêt à l'écraser sur ce visage placide. À cet instant, mon bras levé fouetta les cadavres suspendus au plafond et je fus aussitôt enseveli sous une véritable avalanche de poils et de plumes. Toussant et crachant, je m'en dégageai juste à temps pour voir Mason plonger sur moi. Je tentais d'esquiver l'attaque, mais déjà, il m'arrachait la clé.

De mon autre main, je serrais toujours ma lampe électrique. Je la balançait vers lui, l'atteignant à la tempe. Il poussa un cri en moulinant des bras tandis que je me rejetais en arrière. Lampe et clé tombèrent dans un grand fracas métallique. Alors que je m'affalais contre l'établi, le coin d'un étau me heurta le dos, propageant une onde de feu dans mes reins.

Aussitôt après, l'épaule de Mason s'enfonça au creux de mon estomac, me coupant le souffle. Je me sentis renversé en arrière et plaqué contre l'outil qui me vrillait la colonne. Je levai les yeux pour découvrir le regard clair et impassible de mon adversaire, dont l'avant-bras remonta inexorablement le long de ma gorge jusqu'à mon menton. Dans un effort désespéré, je parvins à dégager une de mes mains, avec laquelle je m'efforçai de le repousser. Il se déplaça légèrement pour accentuer la pression tout en tâtonnant sur l'établi. En le voyant essayer d'attraper un burin dans une caisse, je lui saisis le bras. Il en profita pour appuyer plus fort sur mon cou laissé à découvert. Des points lumineux se mirent à danser devant mes yeux. Au moment où il tourna de nouveau la tête vers le burin, je distinguai un mouvement derrière lui.

C'était Jenny. Elle se traînait laborieusement vers un petit tas de plumes sur le sol. Quand elle batailla pour retirer un objet logé en dessous, je m'obligeai à reporter mon attention sur le visage inexpressif de Mason. Je lui aurais volontiers expédié mon genou dans l'entrejambe, mais nous étions trop proches l'un de l'autre. Alors je lui raclai ma chaussure contre le tibia. Il poussa un grognement de douleur et relâcha légèrement sa pression sur ma gorge. Une seconde plus tard, un choc sourd résonna quand la caisse contenant les burins se renversa sur l'établi. Telles des pattes d'araignée, les doigts de Mason progressèrent vers les outils à sa portée. Du coin de l'œil, je vis Jenny tenter de se redresser. Agenouillée par terre, elle prenait appui sur le mur en serrant quelque chose.

Enfin, Mason réussit à s'emparer d'un burin. De toutes mes forces, je m'acharnai à le repousser, mais j'avais l'impression de me battre contre un bloc de pierre, et peu à peu, la panique me gagna. Mon bras se mit à trembler tandis que le burin se rapprochait. La sueur qui dégoulinait de son visage tombait sur le mien – seul signe d'un quelconque effort de sa part. Il arborait la même expression de concentration sereine que lorsqu'il soignait ses fleurs.

Et puis, contre toute attente, il se propulsa dans la direction opposée pour libérer son bras, que je saisis à deux mains tout en sachant que je ne pourrais pas l'empêcher d'abattre l'outil sur ma tête. Mais soudain, il poussa un cri terrible en se cambrant. La pression sur ma gorge disparut et je découvris Jenny derrière lui, couverte de sang. Le gros couteau de chasse qu'elle tenait lui glissa des doigts, et au moment où celui-ci claquait par terre, Mason poussa un rugissement de fureur en lui expédiant son poing dans la figure.

Elle s'effondra comme une poupée de chiffon. Sans perdre une seconde, je me jetai sur Mason, lui arrachant de nouveau un gémissement, et nous roulâmes sur le sol. Alors qu'il se dégageait, je vis la tache pourpre dans son dos. Il rampait vers le couteau, à présent. Je crapahutais derrière lui quand mon pied rencontra un objet dur – la clé anglaise. À peine Mason avait-il attrapé la lame que je visais la blessure infligée par Jenny. Il hurla, et sans lui donner le temps de se ressaisir, je le frappai à la tête.

Le choc de l'impact se propagea le long de mon bras. Cette fois, Mason s'affala d'un coup sans émettre un seul son. J'agrippai la clé, mais ce n'était pas la peine. Le souffle court, je m'assurai qu'il ne bougeait plus avant de me précipiter vers Jenny. Elle gisait toujours au même endroit. Après l'avoir retournée avec précaution, je restai saisi d'horreur. Tout son corps était couvert d'entailles, certaines minuscules, d'autres beaucoup plus profondes. Celle de sa joue allait presque jusqu'à l'os, et lorsque je me rendis compte de ce que Mason avait fait à son pied, je dus me retenir pour ne pas aller l'achever. Le soulagement me submergea néanmoins quand je tâtais son pouls. Il était faible et irrégulier, mais elle était toujours vivante.

« Jenny ! Jenny, c'est moi. David... »

Ses paupières se soulevèrent.

« ... David... »

Elle avait prononcé mon nom dans un souffle et je sentis mon sang se glacer en décelant l'odeur fruitée de son haleine. *Acidocétose.* La combustion des graisses dans son organisme conduisait à une augmentation dangereuse des corps cétoniques. Elle avait besoin d'insuline. De toute urgence.

Et je n'en avais pas sur moi.

« Ne parle pas », dis-je, tout à fait inutilement puisqu'elle refermait déjà les yeux. Ses dernières forces lui avaient servi à frapper Mason. Son pouls était plus faible que jamais. *Non, je t'en prie ! Ne me fait pas ça maintenant.*

Je la soulevais en m'efforçant d'ignorer les élancements dans mon dos et ma gorge. Jenny ne pesait guère plus lourd qu'une plume, constatai-je avec stupeur. Mason n'avait toujours pas bougé, mais j'entendis sa respiration sifflante lorsque je m'engageai dans l'escalier. Parvenu en haut des marches, j'ouvris la porte d'un coup de pied, puis traversai l'abri et émergeais à l'air libre. La pluie tombait toujours, moins dense à présent, apportant une sensation de fraîcheur et de pureté bienvenue après l'atmosphère fétide de la cave. Jenny ne parvenait même plus à soutenir sa tête lorsque je l'installai sur le siège passager de la Land Rover. Le temps de boucler la ceinture de sécurité, et je me précipitai à l'arrière pour récupérer la couverture que je gardais toujours en cas d'urgence. Après l'en avoir enveloppée, je démarrai en trombe, rayant au passage le flanc de la camionnette, puis fonçai vers le chemin au mépris des branches qui cinglaient la carrosserie.

Malgré les cahots, j'accélérai encore. Jenny avait été privée d'insuline pendant deux jours entiers, durant lesquels on l'avait soumise à Dieu sait quels supplices, et de toute évidence elle avait perdu beaucoup de sang. Il aurait fallu l'emmener aux urgences, mais l'hôpital le plus proche se trouvait à plusieurs kilomètres – un trajet qui prendrait de longues minutes. Hanté par le souvenir du flacon d'insuline que j'avais eu en main au cabinet, je passai rapidement en vue les différentes possibilités. Elles n'étaient pas nombreuses, à vrai dire. Jenny était peut-être déjà en train de sombrer dans le coma ; si son état n'était pas stabilisé au plus vite, elle mourrait.

Soudain, je me souvins de l'ambulance et des urgentistes censés rejoindre Mackenzie au vieux moulin. Peut-être étaient-ils encore là-bas ? Je cherchai mon téléphone, prêt à appeler les secours dès que j'aurais un signal. Mais le portable n'était plus dans ma poche. Je fouillai frénétiquement toutes les autres. Sans plus de succès. Il avait dû glisser pendant que je me battais avec Mason... Paniqué, je demeurai quelques secondes paralysé par l'indécision. *Le cabinet ou le moulin ? Allez, décide-toi !* J'écrasai la pédale d'accélérateur. Essayer de rejoindre Mackenzie maintenant nous ferait perdre trop de temps.

Un temps dont Jenny ne disposait pas.

Au bout du chemin, je bifurquai vers la route. Il y avait une réserve d'insuline au cabinet. Là-bas, au moins, je pourrais lui administrer les premiers soins en attendant l'arrivée de l'ambulance. Pied au plancher, je scrutai la nuit à travers le pare-brise balayé par les essuie-glaces. Devant moi, les phares n'éclairaient la chaussée que sur quelques mètres. Je risquai un coup d'œil en direction de Jenny, et ce que je vis m'amena à crisper les mains sur le volant.

Le trajet jusqu'à Manham me sembla durer une éternité. Enfin, comme surgi des ténèbres, le village se matérialisa autour de moi. L'orage avait vidé les rues ; même les journalistes présents partout un peu plus tôt avaient disparu. J'envisageai un instant de m'arrêter au poste de commandement, avant de renoncer à cette idée. J'aurais trop d'explications à fournir, alors que ma priorité était de soigner Jenny.

Bank House était plongée dans l'obscurité lorsque je l'atteignis. J'eus suffisamment de présence d'esprit pour me garer sur le côté, permettant ainsi aux véhicules d'urgence de stationner devant l'entrée, puis je bondis hors de la voiture et me précipitai côté passager. Jenny ne respirait plus que par saccades, mais quand je la pris dans mes bras, elle remua légèrement.

«David...? dit-elle dans un souffle.

— Tout va bien, on arrive au cabinet. Tiens bon.»

Elle ne parut cependant pas m'entendre. Les yeux agrandis par la peur, elle se débattit faiblement.

«Non! Non!

— C'est moi, Jenny. Tu n'as rien à craindre.

— Ne le laisse pas m'approcher!

— Il ne te fera pas de mal, je te le promets.»

Déjà, elle perdait connaissance. Je tapai du poing sur la porte, incapable que j'étais de la déverrouiller tout en soutenant Jenny. Enfin, une lumière s'alluma dans le vestibule. À peine Henry eut-il ouvert que je m'engouffrai à l'intérieur.

«Appelez une ambulance!» criai-je.

Abasourdi, il écarta son fauteuil pour me libérer le passage.

«David? Qu'est-ce que...»

Je fonçai vers le couloir.

«Elle fait un coma diabétique, il nous faut une ambulance de toute urgence! Dites-leur que la police en a peut-être une prête à intervenir.»

Je poussai du pied la porte de son bureau tandis qu'il décrochait le téléphone dans le corridor. Jenny ne remua pas lorsque je l'allongeai sur le canapé. Son visage ensanglanté était livide, son pouls à peine perceptible. *Je t'en prie. Je t'en prie, accroche-toi.* Il s'agissait au mieux d'une mesure désespérée, je le savais. Elle avait peut-être déjà les reins et le foie endommagés, et son cœur pouvait s'arrêter d'un instant à l'autre si on ne la traitait pas au plus vite. Outre l'insuline, elle avait besoin de sels et d'une intraveineuse pour éliminer les toxines qui l'empoisonnaient. Or je n'avais pas le matériel nécessaire sur place ; je ne pouvais qu'essayer de la maintenir en vie jusqu'à son arrivée à l'hôpital.

Henry me rejoignit au moment où je fourrageais dans le réfrigérateur, rendu maladroit par ma précipitation.

« Je m'en occupe, décréta-t-il. Vous, trouvez-moi une seringue. »

Les photographies encadrées posées au sommet de la réserve oscillèrent lorsque j'ouvris les portes en grand pour fouiller les étagères.

« Et l'ambulance ?

— Elle est en route. Attendez, laissez-moi faire », dit-il, péremptoire, en tendant la main vers la seringue. Je ne discutai pas. « Alors, vous allez enfin m'expliquer ce qui se passe ? demanda-t-il en introduisant l'aiguille dans le flacon.

— C'est Tom Mason le meurtrier. Il l'avait enfermée dans un vieil abri antiaérien près de chez lui. » Je sentis mon cœur se serrer à la vue de la forme inanimée de Jenny. « C'est lui qui a assassiné Sally Palmer et Lyn Metcalf.

— Le petit-fils de George Mason ? s'étonna Henry. Vous voulez rire !

— Il a tenté de me tuer aussi.

— Oh, Seigneur ! Où est-il ?

— Jenny l'a poignardé.

— Il est mort ?

— Peut-être. Je n'en sais rien. »

Et pour l'instant, je m'en fichais complètement. Torturé par l'impatience, je vis Henry froncer les sourcils en regardant la seringue.

« Ah, zut ! s'exclama-t-il. Le canon ne se remplit pas, l'aiguille est bloquée. Allez m'en chercher une autre, vite. »

Retenant de justesse un cri de colère, je me ruai vers la réserve. Les portes s'étaient refermées et je les ouvris d'un geste si brusque que l'un des cadres posés dessus tomba par terre. Sur le moment je n'y fis pas attention, mais alors que j'attrapais les seringues, un détail me frappa après coup.

Je me concentrai sur les photos restantes, en particulier celle de Henry et de sa femme le jour de leur mariage. Je l'avais contemplée un nombre incalculable de fois, touché par la représentation de ces instants de bonheur. Ce n'était cependant pas pour cette raison que je l'examinai ce soir-là.

La femme de Henry portait une robe en tous points semblable à celle qui se trouvait dans la cave de Mason.

Je crus tout d'abord à un tour de mon imagination. Mais la délicate incrustation de dentelle dessinant une fleur de lis sur le devant ne pouvait prêter à confusion : les deux modèles étaient identiques. Non, pas identiques...

C'était bien cette robe-là.

« Henry... », commençai-je, avant de lâcher un hoquet de stupeur quand une douleur fusa dans ma jambe.

Stupéfait, je vis Henry s'écarter de moi, une seringue vide à la main.

« Je suis désolé, David. Sincèrement, dit-il en me dévisageant avec un mélange de tristesse et de résignation.

— Qu'est-ce que... »

Les mots refusèrent de franchir mes lèvres. Ma vue

se brouilla, la pièce autour de moi devint floue et je m'effondrai. Alors que je dérivais peu à peu vers le néant, j'emportai une dernière vision improbable – celle de Henry quittant son fauteuil roulant pour s'approcher de moi.

Puis tout se fondit dans l'obscurité.

30

Le lent tic-tac de l'horloge emplissait la pièce où des grains de poussière dansaient à travers les rayons du soleil. Chaque mouvement du mécanisme semblait se prolonger une éternité avant de céder la place au suivant. Si je ne le voyais pas, je distinguais en revanche l'horloge elle-même, vieille et massive, dont le bois lustré dégageait une odeur de cire d'abeille et de temps qui passe. J'avais le sentiment de la connaître intimement, de pouvoir anticiper l'inclinaison du balancier quand je remonterais le ressort.

J'aurais pu écouter éternellement ce rythme solennel.

Un feu brûlait dans l'âtre imprégnant l'air de la senteur piquante et sucrée du pin. Une haute bibliothèque occupait tout un pan de mur et des lampes allumées nimbaient la pièce d'une lueur douce. Un saladier débordant d'oranges trônait au milieu de la table en merisier. Il émanait de cette pièce, comme de toute la maison, une impression de familiarité douillette, alors même que je savais n'y avoir jamais pénétré de toute ma vie consciente. C'était l'endroit où Kara et Alice habitaient dans mes rêves. Notre foyer.

J'éprouvais une telle joie que j'avais presque du mal à la contenir. Kara était assise sur le canapé en face de moi, Alice blottie contre elle comme un chaton. Elles posaient sur moi un regard triste. J'avais envie de les *rassurer, de leur dire qu'elles n'avaient aucune raison d'avoir du chagrin. Tout irait bien, puisque je les avais retrouvées.*

Pour toujours.

Kara repoussa doucement Alice.

« Va jouer dehors, s'il te plaît, comme une gentille fille.

— Je peux pas rester avec papa ?

— Pas maintenant. Ton père et moi, il faut qu'on parle. »

Esquissant une moue déçue, Alice s'approcha de moi et me serra dans ses bras. Lorsque je lui rendis son étreinte, je sentis la chaleur et la réalité de son petit corps.

« Vas-y, ma puce. » Je déposai un baiser sur ses cheveux doux comme de la soie. « Je serai là quand tu rentreras. »

Elle me dévisagea d'un air grave.

« Au revoir, papa. »

Je la suivis des yeux tandis qu'elle s'éloignait. À la porte, elle se retourna pour me gratifier d'un petit signe de la main, puis elle disparut. Je me sentais tellement transporté de bonheur que je ne pouvais prononcer un mot. Kara me regardait toujours.

« Qu'est-ce qu'il y a ? demandai-je. Tu n'es pas heureuse ?

— Ça ne va pas, David. »

Ce fut plus fort que moi, j'éclatai de rire.

« Bien sûr que si ! Tu ne t'en rends pas compte ? »

Mon euphorie ne m'empêchait pas de percevoir sa détresse.

« C'est la drogue, David. C'est elle qui te fait cet effet-là. Mais rien n'est réel. Tu dois résister. »

Je ne m'expliquais pas son inquiétude.

« On est enfin réunis, Kara ! Ce n'est pas ce que tu voulais ?

— Pas de cette façon.

— Pourquoi ? Je suis ici avec toi et rien d'autre ne compte.

— Il ne s'agit pas seulement de nous. Ou de toi. Plus maintenant. »

Il me sembla qu'un courant d'air glacé soufflait sur mes émotions.

« Comment ça ?

— Elle a besoin de toi.

— Qui ? Alice ? Évidemment qu'elle a besoin de moi ! »

Mais je savais qu'elle ne parlait pas de notre fille. Ma joie toute neuve commençait déjà à refluer. Déterminé à m'y raccrocher de toutes mes forces, j'allai chercher une orange sur la table.

« Tu en veux une ? »

Sans me quitter des yeux, Kara fit non de la tête. Je sentais le fruit dans ma main, j'avais conscience de son poids, de la texture granuleuse de sa peau. J'imaginais déjà les gouttes de jus qui jailliraient lorsque je la pèlerais, j'en savourais presque la saveur acidulée sur ma langue. Elle serait délicieuse, je le savais, tout comme je savais que la manger s'apparenterait à un acte d'acceptation de ma part. Et marquerait un point de non-retour.

À regret, je replaçai le fruit dans le saladier. J'avais le cœur lourd quand je retournai m'asseoir. Les yeux embués, Kara sourit.

« C'est ce que tu voulais dire, l'autre fois ? Quand tu m'as conseillé de faire attention ? »

Elle ne répondit pas.

« Il n'est pas trop tard ? » voulus-je savoir.

Une ombre voila son regard.

« Peut-être. Le temps presse.

— Qu'allez-vous devenir, Alice et toi ? demandai-je, la gorge serrée.

— Tout ira bien. Tu ne dois pas t'inquiéter pour nous.

— Je ne te reverrai pas ?

— Ce n'est plus la peine », répondit-elle, toujours souriante malgré ses larmes.

Les miennes roulaient sur mes joues.

« Je t'aime, Kara.

— Je sais. »

Elle se leva pour venir m'enlacer. J'enfouis mon visage dans ses cheveux pour la dernière fois, m'imprégnant de son parfum, refusant de la relâcher mais conscient de ne pas avoir le choix.

« Prends soin de toi, David. »

Au moment où je percevais le goût salé de mes pleurs sur mes lèvres, je m'aperçus que je n'entendais plus l'horloge...

... et je me retrouvai dans le noir, suffocant et paralysé.

Je voulus respirer, mais ma poitrine était comme prise dans un étau. Paniqué, je puisai dans mes forces et parvins à prendre une première inspiration sifflante, puis une seconde. J'avais l'impression d'être enveloppé dans du coton, coupé du monde extérieur. Il aurait été si facile de lâcher prise, de sombrer de nouveau...

Tu dois résister. Les paroles de Kara m'incitèrent à réagir. Il ne subsistait plus rien de mon euphorie artificielle. Mon diaphragme protestait à chaque inhalation tremblante, mais ma respiration devenait de moins en moins laborieuse.

J'ouvris les yeux.

Pour découvrir un monde tournoyant à une vitesse vertigineuse. Alors que je luttais pour me concentrer sur un point fixe, j'entendis la voix de Henry tout près de moi.

« ... jamais souhaité en arriver là, David, je vous supplie de me croire. Mais quand il l'a enlevée, j'ai perdu le contrôle de la situation. Que vouliez-vous que je fasse ? »

En voyant le mur glisser près de moi, je me rendis compte que j'étais dans le fauteuil de Henry, et que celui-ci me poussait le long du couloir. Je tentai en vain de me redresser. Peu à peu, la mémoire me revenait.

Henry. L'aiguille.

Jenny.

Quand je voulus crier son nom, seul un gémissement sourd s'échappa de mes lèvres.

« Chut, David. »

Je tournai la tête vers Henry, lourdement appuyé sur le fauteuil.

Mais bel et bien debout.

C'était insensé. Une nouvelle fois, je tentai de m'appuyer sur les accoudoirs, pour ne réussir qu'à m'affaisser un peu plus sur mon siège.

« Jenny... l'ambulance..., énonçai-je d'une voix pâteuse.

— Il n'y a pas d'ambulance, David.

— Je ne... je ne comprends pas... »

Je ne comprenais que trop bien, au contraire. Ou du moins, je commençais à entrevoir la vérité. Je me rappelai l'agitation de Jenny en arrivant devant la maison,

411

sa peur aussi. *Ne le laisse pas m'approcher !* Persuadé qu'elle parlait de Mason, j'avais mis sa réaction sur le compte du délire.

À tort.

Une fois de plus, j'essayai de bouger. Mes membres pesants se mouvaient au ralenti, comme s'ils étaient pris dans la gelée.

« Arrêtez, David, ça ne sert à rien. »

Je me laissai retomber, mais quand nous passâmes devant l'escalier, je me penchai au maximum vers les barreaux de la rampe. Le fauteuil s'inclina, manquant m'expédier sur le sol. Henry, déséquilibré, chancela.

« Oh, bon sang ! »

Le fauteuil penchait toujours tandis qu'agrippé aux barreaux, je fermai les yeux pour mieux lutter contre le tournis. La voix de Henry, essoufflée et furieuse, s'éleva au-dessus de moi.

« Lâchez ça, David. Ça ne vous avancera à rien. »

Lorsque je soulevai les paupières, je le découvris adossé au mur devant moi, les cheveux en bataille et le visage en sueur.

« S'il vous plaît..., reprit-il. Vous ne faites que rendre les choses plus difficiles pour nous deux. »

Comme je m'obstinais, il soupira en plongeant une main dans sa poche, d'où il retira une seringue. Elle était pleine, constatai-je.

« Il y a là-dedans assez de diamorphine pour assommer un bœuf, et je ne tiens pas particulièrement à vous en donner plus. Vous savez aussi bien que moi ce qui se produira dans ce cas-là. Mais je le ferai si vous m'y forcez. »

Mon cerveau enregistra laborieusement l'information. La diamorphine était un analgésique, un dérivé de l'héroïne capable de provoquer des hallucinations ou le coma. Harold Shipman[1] en avait fait sa drogue de prédilection, plongeant ainsi des centaines de patients dans un sommeil dont ils ne s'étaient jamais réveillés.

Et Henry m'en avait déjà injecté une bonne dose.

Les pièces du puzzle s'assemblaient peu à peu dans ma tête, formant un ensemble d'une clarté terrifiante.

« Vous et lui... C'était... Mason et vous... »

Pourtant, même à ce moment-là, une partie de moi espérait encore qu'il allait nier ou m'offrir une explication rationnelle. Au lieu de quoi, il me considéra quelques instants avant de baisser la seringue.

« Désolé, dit-il. Je n'aurais pas cru que ça finirait comme ça.

— Mais *pourquoi* ? » insistai-je, complètement dépassé.

Il me gratifia d'un petit sourire en coin.

« Je crains que vous ne me connaissiez pas bien, David. Vous auriez dû vous en tenir aux morts, ils sont beaucoup moins compliqués que les vivants.

— Que... De quoi parlez-vous... ? »

Ses sourcils se rejoignirent en une profonde expression de mépris qui creusa les rides sur son visage.

« Qu'est-ce que vous croyez ? Que j'ai pris plaisir à mener cette vie d'estropié ? À me retrouver coincé dans ce trou perdu et à supporter le regard condescendant de tous ces... ces bovins ? Ça fait trente ans que je joue le bon docteur, et qu'est-ce que ça m'a

1. Médecin britannique soupçonné d'avoir tué plus de deux cents patients et condamné en 2000 pour le meurtre de quinze d'entre eux entre 1975 et 1998.

rapporté, hein ? De la gratitude ? Peuh, ils ignorent le sens de ce mot ! »

Une grimace de douleur déforma ses traits. Tout en s'appuyant contre le mur, il avança d'un pas raide jusqu'à la vieille chaise en rotin près de la table où était posé le téléphone. Il croisa mon regard en s'y laissant choir avec soulagement.

« Vous pensiez vraiment que j'avais renoncé ? Je vous ai toujours dit que les spécialistes se trompaient, non ? » Épuisé par l'effort, il essuya la sueur sur son front. « Je vous assure, ça n'a rien de drôle d'être réduit à l'impuissance. De devoir s'exposer à tous les regards dans cet état. Vous ne savez pas à quel point c'est avilissant. Et déprimant. Imaginez un peu que vous soyez obligé de rester tout le temps tel que vous êtes en ce moment... Et là-dessus, voilà que le destin vous offre une chance d'exercer le pouvoir de vie ou de mort, littéralement ! D'égaler Dieu ! »

Il m'adressa un sourire complice.

« Allez, David, avouez-le. Vous êtes médecin, vous avez dû le ressentir aussi... Ce petit frémissement de la tentation ?

— Vous... vous les avez tuées !

— Je ne les ai jamais touchées, répliqua-t-il, l'air quelque peu contrarié. C'est l'œuvre de Mason, pas la mienne. Je me suis contenté de lui lâcher la bride. »

J'aurais voulu fermer les yeux et tout oublier. Seule la pensée de ce qu'il avait bien pu faire à Jenny m'en empêcha. Pourtant, même si je brûlais de savoir comment elle allait, je ne pouvais rien faire pour le moment, ni pour elle ni pour moi. En attendant, plus Henry parlait, plus il me laissait la possibilité de me ressaisir.

«Depuis... depuis combien de temps...

— Depuis combien de temps je suis au courant de son problème, vous voulez dire ?» Henry haussa les épaules.«Son grand-père me l'a amené quand Tom n'était encore qu'un gosse. Il aimait faire du mal aux animaux, organiser tout un rituel avant de les sacrifier. À l'époque, il ne s'en prenait qu'aux animaux, bien sûr. Sans avoir conscience de mal agir. C'était tout à fait fascinant. J'ai proposé de garder le silence sur son état et de lui donner des tranquillisants pour l'aider à maîtriser ses... pulsions, à condition de pouvoir le suivre. J'ai fait de lui mon projet d'étude secret, si vous préférez.»

Il leva les mains comme pour parer une objection.

«Je sais, je sais, ce n'est pas vraiment conforme à l'éthique de la profession. Mais je vous ai dit que j'avais toujours voulu devenir psychologue. J'aurais été sacrement bon, j'en suis sûr ! Malheureusement, j'ai dû renoncer à mes rêves quand je me suis installé à Manham. Au moins, le cas de Mason était plus intéressant que l'arthrite et les verrues. Et au fond, je crois que je ne m'en suis pas trop mal sorti. Sans moi, il aurait déraillé depuis des années.»

Mon inquiétude pour Jenny atteignait son comble, mais le moindre de mes mouvements me donnait le tournis et provoquait en moi une vague de nausée. Je tentais de contracter les muscles de mes bras et de mes jambes, comme si je pouvais en recouvrer l'usage à force de volonté.

«Est-ce qu'il a... tué aussi son grand-père ? murmurai-je.

— Grand Dieu non ! s'exclama Henry, visiblement choqué. Il l'adorait ! Non, le bonhomme est décédé de causes naturelles. Le cœur, je suppose. En tout cas, après sa mort, il n'y avait plus personne pour s'assurer que Mason prenait ses médicaments. Pour ma part, j'avais arrêté de le recevoir en consultation. Croyez-le ou non, j'avais fini par me lasser de ses innombrables récits de tortures. J'avais fourni au vieux George tout un stock de tranquillisants, et je dois bien l'avouer, je m'étais désintéressé du cas. Jusqu'à ce que Mason débarque chez moi un soir en m'annonçant qu'il avait enfermé Sally Palmer dans le vieil atelier de son père. »

Je fus stupéfait de l'entendre étouffer un petit rire.

« En fait, il avait le béguin pour elle depuis qu'elle les avait embauchés, son grand-père et lui, environ un an plus tôt. Ce qui n'aurait pas posé de problème s'il avait continué à prendre ses tranquillisants. Mais quand leur effet s'est dissipé, ses pulsions ont resurgi. Alors, il s'est mis à la suivre partout, sans savoir lui-même ce qu'il allait faire, à mon avis. Une nuit, il a été repéré par le chien de Sally Palmer, qui s'est déchaîné contre lui. Alors Mason lui a tranché la gorge, puis il a assommé la fille pour la réduire au silence avant de l'enlever. »

Il secoua la tête sans chercher à dissimuler son admiration. Était-ce bien l'homme que je connaissais depuis des années, que je considérais comme mon ami ? Je n'arrivais pas à le croire, tant il me paraissait impossible de concilier l'image que j'avais toujours eue de lui avec celle de cette créature perverse devant moi.

« Bon Dieu, Henry...

— Ne me regardez pas comme ça ! Cette petite bêcheuse n'a eu que ce qu'elle méritait ! La "célébrité" de Manham, qui s'encanaillait avec les péquenots quand elle ne paradait pas à Londres ou ailleurs... La garce ! Je ne pouvais pas la regarder sans penser aussitôt à Diana ! »

La mention de son épouse disparue me dérouta. Henry dut s'en rendre compte, car il précisa d'un ton agacé :

« Oh, pas physiquement. Diana avait beaucoup plus de classe, je veux bien l'admettre. Mais sinon, elles se ressemblaient beaucoup. Prétentieuses toutes les deux, s'imaginant supérieures à tout le monde... Foutues bonnes femmes ! Elles sont bien toutes pareilles ! D'abord elles vous saignent à blanc, et après, elles vous narguent !

— Mais vous l'aimiez...

— Diana n'était qu'une putain ! rugit-il. Une sale putain ! »

Ses traits altérés par la rage rendaient son visage presque méconnaissable. Je n'en revenais pas de n'avoir jamais soupçonné cette colère en lui. Janice m'avait laissé entendre à plusieurs reprises que le couple se déchirait, mais j'avais mis ses commentaires sur le compte de la jalousie.

Comme je me trompais...

« J'ai tout abandonné pour elle ! cracha Henry. Vous voulez savoir pourquoi je suis devenu généraliste et pas psychologue ? Parce qu'elle était enceinte, et que je devais gagner rapidement ma vie. Et attendez, il y a encore plus drôle : j'étais tellement pressé de travailler que je n'ai pas terminé mes études ! »

Il semblait retirer un plaisir pervers de cette confession.

« Hé oui, vous avez bien compris. Je n'ai même pas le droit d'exercer. Vous pensez que j'ai choisi de rester dans ce trou, peut-être ? La seule raison qui m'a décidé à m'installer ici, c'est que le vieux poivrot à la tête du cabinet n'avait pas les idées assez claires pour penser à vérifier mes qualifications. » Il laissa échapper un petit rire amer. « Dieu sait que j'ai pu apprécier toute l'ironie de la situation en découvrant que vous n'aviez pas été tout à fait honnête avec moi ! Sauf que contrairement à vous, moi, je me retrouvais piégé ici... Je ne pouvais pas partir ni chercher une autre place sans risquer d'être démasqué. Ça vous étonne que je déteste cet endroit ? Pour moi, Manham n'est qu'une foutue prison ! »

Sans me quitter des yeux, il arqua un sourcil, m'offrant une version parodique de l'ancien Henry.

« Et vous croyez que cette chère Diana m'aurait soutenu, hein ? Oh que non ! À ses yeux, j'étais le seul responsable de tout ! C'était ma faute si elle avait fait une fausse couche et ne pouvait plus avoir d'enfants ! Ma faute encore si elle couchait avec d'autres ! »

Peut-être le produit chimique dans mes veines avivait-il mes facultés, mais soudain, j'eus une révélation.

« La tombe dans les bois... l'étudiant... »

Cette remarque le calma d'un coup. Brusquement, il parut épuisé.

« Oh, Seigneur ! Quand la police l'a retrouvé, après toutes ces années... » Il frissonna. « Oui, c'était un des amants de Diana. À l'époque, je m'imaginais immunisé contre les infidélités de ma femme. Mais celui-là, il était différent des rustres habituels. Intelligent, beau gosse. Et surtout, tellement *jeune* ! Il avait toute la vie – toute une carrière ! – devant lui. Et moi, j'avais quoi ?

— Alors vous vous êtes débarrassé de lui...

— Pas délibérément, non. Je suis allé le voir dans les bois où il campait pour lui proposer de l'argent s'il acceptait de partir. Il a refusé, cet imbécile, il pensait vivre une véritable histoire d'amour. J'ai voulu lui ouvrir les yeux, bien sûr; je lui ai dit quel genre de femme était vraiment Diana. Là-dessus, on s'est disputés, et puis, une chose en a entraîné une autre.»

Il haussa les épaules comme pour s'absoudre de toute responsabilité.

«Tout le monde a supposé qu'il avait fichu le camp sans prévenir. Même Diana. "Un de perdu, dix de retrouvés", c'était sa philosophie. Par la suite, rien n'a changé. J'étais toujours le cocu du village, le bouffon de service. Alors, un soir où on rentrait d'un dîner, j'ai décidé d'en finir. À l'approche d'un pont, au lieu de tourner le volant pour m'y engager, j'ai accéléré tout droit.»

L'énergie qui l'animait jusque-là semblait l'avoir déserté. Avachi sur son siège, il avait l'air d'un vieillard usé.

«Sauf que j'ai flanché. À la dernière seconde, j'ai voulu tourner, mais il était déjà trop tard bien sûr. C'était ça, le fameux accident... Encore un foutu ratage! Et une fois de plus, Diana a réussi à se moquer de moi. Au moins, elle a été tuée sur le coup, pas condamnée à rester dans cet état!»

Il se frappa la cuisse.

«Mes jambes n'étaient plus bonnes à rien! J'avais toujours eu du mal à supporter Manham, mais désormais, quand je regardais tous ces gens, mon *troupeau*, avec leur petite vie minable, qui ricanaient derrière mon dos, je ressentais une telle haine... Je vais vous dire, David, il y avait des fois où j'aurais aimé pouvoir tous les tuer. Tous! Mais je n'avais pas assez de tripes pour ça. Pas plus que je n'en avais eu pour en finir, d'ailleurs. Et puis, Mason s'est présenté à ma porte comme un chat apportant une souris à son maître. Un golem rien que pour moi ! »

Son expression se fit presque extatique, puis il me couva d'un regard intense.

« De l'argile, David, voilà ce qu'il était. Pas une once de conscience, pas la moindre idée de la conséquence de ses actes. Juste un bloc d'argile à façonner selon mes désirs. Vous imaginez ce que j'ai pu ressentir ? À quel point c'était *grisant* ? Quand je me suis retrouvé dans cette cave, devant Sally Palmer, j'ai éprouvé un tel sentiment de puissance... Pour la première fois depuis des années, je n'étais plus un misérable estropié. Cette femme qui m'avait toujours pris de haut était là, en larmes, couverte de sang et de morve, et moi, j'avais tout pouvoir sur elle ! »

Une lueur malsaine brillait dans ses yeux. Néanmoins, autant son discours trahissait la folie, autant son regard exprimait une lucidité sans faille, glaçante.

« Je savais que je tenais enfin ma chance, poursuivit-il, non seulement de me venger de Manham, mais aussi d'exorciser le souvenir de Diana. Comme elle se vantait toujours de ses talents de danseuse, j'ai donné à Mason sa robe de mariée et la boîte à musique que je lui avais offerte pendant notre lune de miel. Dieu que je détestais ce truc ! J'entendais sans arrêt *Au clair de la lune* chaque fois qu'elle se préparait avant d'aller s'envoyer en l'air avec son amant du moment. Alors, j'ai dit à Mason de faire enfiler la robe à Sally Palmer et de sortir. Après, je suis descendu la regarder danser, cette pauvre fille tellement effrayée qu'elle pouvait à peine bouger. Et j'ai savouré son humiliation. Ce n'était peut-être pas grand-chose, mais je ne saurais vous dire à quel point je me suis senti libéré. Même s'il ne s'agissait pas de Diana.

— Vous êtes malade, Henry, vous avez besoin d'aide.

— Oh, épargnez-moi le coup de l'indignation vertueuse ! rétorqua-t-il. Mason allait la tuer de toute façon. Et qu'est-ce que vous croyez ? Qu'il allait s'arrêter après avoir découvert le goût du sang ? Si ça peut vous consoler, sachez qu'il ne les a pas violées. Il n'osait pas les toucher. Oh, peut-être qu'il aurait franchi le pas un jour, mais bizarrement, il avait peur des femmes. » Cette pensée parut l'amuser. « C'en est presque comique, non ?

— Il les a torturées ! » m'écriai-je, révolté.

Henry haussa les épaules.

« Bah, le pire, c'est ce qu'il leur a infligé après leur mort. Les ailes de cygne, les lapereaux... » Il esquissa une grimace de dégoût. « Là encore, c'était typique de son petit rituel personnel. Même la robe de mariée en est devenue un élément essentiel. Quand Mason avait fait quelque chose une fois, ça restait gravé en lui comme un commandement dans la pierre. Tenez, à votre avis, pourquoi les gardait-il en vie pendant trois jours ? Eh bien, parce que c'est à ce moment-là qu'il a tué la première. Il a perdu son sang-froid quand elle a essayé de s'échapper, sinon sa captivité aurait pu durer plus longtemps. »

Ce qui expliquait pourquoi Sally Palmer avait été frappée au visage et pas Lyn Metcalf. Ce n'était pas une tentative pour la rendre méconnaissable, mais juste le résultat d'un caprice dicté par la démence.

J'agrippai les accoudoirs du fauteuil en me remémorant les conseils de Henry juste avant l'assaut sur le vieux moulin. *Vous ne croyez pas que vous devriez vous préparer au pire ?* Il savait que la police se trompait de cible et il connaissait le sort réservé à Jenny. Si j'en avais été capable, je l'aurais étranglé ici même, de mes propres mains.

« Pourquoi Jenny ? croassai-je. Pourquoi elle ? »

Il tenta de feindre l'insouciance, sans toutefois y parvenir.

« Pour la même raison que Lyn Metcalf. Elle lui avait tapé dans l'œil.

— Vous mentez !

— D'accord, je me suis senti *trahi* ! hurla-t-il. Je vous considérais comme un fils, David ! Vous étiez la seule personne digne d'intérêt dans ce putain de trou à rats, et là-dessus, il a fallu que vous rencontriez cette fille ! Pour moi, il était clair que vous n'alliez plus tarder à partir pour commencer une nouvelle vie. Et ça m'a donné un tel coup de vieux ! Alors, quand vous m'avez raconté que vous m'aviez caché des choses, en particulier votre collaboration avec la police, j'ai... »

Il s'interrompit. Lentement, afin de ne pas l'alerter, je voulus changer de position dans le fauteuil en m'efforçant d'ignorer la sensation de vertige provoquée par mes mouvements.

« N'empêche, je n'ai jamais eu l'intention de vous faire de mal, insista-t-il. Le soir où Mason est venu s'approvisionner en chloroforme... Le fameux "cambriolage", vous vous rappelez ? Je me trouvais avec lui dans mon bureau lorsque vous avez bien failli nous surprendre, mais je vous jure que j'ignorais tout de sa tentative de vous poignarder. Je ne m'en suis aperçu qu'au moment où vous êtes rentré dans la maison. Et le lendemain matin, quand vous m'avez découvert près du dinghy ? »

Je décelai dans son regard un mélange de regret et de fierté.

« Je n'embarquais pas, David, je débarquais. »

Avec le recul, cela me parut évident. Les maisons de Henry et de Mason se situaient toutes les deux au bord du lac, et au lever du jour, il y avait peu de chances pour que l'on remarquât un petit bateau naviguant en silence sur les eaux tranquilles.

« J'étais allé voir Mason pour lui dire de tout arrêter, reprit Henry. Que j'avais changé d'avis. Ça m'a pris des heures, mais dans la mesure où il n'avait pas le téléphone, je n'avais pas d'autre solution. De toute façon, j'ai perdu mon temps. Une fois que Mason s'était fixé un but, il n'y avait plus moyen de l'en détourner. Cette manie d'abandonner les corps dans les marais, par exemple. J'ai bien essayé de le convaincre de s'en débarrasser d'une manière plus efficace, mais il n'a rien voulu entendre. Je n'ai eu droit qu'à son foutu regard vide, et après, il a continué.

— Alors vous l'avez laissé enlever Jenny et vous êtes allé la regarder... »

Henry leva les mains puis les laissa retomber en signe d'impuissance.

« J'étais loin de penser que les choses prendraient cette tournure. Croyez-moi, David, je ne vous voulais pas de mal. »

Il scruta mon visage comme pour y chercher un signe de compréhension. Au bout d'un moment, cependant, il dut y renoncer et un sourire mauvais se dessina sur ses lèvres.

« Mais bon, on ne fait pas toujours ce qu'on veut dans la vie, pas vrai ? »

Brusquement, il assena un grand coup de poing sur la table.

« Nom d'un chien, David, vous ne pouviez pas vous assurer qu'il était bien mort, au moins ? J'aurais pu prendre le risque de vous épargner, même avec la fille ! Maintenant, je n'ai plus le choix ! »

Son cri de colère se répercuta dans le couloir. Il se passa une main sur le visage puis demeura quelques instants immobile, le regard perdu dans le vague. Enfin, il fit mine de se lever.

« Allez, il est temps d'en finir », dit-il d'une voix morne.

Au moment où il se redressait, je rassemblai toutes mes forces et me jetai sur lui.

31

Ma tentative ne me mena nulle part. Mes jambes se dérobèrent d'un coup, me faisant chuter par terre alors que le fauteuil se renversait avec fracas derrière moi. À la suite de mon brusque mouvement, la pièce s'était remise à tournoyer. Je fermai les yeux lorsqu'elle s'inclina selon un angle impossible, et renonçai à toute velléité de rébellion.

« Oh, David, David... », dit Henry avec tristesse.

Réduit à l'impuissance, allongé sur le sol que je sentais tanguer et osciller, je n'attendais plus que la piqûre de l'aiguille et la plongée dans le néant qui s'ensuivrait. Mais comme rien ne se produisait, je rouvris les yeux et tentai de me concentrer sur Henry malgré mon vertige. La seringue tenue mollement dans une main, il m'observait avec une certaine inquiétude, me sembla-t-il.

« Vous rendez les choses encore plus difficiles, David. Si je vous injecte cette dose, elle vous tuera. S'il vous plaît, ne m'y obligez pas.

— Vous le ferez quand même... », énonçai-je d'une voix pâteuse.

Je voulus me redresser mais je n'avais plus de forces dans les bras, et après les efforts que j'avais déployés, ma tête m'élançait. Je m'effondrai de nouveau tandis que ma vue se brouillait. Je vis néanmoins Henry se pencher vers moi pour me prendre le poignet. Trop faible pour me dégager, je ne pus que regarder l'aiguille s'approcher de ma peau. Je fis appel à toute ma volonté pour essayer de résister à la drogue, même si je savais le combat perdu d'avance.

Or, au lieu d'enfoncer la seringue, Henry l'écarta de mon bras.

« Je ne peux pas, chuchota-t-il. Pas comme ça. »

Il fourra la piqûre dans sa poche. Le voile devant mes yeux s'épaississait, assombrissant le couloir. Peu à peu, je m'enfonçais dans le noir. *Non !* Il ne m'était cependant plus possible de lutter, le monde autour de moi ne se réduisait plus qu'à un martèlement régulier, assourdissant – les battements – de mon cœur, pensai-je confusément.

Il me sembla ensuite qu'on me soulevait, puis qu'on me déplaçait. J'ouvris les yeux, pour les refermer presque aussitôt, rendu nauséeux par le kaléidoscope de formes et de couleurs autour de moi. Je m'efforçai de refouler mon malaise, de ne pas m'évanouir encore une fois. Soudain, je sentis une secousse, puis une bouffée d'air frais sur mon visage. À travers mes paupières mi-closes, j'aperçus au-dessus de moi le ciel nocturne couleur indigo, parsemé d'étoiles brillantes comme du cristal qui apparaissaient et disparaissaient derrière des lambeaux de nuages charriés par le vent.

Je pris une profonde inspiration pour tenter de m'éclaircir les idées. La Land Rover se profilait devant moi. Le fauteuil dans lequel j'étais assis s'en rapprochait avec force cahots, faisant crisser le gravier sous ses roues. À présent, tous mes sens étaient étrangement aiguisés : j'entendais le bruissement des branches agitées par la brise, je percevais l'odeur de la terre mouillée. Les griffures et les taches de boue sur la Land Rover paraissaient aussi grandes que des continents.

Comme l'allée montait à cet endroit, Henry dut forcer pour me pousser. Enfin, à bout de souffle, il s'immobilisa près de l'arrière de la voiture. J'aurais dû essayer de bouger, je le savais, mais mes membres n'obéissaient plus aux ordres de mon cerveau. Lorsqu'il eut recouvré une respiration plus régulière, Henry se cramponna au fauteuil roulant pour le contourner. Jusqu'au moment où il put s'appuyer sur la Land Rover. Il se déplaçait difficilement sur des jambes raides comme des bouts de bois. Enfin, après avoir soulevé le hayon à l'arrière, il s'assit sur le rebord du coffre. Son visage blafard, inondé de sueur, luisait à la lueur de la lune.

Quand il se tourna vers moi, sa poitrine se soulevant par saccades, un faible sourire naquit sur ses lèvres.

« Ça y est ? Vous êtes revenu parmi nous ? » Il se pencha pour placer ses mains sous mes aisselles. « C'est bientôt fini, David, Allez, on grimpe. »

Toutes ces années passées à tenter de se libérer de son fauteuil avaient considérablement développé ses membres supérieurs, et de toute évidence, il comptait bien utiliser sa force pour me porter. Comme je tentais faiblement de me dégager, il grogna en raffermissant sa prise. Au moment où il me soulevait de mon siège, j'agrippai le hayon, qui s'abaissa dans mon mouvement.

« Arrêtez, David, ne soyez pas ridicule », hoqueta Henry en essayant de desserrer mes doigts.

Mais je tenais bon.

« Lâchez ça, bon Dieu ! »

Il me tira sans ménagement, me cognant au passage la tête contre l'angle du hayon. Le choc m'étourdit brièvement, puis je sentis qu'on m'allongeait sur le plancher métallique à l'arrière de la Land Rover.

« Désolé, reprit Henry, je ne voulais pas faire ça. » Il sortit un mouchoir pour me tamponner le front puis contempla un instant le tissu sanguinolent avant de s'adosser à l'encadrement en se couvrant les yeux. « Quel foutoir ! »

J'avais terriblement mal à la tête, mais l'intensité de la douleur me paraissait presque revigorante après la léthargie artificielle provoquée par la diamorphine.

« Ne... Henry, ne faites pas ça.

— Vous croyez peut-être que j'en ai envie ? Je voudrais juste en finir. Ce n'est pas trop demander, non ? » Il vacilla. « Mon Dieu, je suis tellement fatigué... J'allais vous conduire au lac pour prendre le bateau jusque chez Mason. Mais je n'en ai pas la force. »

Il passa la main derrière moi pour fouiller l'intérieur sombre de la Land Rover. Quand il se redressa, il tenait un morceau de tuyau d'arrosage.

« Je suis allé le chercher dans le jardin quand vous étiez dans les vapes. À mon avis, Mason n'en aura pas besoin... » Sa tentative d'humour tomba à plat. De nouveau, il parut s'affaisser. « D'accord, ça risque de compliquer les choses si la police vous trouve ici, mais bon, avec un peu de chance tout le monde pensera à un suicide. Même si ce n'est pas la solution idéale, il va falloir s'en contenter. »

La lumière s'éteignit lorsqu'il referma le hayon. Je l'entendis le verrouiller, puis contourner lentement la voiture. Au moment où j'essayais de m'asseoir malgré mes vertiges, ma main rencontra un objet rugueux.

Une couverture. En me rendant compte de ce qu'il y avait en dessous, je crus que mon cœur allait s'arrêter.

Jenny.

Elle était recroquevillée derrière le siège passager. Dans la pénombre, je ne voyais d'elle que ses cheveux emmêlés. Elle ne bougeait pas.

«Jenny! *Jenny!*»

Elle ne réagit pas non plus quand je lui découvris le visage. Sa peau était glacée. *Oh mon Dieu, non! Je vous en prie.*

Soudain, la portière s'ouvrit côté conducteur et Henry se hissa à l'intérieur en grognant sous l'effort.

«Henry... Je vous en prie, aidez-moi.»

Quand il démarra, le rugissement du moteur noya mes paroles avant de se muer en grondement régulier. Henry baissa légèrement la vitre puis se tourna vers moi. J'avais du mal à distinguer ses traits.

«Je regrette. Sincèrement. Mais je ne vois pas d'autre solution.

— Oh, arrêtez!

— Adieu.»

Laborieusement, il s'extirpa du véhicule dont il claqua la portière, sans couper le moteur. Quelques instants plus tard, un objet s'insinuait dans l'entre-bâillement de la vitre.

Le tuyau d'arrosage.

«Henry!» appelai-je d'une voix rendue plus sonore par la peur.

À travers le pare-brise, je l'aperçus qui se dirigeait vers la maison. Je me retournai pour essayer d'ouvrir le hayon qui, comme de bien entendu, ne céda pas. Il me semblait déjà sentir les gaz d'échappement. *Réfléchis! Vite!* Je n'avais plus qu'à tenter de repousser le tuyau. Mais le rempart des sièges me bloquait le passage. Quand je voulus m'y appuyer pour me hisser vers l'avant, le brouillard se propagea de nouveau dans ma tête et je m'affaissai à l'arrière. *Non ! Ne tombe pas dans les pommes !* Un seul coup d'œil en direction de Jenny m'encouragea à résister à l'appel des ténèbres.

Avisant l'espace entre les sièges, je parvins à y glisser un bras pour me soulever. Un voile noir dansait devant mes yeux, menaçant de m'aveugler. Je marquai une pause, le cœur cognant douloureusement dans ma poitrine, jusqu'au moment où le malaise reflua. Serrant les dents pour mieux lutter contre le roulis de la voiture, je m'acharnai et me retrouvai coincé entre les deux fauteuils, le torse plaqué contre le vide-poche. Les clés pendaient sous le volant, mais elles auraient pu tout aussi bien se trouver à un kilomètre. Je tâtonnai à la recherche de la commande de la vitre, inaccessible elle aussi. En désespoir de cause, je levai les yeux vers l'ouverture du tuyau. Pourrais-je l'atteindre avant d'être asphyxié par les émanations nocives ? Et même si je réussissais, que se passerait-il ensuite ? Dans le meilleur des cas, Henry le remettrait en place – s'il ne décidait pas, à bout de patience, de m'injecter le reste de la diamorphine.

Malheureusement, je ne voyais pas quoi faire d'autre. J'attrapai le frein à main, dont je me servis pour me hisser de quelques centimètres supplémentaires, et soudain, j'aperçus Henry dans l'allée, penché sur le fauteuil roulant qu'il poussait vers la maison.

Sans me laisser le temps de réfléchir, je desserrai le frein.

Je sentis la Land Rover se déplacer légèrement, mais malgré l'inclinaison du terrain, elle ne bougea pas.

J'eus beau peser de tout mon poids vers l'avant pour rompre l'inertie qui maintenait la voiture en place, la manœuvre demeura sans effet. Ce fut alors que mon regard se posa sur la boîte automatique ; le levier était engagé en position Parking.

En m'étirant le plus possible, je parvins à l'enclencher en position Drive.

Cette fois, la Land Rover s'ébranla. Toujours coincé entre les sièges, je vis Henry se retourner dans l'allée et sa bouche s'arrondir de surprise. Même quand la voiture prit de la vitesse, et alors qu'il avait largement le temps de s'écarter, il demeura immobile. Peut-être avait-il épuisé toutes ses réserves d'énergie ou peut-être ses jambes atrophiées ne répondirent-elles pas assez vite ; nos regards se croisèrent une dernière fois, puis la Land Rover le heurta de plein fouet.

Un instant plus tard, il disparaissait en dessous. Il y eut un premier cahot horrible, puis un second. Déséquilibré, je tâtonnai à la recherche du frein à main quand la maison se dressa derrière le pare-brise. Trop tard. Dans un fracas de tôles froissées, la voiture s'immobilisa brusquement, me projetant en avant. Le moteur tournait encore. Je coupai le contact et ouvris la portière, puis récupérai la clé.

Une bouffée d'air frais s'engouffra à l'intérieur, que j'aspirai avec avidité en m'affalant sur le gravier. Haletant, j'essayai de rassembler mes forces jusqu'au moment où je parvins à me mettre à quatre pattes et à me redresser tant bien que mal en m'aidant de la Land Rover pour assurer mon équilibre. Tout comme Henry un peu plus tôt, je m'appuyai sur la carrosserie pour me diriger vers l'arrière.

Il gisait à quelques mètres, silhouette sombre et

immobile à côté du fauteuil cassé. Je n'avais cependant pas le temps de me préoccuper de lui. Après avoir déverrouillé le hayon, je grimpai à côté de Jenny.

Elle n'avait pas bougé. Les mains tremblantes, j'arrachai la couverture dont elle était enveloppée. *Je vous en prie, faites qu'elle soit vivante !* Sa peau était froide et livide, mais elle respirait toujours, libérant cette odeur d'acétone caractéristique. *Merci, mon Dieu.* J'avais beau aspirer à la serrer contre moi pour lui apporter un peu de chaleur, je savais qu'il y avait plus urgent dans l'immédiat.

Je me laissai glisser hors de la voiture et tentai de me redresser. Ce fut plus facile cette fois, les effets de l'adrénaline et du désespoir se combinant pour lutter contre ceux de la drogue. La porte de la maison, toujours ouverte, déversait un rectangle de lumière sur le perron. Je m'engageai dans le couloir en titubant et, une main plaquée sur le mur, j'avançai vers la table du téléphone où Henry s'était lui-même installé un peu plus tôt. Je faillis m'écrouler sur la chaise à côté, mais sachant que je risquais de ne plus pouvoir me relever, je restai debout pour décrocher le combiné. Incapable de me rappeler le numéro de Mackenzie, je forçai mes doigts engourdis à composer celui de police secours.

Un nouvel étourdissement me saisit quand la voix de l'opératrice s'éleva à l'autre bout de la ligne. Les yeux fermés, je me concentrai pour lui expliquer la situation, conscient que la vie de Jenny dépendait de la cohérence de mes propos. Je m'appliquai pour articuler soigneusement les mots « urgence » et « coma diabétique », mais le reste se perdit dans une bouillie incompréhensible. Quand mon interlocutrice commença à me poser d'autres questions, je raccrochai. Si j'avais initialement prévu d'aller chercher de l'insuline dans le réfrigérateur, je comprenais maintenant que je n'en aurais jamais la force. De toute façon, même si j'y parvenais, je n'oserais jamais lui injecter le produit dans l'état où je me trouvais.

Tanguant comme un ivrogne, je ressortis de la maison. Malgré la fatigue qui menaçait de me submerger, je me traînai jusqu'à la Land Rover. Jenny, blême, était allongée sur le flanc, dans la position où je l'avais laissée. Avant même de l'avoir rejointe, je me rendis compte que la situation avait empiré : sa respiration était sifflante, irrégulière et beaucoup, beaucoup trop rapide.

« David. »

La voix de Henry n'était qu'un chuchotement à peine audible. Je me retournai. Toujours étendu sur le sol, il avait la tête orientée vers moi. Ses vêtements luisaient, trempés d'un sang presque noir qui tachait aussi le gravier autour de lui. Dans la pénombre, je distinguai ses yeux ouverts.

« Je vous ai dit que... vous étiez comme l'eau qui dort... »

Je reportai mon attention sur Jenny.

« S'il vous plaît, David... »

Je ne voulais pas le regarder. Je le haïssais de toutes mes forces, pas seulement pour la façon dont il avait agi, ni pour ce qu'il était devenu, mais à cause de ce qu'il n'était pas. Et pourtant, j'hésitai. Aujourd'hui encore, même avec le recul, je ne sais pas ce que j'aurais pu faire.

Mais au même moment, Jenny cessa de respirer.

Le son s'arrêta, tout simplement. Un court instant, je me bornai à la dévisager, pétrifié dans l'attente du souffle suivant. Comme il n'arrivait pas, je grimpai à l'arrière de la voiture.

« Jenny ? *Jenny !* »

Sa tête ballotta mollement quand je l'allongeai de côté. Ses yeux entrouverts révélaient deux demi-lunes de blanc bordées de cils magnifiques. Affolé, je lui tâtai le pouls. Rien.

« Non ! »

Ce n'était pas possible, pas maintenant... La panique menaçait de me paralyser. *Réfléchis, bon sang !* L'adrénaline m'aida à m'éclaircir les idées ; j'étendis Jenny sur le dos, puis attrapai la couverture et la roulai en boule sous sa nuque. J'avais appris les techniques de réanimation cardiopulmonaire pendant mes études, mais je n'avais jamais eu l'occasion de les mettre en pratique. *Dépêche-toi !* Tout en maudissant ma maladresse, je lui renversai la tête, lui bouchai le nez et enfonçai mes doigts dans sa bouche pour écarter sa langue. Ignorant mes vertiges, je me penchai vers ses lèvres, insufflai de l'air dans ses poumons – une fois, deux fois – puis plaquai mes paumes sur sa poitrine pour faire les compressions thoraciques.

Allez, respire ! suppliai-je en silence. J'alternai insufflations et compressions, mais Jenny demeurait inerte. Je pleurais, à présent, sans cesser pour autant de m'activer pour tenter de ranimer son cœur. Elle ne réagissait toujours pas.

Ça ne sert à rien.

Chassant résolument cette pensée, je soufflai de l'air dans sa bouche avant de compter à voix haute pour équilibrer compression et relâchement. Encore. Et encore.

Elle est partie.

Non ! Je ne pouvais pas l'accepter. Aveuglé par les larmes, je poursuivais sans relâche mes efforts. Ne comptait plus pour moi que la répétition mécanique des mêmes gestes. *Souffler, presser, compter. Souffler, presser, compter.*

Peu à peu, je perdis la notion du temps. Je n'entendis pas le hurlement des sirènes, je ne vis pas non plus les phares qui balayaient la voiture. Seuls m'importaient le corps immobile et glacé de Jenny et la fréquence de mes mouvements désespérés. Je refusai de renoncer même quand je sentis des mains se poser sur moi.

« Non ! Lâchez-moi ! »

Malgré ma résistance, je fus tiré en arrière, hors de la Land Rover et loin de Jenny. L'allée menant à *Bank House* grouillait de véhicules baignés par les flashs des gyrophares. Lorsque les urgentistes me poussèrent vers une ambulance, mes dernières forces m'abandonnèrent et je m'effondrai sur le gravier. Le visage de Mackenzie se matérialisa soudain devant moi. Je le vis articuler des paroles, mais je ne cherchai pas à les comprendre. Toute mon attention se concentrait sur la Land Rover, autour de laquelle se pressaient les secours.

Puis de la confusion ambiante jaillirent les mots qui me glacèrent le sang.

« C'est inutile. On est arrivés trop tard. »

Épilogue

L'herbe crissait sous mes pieds comme du verre brisé. Le givre matinal avait blanchi le paysage alentour, le transformant en vaste étendue monochrome. Une corneille solitaire tournoyait lentement dans le ciel clair, les ailes déployées et immobiles. Soudain, elle les battit à deux reprises avant de disparaître parmi les membres squelettiques d'un arbre – une forme sombre de plus parmi l'enchevêtrement de branches nues.

J'enfonçai plus profondément mes mains gantées dans mes poches tandis que le froid semblait s'insinuer par les semelles de mes bottes, m'obligeant à taper des pieds. Au loin, réduite à une simple tache de couleur, une voiture roulait sur une route sinueuse fine comme un trait de crayon. Je la suivis des yeux, enviant le conducteur qui se dirigeait vers la chaleur des maisons et de la vie.

Un instant plus tard, je sortis machinalement une de mes mains pour frotter la marque pâle sur mon front, sensibilisée par l'air glacé. La douleur ne me rappelait que trop bien la nuit où je m'étais cogné la tête contre le hayon de la Land Rover. Au cours des mois suivants la plaie s'était refermée, ne laissant subsister qu'une fine cicatrice, contrairement aux blessures moins visibles dont je sentais toujours les élancements. Pourtant, je savais qu'elles finiraient par guérir elles aussi.

Avec le temps.

Encore aujourd'hui, il m'était difficile de considérer d'un œil objectif les événements survenus à Manham. Les images de cette nuit d'orage, de ma descente dans la cave, du trajet avec Jenny sous la pluie et de l'affrontement final me tourmentaient moins souvent. Mais lorsqu'elles s'imposaient brusquement à ma mémoire, leur impact était tel que j'en avais le souffle coupé.

Mason respirait toujours quand la police l'avait découvert. Il avait survécu encore trois jours, émergeant de l'inconscience juste assez longtemps pour sourire à la policière montant la garde à son chevet. Durant un temps, le droit anglais étant ce qu'il est, j'avais craint que des charges ne fussent retenues contre moi. L'évidence de ce cas de légitime défense, associée à la preuve sinistre constituée par la cave elle-même, avait cependant suffi à écarter la nécessité de se plonger dans les zones ombreuses de la légalité.

S'il était besoin de preuves supplémentaires, celles-ci avaient été fournies par le journal que la police avait trouvé au fond d'un tiroir dans le bureau de Henry. Il contenait un compte rendu détaillé de ses observations sur le jardinier de Manham – une étude de cas officieuse qui revenait à des aveux posthumes. Des premiers actes sadiques de Mason – l'adolescent responsable des tortures infligées aux chats dont Mackenzie m'avait parlé – à sa collaboration perverse avec Henry, tout y était consigné avec un luxe de détails révélant la fascination de mon ancien confrère.

Je ne l'avais pas lu moi-même, et je n'en avais pas la moindre envie, mais je m'étais entretenu avec l'un des psychologues de la police qui l'avait examiné. Celui-ci n'avait pas caché son enthousiasme pour ce document constituant un témoignage unique non sur un, mais sur deux esprits dérangés. C'était, avait-il ajouté, le genre de travail sur lequel se bâtit une réputation professionnelle.

En tant que psychologue raté, Henry aurait certainement apprécié l'ironie, avais-je pensé.

À son sujet, mes sentiments restaient partagés. J'éprouvais de la colère, bien sûr, mais aussi une immense tristesse – moins à cause de sa mort que du gâchis de son existence et de toutes celles qu'il avait entraînées dans sa folie. Et il m'était toujours difficile de réconcilier le souvenir de l'homme que j'avais considéré comme mon ami avec celui de cette créature aigrie qui m'était apparue à la fin. Ou de déterminer qui était le véritable Henry.

Il avait essayé de me tuer, c'était un fait, et pourtant je me demandais parfois si la vérité n'était pas plus complexe. L'autopsie avait révélé qu'il n'était pas mort de ses blessures – qui lui auraient probablement été fatales de toute façon –, mais d'une overdose massive de diamorphine. La seringue dans sa poche avait été retrouvée vide et l'aiguille enfoncée dans sa chair. Il s'agissait peut-être d'un accident, d'une conséquence de la collision avec la Land Rover. À moins qu'à l'agonie, il ne se fût injecté lui-même le produit.

Ce qui n'expliquait cependant pas pourquoi il ne m'en avait pas administré une dose mortelle dès le départ. Ainsi, il lui aurait été beaucoup plus facile de mettre en scène mon suicide.

Mais au cours de l'enquête, j'avais également découvert un autre détail qui m'avait amené à m'interroger sur sa détermination à se débarrasser de moi.

Quand la police avait examiné la Land Rover, l'une des extrémités du tuyau était toujours insérée dans l'ouverture de la vitre. Mais au lieu d'être fixée sur le pot d'échappement, l'autre traînait par terre.

Peut-être s'était-elle détachée quand la voiture s'était mise en mouvement, ou quand elle était passée sur le corps de Henry. Pourtant, je ne pouvais m'empêcher de penser qu'elle n'y avait jamais été raccordée.

Il me paraissait impossible que Henry eût anticipé la suite des événements, mais au fond, j'espérais qu'il s'était ravisé. S'il avait vraiment voulu me tuer, il en aurait eu largement l'occasion. Et je ne cessais de penser à son absence de réaction devant la voiture. Une attitude expliquée par l'épuisement, sans doute, des jambes trop affaiblies pour fournir un tel effort. À moins qu'en voyant la Land Rover approcher, il n'eût pris une décision. De son propre aveu, il n'avait jamais eu le courage de se supprimer. Et si, à la dernière seconde, il avait choisi la facilité en me laissant agir à sa place ?

J'allais peut-être trop loin en cherchant à lui accorder le bénéfice du doute alors qu'il ne le méritait pas. Contrairement à Henry, je ne prétends pas connaître la psychologie, un domaine encore plus obscur que le mien. J'aimerais croire qu'une part d'humanité subsistait encore en lui, mais je n'en aurai hélas jamais la certitude.

Comme pour bien d'autres choses.

J'avais reçu quelques visites à ma sortie de l'hôpital ; certains étaient venus me voir par devoir, d'autres par curiosité, quelques-uns motivés par une inquiétude sincère. Ben Anders, accompagné d'un vieux whisky pur malt, avait été l'un des premiers à se présenter chez moi.

« Ça se fait d'apporter un bon pinard, mais j'ai pensé que t'avais besoin d'un truc plus corsé », avait-il dit en l'ouvrant.

Il avait rempli nos verres, et au moment où je levais le mien pour répondre à son toast silencieux, j'avais failli lui demander si la femme plus âgée avec qui il avait eu une liaison autrefois n'était pas mariée à un médecin. Je ne l'avais cependant pas fait. Après tout, cela ne me regardait pas. Et au fond, je ne tenais pas tellement à le savoir.

Le plus inattendu de mes visiteurs avait été le révérend Scarsdale lui-même. Notre entrevue s'était déroulée sur fond de malaise nourri par nos vieux antagonismes ; de fait, nous n'avions pas grand-chose à nous dire. Néanmoins, j'avais apprécié le geste. Lorsqu'il s'était levé pour prendre congé, Scarsdale m'avait considéré d'un air grave et je l'avais cru sur le point d'exprimer un sentiment qui aurait permis de surmonter la rancune entre nous. Il s'était cependant contenté de hocher la tête, et après m'avoir souhaité un bon rétablissement, il avait poursuivi sa route.

Quant à Janice, elle était passée régulièrement. Privée de Henry, elle avait reporté son attention larmoyante sur moi. Si j'avais mangé tous les repas qu'elle m'apportait, j'aurais sans doute pris trois ou quatre kilos durant les deux premières semaines, mais je ne me sentais aucun appétit. Chaque fois, je la remerciais, et après son départ, j'allais jeter les plats de solide cuisine anglaise préparés par ses soins.

Je n'avais pas tout de suite eu le courage de l'interroger sur Diana Maitland. Elle n'avait jamais fait mystère de son antipathie pour la femme de Henry et n'avait pas changé d'opinion depuis qu'il était mort.

Les infidélités de Diana n'étaient un secret pour personne, et pourtant Janice s'était indignée lorsque je lui avais demandé si Henry passait pour un bouffon, comme il le croyait.

«Tout le monde savait mais fermait les yeux, m'avait-elle affirmé. Dans l'intérêt de Henry. On le respectait trop pour ça.»

Si la situation n'avait pas été aussi tragique, j'aurais presque trouvé cette remarque drôle.

Je n'étais pas retourné travailler au cabinet. Je n'aurais pas pu le supporter. J'avais fait venir un remplaçant en attendant qu'un confrère prît le relais ou que les habitants se fussent inscrits auprès d'un autre médecin des environs. En tout cas, je savais que ma carrière à Manham était terminée. D'ailleurs, mes anciens patients manifestaient désormais une réserve indéniable à mon égard; pour eux, je restais l'étranger qui, durant un moment, avait été suspecté dans une affaire de meurtre. Encore aujourd'hui, mon implication dans l'enquête me valait une certaine méfiance. Henry avait raison, à l'époque : je n'avais pas ma place au village.

Et je ne l'aurais jamais.

Un matin, je m'étais réveillé en sachant qu'il était temps pour moi de partir. J'avais mis ma maison en vente et commencé à emballer mes affaires. Le soir précédant l'arrivée du camion de déménagement, on avait frappé à la porte. En l'ouvrant, j'avais eu la surprise de découvrir Mackenzie sur le seuil.

«Je peux entrer?»

Je l'avais invité à me suivre dans la cuisine où j'avais retiré deux tasses d'un carton. Pendant que l'eau chauffait, il m'avait demandé comment j'allais.

«Ça va, merci.

— La drogue ne vous a pas laissé de séquelles ?

— Apparemment, non.

— Vous dormez bien ? »

J'avais souri.

« Ça m'arrive. »

Quand je lui avais tendu une tasse de thé, il avait soufflé dessus en évitant de me regarder.

« Écoutez, docteur, je sais que vous ne vouliez pas vous mêler de cette enquête. » L'air gêné, il avait haussé les épaules. « Au fond, je me sens un peu honteux de vous avoir entraîné là-dedans.

— Ne vous inquiétez pas, j'étais déjà impliqué. Simplement, je ne m'en étais pas rendu compte.

— N'empêche, étant donné la façon dont les choses ont tourné... enfin, vous voyez.

— Vous n'y êtes pour rien. »

Il avait hoché la tête en esquissant une moue dubitative ; peut-être se demandait-il s'il en avait fait assez. Il n'était pas le seul à se poser la question.

« Alors, quels sont vos projets ? » avait-il demandé.

À mon tour, j'avais haussé les épaules.

« Retourner à Londres. Pour le reste, je ne sais pas trop.

— Vous continuerez à travailler dans la médecine légale ? »

Pour un peu, j'aurais éclaté de rire.

« Ça m'étonnerait. »

Il s'était gratté le cou.

« Bah, je peux comprendre. » Son regard avait cherché le mien. « Je suis sans doute mal placé pour vous donner des conseils, mais ne prenez pas de décision pour l'instant. Pas mal de gens auraient besoin de vos services.

— Ils devront s'adresser à quelqu'un d'autre, avais-je répondu en détournant les yeux.

— Réfléchissez quand même... »

Quand il s'était levé pour partir, nous avions échangé une poignée de main et j'avais indiqué son grain de beauté.

« À votre place, je le montrerais à un médecin. »

Le lendemain, je quittais Manham pour de bon.

Mais pas avant d'avoir fait des adieux d'un autre ordre. Durant la nuit, mon rêve était revenu – pour la dernière fois, je le savais. Comme toujours, l'atmosphère de la maison était familière et paisible. J'avais cependant conscience d'une différence cruciale.

L'absence de Kara et d'Alice.

J'avais erré dans les pièces vides avec la certitude que je ne reverrais plus ni ma femme ni ma fille. Et que c'était dans l'ordre des choses. On ne rêve pas sans raison, m'avait dit un jour Linda Yates. Même si le mot « rêve » ne me semblait guère s'appliquer à mon expérience, celle-ci n'avait désormais plus lieu d'être. Au réveil, j'avais les joues humides, mais ce n'était plus un problème.

Plus du tout.

La sonnerie du téléphone me ramena au présent. Soufflant un petit nuage blanc dans l'air froid, je retirai mon portable de ma poche et souris à la vue du numéro.

« Salut, lançai-je. Ça va ?

— Super. Je te dérange ? »

La voix de Jenny fit naître en moi une onde de chaleur familière.

« Jamais.

« — J'ai eu ton message comme quoi tu étais bien arrivé. Comment s'est passé le voyage ?

— Bien. Au chaud. C'est sortir de la voiture qui m'a posé le plus de difficultés. »

Je l'entendis rire.

« Alors, combien de temps vas-tu rester là-bas ?

— Je ne sais pas encore. Pas plus longtemps que nécessaire, en tout cas.

— Tant mieux. Je m'ennuie déjà sans toi. »

Je sentis mon sourire s'élargir. Il m'arrivait encore d'avoir du mal à croire que la vie nous avait accordé une seconde chance. Le plus souvent, néanmoins, je me sentais empli de gratitude à cette idée.

Jenny avait failli mourir. À vrai dire, elle était bel et bien morte, même si les paroles qui m'avaient tant effrayé ce soir-là devant *Bank House* concernaient Henry. À quelques minutes près, cependant, il aurait été trop tard pour elle aussi. Ce n'était qu'un heureux hasard si, dans la confusion engendrée par le raid avorté sur le vieux moulin, personne n'avait pensé à renvoyer les urgentistes. Quand j'avais appelé de chez Henry, ils venaient tout juste de repartir vers la ville et n'avaient eu qu'à faire demi-tour. Sinon, l'étincelle de vie que j'avais ranimée à mon insu dans le cœur de Jenny se serait éteinte avant l'arrivée des secours. De fait, son cœur s'était de nouveau arrêté juste après son admission à l'hôpital, et encore une heure plus tard. Chaque fois, il s'était remis à battre. Trois jours plus tard, elle avait repris connaissance, et au bout d'une semaine, on l'avait transférée en soins intensifs.

Les risques de lésions au niveau du cerveau ou des organes, voire de cécité, que je savais réels et que les médecins craignaient, ne s'étaient jamais concrétisés.

445

Mais si ses blessures physiques paraissaient en bonne voie de guérison, j'avais redouté au début la possibilité d'un traumatisme plus profond et moins visible. Peu à peu, cependant, mon inquiétude s'était dissipée. Jenny s'était réfugiée à Manham parce qu'elle avait peur. Aujourd'hui, cette peur avait disparu. Elle avait affronté son pire cauchemar et survécu à l'épreuve. En un sens, moi aussi.

D'une certaine façon, nous avions tous les deux été ressuscités.

La corneille prit son essor au moment où je rangeais mon téléphone, et le battement de ses ailes résonna avec force dans le silence pur. Je la regardai survoler la lande écossaise gelée. Ce paysage avait beau paraître désolé, de jeunes pousses commençaient à percer ici et là, annonciatrices du printemps.

Je me retournai en entendant quelqu'un approcher – une jeune policière vêtue d'un manteau sombre qui faisait ressortir la pâleur de son visage.

« Docteur Hunter ? Désolée de vous avoir fait attendre. C'est par là. »

Je la suivis jusqu'à un groupe de policiers et serrai quelques mains en me présentant. Enfin, les hommes s'écartèrent pour me révéler la raison de ce rassemblement.

Le corps gisait au fond d'une dépression. Je me sentis gagné par un détachement familier tandis que j'observais sa position, la texture de sa peau et ses cheveux soulevés par le vent.

Le moment était venu pour moi de me mettre au travail.

Remerciements

L'idée de *La Mort à nu* m'est venue en 2002, alors que je rédigeais un article pour le *Daily Telegraph*. Il portait sur la National Forensic Academy du Tennessee, qui offre une formation intensive et extrêmement concrète aux policiers américains et aux techniciens de scène de crime. Une partie des cours se passe dans un centre d'un genre particulier, appelé familièrement «la ferme des corps». Fondé par le docteur Bill Bass, anthropologue médico-légal, c'est le seul établissement au monde qui utilise des cadavres humains pour étudier le processus de décomposition et les différents moyens d'estimer le délai post mortem – deux clés de toute enquête criminelle.

Ma visite sur place a constitué une expérience tout à fait fascinante, sans laquelle le docteur David Hunter n'aurait sans doute jamais existé. Je remercie par conséquent la National Forensic Academy et la University of Tennessee's Anthropology Research Facility de m'avoir autorisé à écrire l'article original.

Plusieurs personnes m'ont apporté une aide précieuse dans mes recherches pour ce roman. Le docteur Arpad Vass, du Oak Ridge National Laboratory, dans le Tennessee, a bien voulu répondre à mes innombrables questions sur les complexités de l'anthropologie médico-légale et a pris le temps, malgré un emploi du temps chargé, de lire le manuscrit. Au Royaume-Uni, le professeur Sue Black, de l'université de Dundee, m'a également apporté sa contribution, n'hésitant jamais à me rappeler quand il le fallait. Le service de presse et d'information du Norfolk Constabulary, les Broads Authority et le Norfolk Wildlife Trust Hickling Board méritent aussi tous mes remerciements pour avoir répondu à des questions qui ont dû leur sembler pour le moins bizarres. Inutile de préciser que toute inexactitude ou erreur technique est de mon fait, pas du leur.

Merci aussi à ma femme Hilary ; à Ben Steiner et au SCF pour leurs informations et leurs observations ; à mes agents, Mic Cheetham et Simon Kavanah, pour leurs efforts mais aussi pour leur foi inébranlable ; à Paul Marsh, Camilla Ferrier et toute l'agence Marsh pour leur travail remarquable ; à mon éditeur Simon Taylor et à toute l'équipe de Transworld pour leur enthousiasme.

Enfin, j'aimerais remercier mes parents, Sheila et Frank, pour leur soutien inconditionnel. J'espère que cela en valait la peine.

Simon Beckett

Achevé d'imprimer par GGP Media GmbH, Pößneck
en octobre 2007
pour le compte de France Loisirs,
Paris

N° d'éditeur: 49878
Dépôt légal: novembre 2007
Imprimé en Allemagne